Audioscript to accompany

• • • • • • • • • • • • • • • • •

A Telecourse Designed by

Bill VanPatten
University of Illinois at Urbana-Champaign

Martha Alford Marks

Richard V. Teschner
University of Texas, El Paso

Thalia Dorwick
Coordinator of Print Material for The McGraw-Hill Companies, Inc.

The McGraw-Hill Companies, Inc.
New York   St. Louis   San Francisco   Auckland   Bogotá   Caracas
Lisbon   London   Madrid   Mexico City   Milan   Montreal   New Delhi
San Juan   Singapore   Sydney   Tokyo   Toronto

McGraw-Hill

A Division of The McGraw·Hill Companies

This is an EBI book.

Audioscript to accompany *Destinos*

1 2 3 4 5 6 7 8 9 0   HAM   HAM   9 0 3 2 1 0 9 8 7

ISBN 0-07-067264-4

The editors were Scott Tinetti and Caroline Jumper.
The production supervisor was Florence Fong.
The compositor was Fog Press.
Hamco was the printer and binder.

http://www.mhcollege.com

CONTENTS

PREFACE

The Audioscript for *Destinos* is a transcript of the materials found in the Audiocassette Program that accompanies the Textbook and Workbook/Study Guides. Most lesson scripts are divided into three parts, corresponding to the parts of the print materials: Textbook, Workbook/Study Guide, Self-Test. Some lessons (mostly the review lessons) do not have Self-Tests, and there are no audioscript materials for Textbook Lessons 48–51 nor Workbook/Study Guide Lessons 50–52 because there are no audiocassette materials corresponding to those lessons in the *Destinos* program.

In the Textbook and Workbook/Study Guides, a cassette symbol in the margin tells students when to use the audiocassette for a given lesson. The end of each activity is signaled with a tone that indicates to students that they should return to their Textbook or Workbook/Study Guide. In **Lecciones 1** and **2** (beginning of the first semester) and in **Lecciones 27** and **28** (beginning of the second semester), students are also told explicitly to return to the print materials. In subsequent lessons, only the tone is heard.

The Audiocassette Program is appropriate for use by students working on their own (at home or in a Language Lab or Media Center). It may also be used effectively in the classroom. It is designed to work with both the first edition, *Destinos: An Introduction to Spanish* and *Destinos: Alternate Edition.* For further information about using the audiocassettes and other parts of the package of materials that accompanies *Destinos,* see the Faculty Guide (for on-campus programs) or the Television and Video Course Faculty Guide (which offers specific suggestions about telecourses for the distant learner).

(Please print or type)

Name: _____

Dept.: _____

School: _____

Address: _____

City/State/Zip: _____

Dear Professor,

Thank you for adopting *Destinos* for the upcoming school term.

Audiotapes and Software

McGraw-Hill is pleased to grant you permission to duplicate and/or network the accompanying audiocassettes and/or MHELT software under the following conditions only:

1. That only students enrolled in your foreign language program will receive copies of the tapes/software.

2. That the tapes/software are not sold to or by students or any other individual for profit.

3. That the tapes/software will only be distributed, played, and/or networked during such time as this McGraw-Hill textbook is used by your foreign language program.

McGraw-Hill can also sell the audiocassette and software programs for this title directly to students through the bookstore should your school be unable or prefer not to make copies. Please contact your bookstore manager or you local McGraw-Hill representative to arrange for this option.

Videotapes

Duplication permission for the *Destinos* video series must be requested from the Annenberg/CPB Project at 1-800-LEARNER.

There will be no charge for the use of the materials as described above. If these terms are acceptable to you, please sign this letter where indicated below and send one copy to Tape Permission, McGraw-Hill College Division, 55 Francisco Street, Suite 200, San Francisco, CA, 94133. This agreement will be valid upon our receipt of a signed copy of this letter.

Sincerely,

Margaret Metz
Senior Marketing Manager
Foreign Languages

. . . .

AGREED TO ABOVE TERMS:

Signature: _____

Date: _____

Destinos: An Introduction to Spanish* and *Destinos: Alternate Edition

Lección 1: Textbook

¿Tienes buena memoria?

Actividad C. ¡Un desafío! Raquel's story review at the end of **Episodio 1** contains a lot of information about the characters in *Destinos*. You will have the opportunity to hear and review this information again in upcoming episodes. For now, just focus on Raquel.

Listen again as Raquel describes herself. Then complete the sentences based on what you know about her.

Pero Uds. no saben nada de mí, ¿verdad? Me llamo Raquel Rodríguez. Vivo en Los Ángeles, California. Soy mexicoamericana y soy abogada.

Here are the correct answers.

1. b. El nombre completo de Raquel es Raquel Rodríguez.   2. b. Raquel es mexicoamericana.
3. a. Raquel vive en Los Ángeles.

Now turn off your tape player and return to the Textbook.

Lección 1: Workbook/Study Guide

Más allá del episodio

Actividad B. Los lugares de La Gavia Follow along as the speaker on the tape lists places, and indicate the ones you would expect to find at La Gavia based on what you now know about it. You should be able to recognize the meaning of all of the place names, which are preceded by **un** or **una** (Spanish words for *a* or *an*).

1. un patio
2. un hospital
3. una capilla
4. una biblioteca
5. un aeropuerto
6. una entrada
7. un restaurante
8. un establo
9. una farmacia
10. un hotel
11. un garaje
12. un supermercado

Now turn off your tape player and return to the Workbook.

Gramática

Actividad A. ¿Quién habla? Which of the following *Destinos* characters is describing himself or herself? Follow along in the Workbook as you listen to the tape. Choose characters from this list: don Fernando, Mercedes, Raquel, Ramón.

1. Soy abogada. Don Fernando es mi cliente.
2. Soy de España. Ahora soy propietario de La Gavia.
3. Mercedes y yo somos miembros de la familia Castillo.
4. Soy hija de don Fernando.
5. Carlos, Juan y yo somos hijos de don Fernando.

You should have identified the characters as follows: 1. Raquel   2. don Fernando   3. Ramón
4. Mercedes   5. Ramón.

Now turn off your tape player and return to the Workbook.

Pronunciación: Pronouncing cognates

Actividad A. La serie *Destinos* Listen to the following brief description of *Destinos*, the TV series. It contains many cognates and is based on Raquel's description of the story in this episode. Then the description will be repeated, with pauses for you to repeat what you have heard.

Destinos... Es una historia muy interesante. Es una historia de aventuras... de secretos... y de amor. También es una historia muy importante para la familia Castillo.

Now the description will be repeated, with pauses for repetition.

Destinos... Es una historia muy interesante. Es una historia de aventuras... de secretos... y de amor. También es una historia muy importante para la familia Castillo.

Now turn off your tape player and return to the Workbook.

Actividad B. The following brief sentences containing cognates describe *Destinos,* the TV series. Repeat them after the speaker. Then, based on what you know about *Destinos* and on what you learned in **Actividad A**, indicate whether the sentences are **Cierto** or **Falso**. Make educated guesses if you don't know.

1. *Destinos* es una serie romántica.
2. Es una serie complicada.
3. No hay aventuras en *Destinos*.
4. No tiene elementos misteriosos.

Now listen as the speaker gives you the correct answers. Do you hear additional cognates?

Número 1. Sí, *Destinos* es una serie muy romántica. Tiene amor y todo.
Número 2. Es cierto. *Destinos* es también una serie muy complicada... con varias complicaciones interesantes.
Número 3. No es cierto. Es falso. Hay muchas aventuras interesantes en *Destinos*.
Número 4. También es falso. En *Destinos* hay misterio.

Now turn off your tape player and return to the Workbook.

¡Aumenta tu vocabulario!

Actividad B. Now that you know a great deal more about cognates, the reading passage on La Gavia with which you worked in the Workbook may seem easier to you. Here it is again, without the glosses but with a new section in the middle. Listen and follow along in your Workbook, circling the words you now think are cognates. The word **siglo** means *century*.

La Gavia es el nombre de una hacienda mexicana. Es la residencia principal de don Fernando Castillo Saavedra, el patriarca de la familia Castillo. Es una hacienda de la época colonial. Está situada al suroeste de la Ciudad de México, cerca de la ciudad industrial de Toluca.

La historia de La Gavia

Siglo XVI: Construcción de la hacienda.

Siglo XVII: Período de gran esplendor.

Siglo XVIII: Los jesuitas se instalan en La Gavia.

Siglo XIX: Centro importante en el movimiento de la Independencia Nacional.

Siglo XX: Destrucción parcial de La Gavia durante la Revolución Mexicana de 1910.

Don Fernando compró La Gavia en ruinas con la idea de restaurar la hacienda. Es un lugar histórico, pero también es muy importante para don Fernando.

La Gavia es una hacienda muy grande. Tiene una entrada majestuosa y una capilla muy bonita. En la hacienda hay también un patio muy agradable y una biblioteca impresionante.

Now turn off your tape player and return to the Workbook.

LECCIÓN 2: TEXTBOOK

Preparación

Actividad C. Listen to the following phone call that Ramón will make to his brother Carlos during **Episodio 2**. Knowing that **Hoy vino...** means that someone *came today,* can you guess what Ramón is telling Carlos? (*Hint:* Remember what you saw in **Episodio 1**.)

CARLOS: ¡Ramón, qué milagro! ¿Cómo estás?
RAMÓN: Bien. ¿Y tú?

CARLOS: Bien.... Con mucho trabajo. ¿Qué pasa?
RAMÓN: Te tengo malas noticias...
CARLOS: ¿De papá?
RAMÓN: Sí. Hoy vino el médico y... ¿Puedes venir mañana, a La Gavia?
CARLOS: Sí. Claro que sí.
RAMÓN: Bien. Tengo que llamar a Juan. Te veré mañana. Adiós.
CARLOS: Bien. Te veo mañana.

Here is the question.

Ramón le dice a Carlos que

a. hoy vino una abogada   b. hoy vino el médico para ver a don Fernando   c. hoy vino Juan

La respuesta correcta es *b*. Ramón le dice a Carlos que hoy vino el médico para ver a don Fernando.

Listen to the conversation again. Knowing that **¿Puedes... ?** means Can you . . . ?, what do you think that Ramón is asking Carlos to do? What does Carlos answer?

CARLOS: ¡Ramón, qué milagro! ¿Cómo estás?
RAMÓN: Bien. ¿Y tú?
CARLOS: Bien.... Con mucho trabajo. ¿Qué pasa?
RAMÓN: Te tengo malas noticias...
CARLOS: ¿De papá?
RAMÓN: Sí. Hoy vino el médico y... ¿Puedes venir mañana, a La Gavia?
CARLOS: Sí. Claro que sí.
RAMÓN: Bien. Tengo que llamar a Juan. Te veré mañana. Adiós.
CARLOS: Bien. Te veo mañana.

Here are the questions.

Ramón desea que Carlos venga a

a. un hospital   b. la hacienda   c. Los Ángeles

La respuesta correcta es *b*. Ramón desea que Carlos venga a la hacienda.

Carlos dice que... Carlos dice que sí. Puede venir mañana a La Gavia.

Now turn off your tape player and return to the Textbook.

¿Tienes buena memoria?
Actividad A. Here are the answers to the first set of questions.

1. Ramón... e. hijo de don Fernando; vive en La Gavia
2. Pedro... f. hermano de don Fernando; profesor en México
3. Juan... g. hijo de don Fernando; profesor en Nueva York
4. Carlos... a. hijo de don Fernando; director de una compañía
5. Mercedes... c. hija de don Fernando; vive en La Gavia
6. Rosario... d. la esposa secreta de don Fernando
7. Carmen... b. esposa de don Fernando y madre de sus cuatro hijos

Here are the answers to the challenge questions.

1. Gloria... b. esposa de Carlos
2. Pati... c. esposa de Juan
3. Consuelo... h. esposa de Ramón
4. Lupe... d. cocinera
5. Maricarmen... e. hija de Consuelo y Ramón
6. Julio... a. médico de la familia
7. Ofelia... f. secretaria de Carlos
8. Raquel... g. antigua estudiante de Pedro

Now turn off your tape player and return to the Textbook.

Vocabulario del tema

Los miembros de la familia

los padres: el padre/la madre   los hijos: el hijo/la hija   los hermanos: el hermano/la hermana
los tíos: el tío/la tía   los esposos: el esposo/la esposa

Actividad A. ¿Cuál es mi familia? Listen as the speakers on the cassette tape describe their family tree. Then select the drawing that best matches the description you heard. Look at the drawings in each group before you listen to the description.

Here is the description for the first group.

> ¡Hola! Me llamo Cecilia. No tengo esposo; ya no vive; está muerto. Mi padre ya murió también. Tengo tres hijos, pero no tengo hermanos.

You should have selected Drawing 1.

Here is the description for the second group.

> ¡Hola! Me llamo Tomás. Tengo tres hijos que se llaman Tomasín, Marta y Ricardo. No tengo esposa; ya murió; está muerta. Mis padres también están muertos. No tengo hermanos.

You should have selected Drawing 1 again.

Now turn off your tape player and return to the Textbook.

Actividad C. ¿Quién es? Look at the following photographs. The speaker on the cassette tape will ask you to identify each person by number. State that person's relationship to someone else, referring back to the preceding paragraphs if necessary. You will then hear a factually correct statement on the tape. In some cases, more than one relationship is possible.

> MODELO: (*you hear*) ¿Quién es la persona de la foto número uno?
> (*you say*)   Es Juan, hijo de don Fernando.
> (*you hear*) Es Juan, hijo de don Fernando y hermano de Mercedes, Ramón y Carlos.

The first question will be about the first photo. Try to answer without looking at the model.

> ¿Quién es la persona de la foto número uno?   —Es Juan, hijo de don Fernando y hermano de Mercedes, Ramón y Carlos.
> ¿Quién es la persona de la foto número dos?   —Es Pedro, hermano de don Fernando.
> ¿Quién es la persona de la foto número tres?   —Es Ramón, hijo de don Fernando y hermano de Mercedes, Juan y Carlos.
> ¿Quién es la persona de la foto número cuatro?   —Es Mercedes, hija de don Fernando y hermana de Ramón, Carlos y Juan.

Now turn off your tape player and return to the Textbook.

Conversaciones: Los saludos

Paso 1. Hola. Buenos días. Buenas tardes. Buenas noches.

Now turn off your tape player and return to the Textbook.

Paso 3. Now listen to the brief greetings and find out whether you were right. How many different greetings did you hear in each conversation?

Conversación 1

> —Bueno.
> —Buenas noches, Julio. Soy Roberto.
> —¡Hola, Roberto! ¿Qué tal?

Conversación 2

> —Buenos días, Teresa.
> —Hola, Anita. Buenos días.

Conversación 3

> —Buenas tardes, profesora García.
> —Hola, Jorge. ¿Qué tal?

Now turn off your tape player and return to the Textbook.

Lección 2: Workbook/Study Guide

Más allá del episodio

Actividad B. Here is information about some of the items in the list of seven statements.

El número dos es falso. Juan no es profesor de literatura italiana. Es profesor de literatura latinoamericana.

El número tres también es falso. Pati es profesora, pero no de música. Es profesora de teatro.

El número seis también es falso. El matrimonio de Juan y Pati no es muy estable. Su matrimonio es inestable y tenso.

El número siete es cierto. Juan y Pati viven en Nueva York.

Now listen to the following narration in order to get information about statements 1, 4, and 5. There may not be answers for all three statements. Here are three important words that will occur in the passage: **trabajan**, which means *they work*, **segundo**, which means *second*, and **ya**, which means *already*. Here is the passage.

La historia de Juan y Pati es frecuente en matrimonios donde los dos trabajan. Pero también es interesante. Para Pati, éste es su segundo matrimonio. Pati ya tiene experiencia en problemas matrimoniales. Juan es más inexperto y no comprende muy bien los problemas.

Here are some additional answers and comments.

El número cuatro es falso. Juan no tiene mucha experiencia matrimonial.

El número cinco es cierto. Éste es el segundo matrimonio de Pati.

¿Y el número uno? No sabes todavía si Juan es el hijo favorito de don Fernando o no.

Now turn off your tape player and return to the Workbook.

Gramática
Section 2

Actividad B.   Definiciones Listen as the speaker on the cassette tape gives a series of definitions. You will not understand every word of the definitions. Just listen and try to catch the word defined and the gist of the definition. Then write the words defined in the appropriate column: **Personas, Lugares, Cosas, Conceptos**. Be sure to write an article with each word.

1. ¿Los tíos? Los tíos son los hermanos de mis padres.
2. ¿Qué es una compañía? Pues... es un lugar donde muchas personas trabajan. Sí, las personas trabajan en una oficina.
3. ¿El español? Es un idioma muy importante. El español es un idioma que muchas personas hablan.
4. ¿Los esposos? Cuando tienen hijos, son el padre y la madre de una familia. Los esposos son un matrimonio.
5. ¿La universidad? ¿Qué es? Pues... es un lugar donde muchas personas estudian. Sí, hay muchos estudiantes en la universidad.
6. ¿Una columna? Es un grupo de palabras. Por ejemplo, hay columnas en algunas actividades: la columna A, la columna B.

Now turn off your tape player and return to the Workbook.

Pronunciación: El alfabeto español

The Spanish and English alphabets are similar but not identical. Listen as the speaker on the cassette tape pronounces each letter of the Spanish alphabet, along with a name that contains the letter. Then pronounce the letter and name after you hear them.

a	Antonio	j	José	r	Clara
b	Blanca	k	(Kati)	rr	Monterrey
c	Cecilia	l	Luis	s	Sara
ch	Chile	ll	Guillermina	t	Tomás
d	Dolores	m	Manuel	u	Agustín
e	Elena	n	Nicaragua	v	Víctor
f	Felipe	ñ	España	w	Oswaldo
g	Gloria	o	Olivia	x	Félix
h	Héctor	p	Pablo	y	Yucatán
i	Inés	q	Raquel	z	Zaragoza

Now turn off your tape player and return to the Workbook.

¡Aumenta tu vocabulario!

nación, preparación, tensión, expresión, vitalidad, ciudad

Now turn off your tape player and return to the Workbook.

Actividad A. By using the suffix patterns given in this section, you should be able to understand the indicated words. Repeat the sentences after the speaker the second time you hear them. Then indicate whether the sentences are **Cierto** or **Falso**.

1. ¿Cuál es la **profesión** de Juan? Es profesor en la **universidad**.
   ¿Cuál es la profesión de Juan? Es profesor en la universidad.
2. Hay mucha **tensión** entre las **naciones** del mundo.
   Hay mucha tensión entre las naciones del mundo.
3. En la **ciudad** de Los Ángeles, no hay una **comunidad** de mexicoamericanos.
   En la ciudad de Los Ángeles, no hay una comunidad de mexicoamericanos.
4. En una **conversación**, hay **comunicación** entre dos personas.
   En una conversación, hay comunicación entre dos personas.
5. Hay programas interesantes en la **televisión**.
   Hay programas interesantes en la televisión.
6. La **opresión** de unos grupos por otros grupos no tiene **solución**.
   La opresión de unos grupos por otros grupos no tiene solución.

Now turn off your tape player and return to the Workbook.

LECCIONES 1 Y 2: SELF-TEST

II. El vocabulario

B. Listen as a woman named Graciela tells you something about herself. Then fill in the blanks according to what you have heard.

Hola. Soy Graciela Ramírez; de Sacramento, California. Mi esposo se llama Antonio. Tengo un hijo. Se llama Roberto. Soy abogada. Mi esposo es profesor en la universidad. Roberto es estudiante. Mi hermana es Elena. También vive en la ciudad de Sacramento. Elena es directora de una compañía.

Preparación

Actividad C. Listen to the following conversation that Raquel will have with the receptionist at her hotel in Spain. **¿Dónde está... ?** means *Where is . . . ?* Now that you know that, what does Raquel ask about?

RAQUEL: Perdone.
RECEPCIONISTA: Eh, sí, señorita.
RAQUEL: ¿Ud. sabe dónde está la calle Pureza?
RECEPCIONISTA: Sí, está en el Barrio de Triana.
RAQUEL: ¿Está muy lejos?
RECEPCIONISTA: Un poco.

Here is the question.

Raquel pregunta dónde está

a. Rosario   b. la calle Pureza   c. el hijo de Rosario y don Fernando

La respuesta correcta es *b*. Raquel pregunta dónde está la calle Pureza.

Listen to the conversation again. **¿Está lejos?** means *Is it far away?* Now that you know that, what information does the receptionist give to Raquel?

RAQUEL: Perdone.
RECEPCIONISTA: Eh, sí, señorita.
RAQUEL: ¿Ud. sabe dónde está la calle Pureza?
RECEPCIONISTA: Sí, está en el Barrio de Triana.
RAQUEL: ¿Está muy lejos?
RECEPCIONISTA: Un poco.

Here is the question.

El recepcionista dice que la calle Pureza

a. está lejos, un poco lejos   b. no está lejos   c. está en el Barrio de Triana   d. no está en la ciudad

Hay dos respuestas correctas, *a* y *c*. El recepcionista dice que la calle Pureza está lejos, un poco lejos *y* que está en el Barrio de Triana.

¿Tienes buena memoria?

Actividad C. Now listen to a brief excerpt from Raquel's conversation with Elena Ramírez and change any answers if necessary.

RAQUEL: ¿Sabe Ud. algo de esto?
ELENA: Todo esto es nuevo para mí.
RAQUEL: ¿La señora Suárez nunca le habló de Rosario o de don Fernando?
ELENA: No. Nunca, jamás. Posiblemente le haya mencionado algo a mi esposo.

Vocabulario del tema

Los números del 0 al 21

cero, uno, dos, tres, cuatro, cinco, seis, siete, ocho, nueve, diez, once, doce, trece, catorce, quince, dieciséis, diecisiete, dieciocho, diecinueve, veinte, veintiuno

Actividad A.   ¿Cuál es el número? You will hear the street numbers of five of the houses on la calle Pureza, but you will hear them out of order. Listen and indicate the order in which you hear them by writing the letters *a* through *e* next to the addresses.

a. el diecisiete A   b. el veinte A   c. el dieciocho A   d. el dieciséis A   e. el diecinueve A

You should have written the letters in this order: d, a, c, e, and b.

The following activity is not available in the Alternate Edition.

Actividad B. You will hear two segments from **Episodio 3** in which numbers play an important role. Listen to each segment, then answer the questions. First, listen to the questions, so that you know what information you are listening for.

1. ¿Cuántos turistas hay en el grupo?   2. ¿Qué número tiene Juan?   3. ¿Qué número busca Raquel?

Here is the first segment.

> ¿Estamos todos? A ver... Uno... dos... tres... cuatro... cinco... seis... siete... ocho... nueve... ¿Quién falta? (Juan.) Juan. ¿Dónde está Juan? Bien. Ya estamos los diez. Bueno. Sevilla nos espera.

Here is the second segment.

TAXISTA: ¿A qué número va en la calle Pureza?
RAQUEL: Al veintiuno.
TAXISTA: ¿Tiene familia allí?
RAQUEL: No, señor.

Conversaciones: Más saludos

Actividad.   El primer encuentro On the cassette tape you will hear three brief conversations in which people greet each other for the first time.

Paso 1. Listen to all of the conversations now, then answer the following questions.

Here is the first conversation.

FEMALE: Me llamo Anita. Y tú, ¿cómo te llamas?
BOY: Me llamo Juan. Y éste es mi hermano Jorge.
FEMALE: Mucho gusto.
BOY: Igualmente.
FEMALE: ¿Y cómo se llama... ?

Here is the second conversation.

MIGUEL: Mamá, esta señorita busca a la abuela.
RAQUEL: Perdone, señora, soy Raquel Rodríguez y vengo de los Estados Unidos.
ELENA: Elena Ramírez, mucho gusto.
RAQUEL: Mucho gusto. Siento mucho molestarla pero....

Here is the third conversation.

OLDER WOMAN: ¿La profesora Ortega? Sí, soy yo.
YOUNGER WOMAN: Soy la madre de Rodolfo Delgado.
OLDER WOMAN: Ah, mucho gusto, señora.
YOUNGER WOMAN: Igualmente. Necesito hablar con Ud. acerca de mi hijo. Parece que....

Nota cultural: España, un país de contrastes

Refresh your memory about the geography of Spain by listening to what the narrator told you at the beginning of **Episodio 3**. Try to associate the place names you hear with this map. Then, when the taped portion is over, continue on with the reading in the Textbook.

> España, un país europeo.... Al norte está Francia y el mar Cantábrico.... Al oeste está Portugal y el océano Atlántico.... Al sur está África.... Y al este, el mar Mediterráneo.... España se compone de diferentes regiones, y entre las más conocidas están Cataluña, el País Vasco, Asturias, Galicia, las dos Castillas y Andalucía.

Más allá del episodio
Actividad B.

El número uno es cierto. Elena tiene mucho trabajo con sus hijos.
El número tres es falso. Jaime es el hijo menor.
El número cuatro es falso. Miguel es un estudiante modelo.
El número cinco es cierto. Como hermanos típicos, Jaime y Miguel no siempre se llevan bien.

Now listen to the following narration in order to get information about statements 2, 6, and 7. There may not be answers for all three statements. Here is the passage.

El padre de Miguel y Jaime también se llama Miguel. Es guía turístico. Su matrimonio con Elena es modelo, y también tiene relaciones muy buenas con Miguel, su hijo mayor. Pero para Miguel padre, Jaime es un problema. A veces Elena y él no saben qué hacer con su hijo menor.

Here are some additional answers and comments.

El número dos es falso. Miguel Ruiz es guía turístico.
El número seis es falso. Miguel y Elena forman un matrimonio modelo.
¿Y el número siete? No sabes todavía si Teresa Suárez visita a la familia frecuentemente.

Gramática
Section 4

Actividad C.   ¿Y tú? ¿Qué hay donde tú vives? Are the following sentences **Cierto** or **Falso** for the city in which you live?

1. Hay muchas industrias.
2. No hay muchas iglesias.
3. Hay muchos mercados.
4. Hay muchos hoteles.
5. No hay muchas plazas.
6. Hay muchas personas de habla española.

Actividad B.   Una familia española Listen as the speaker on the cassette tape asks some questions about this family. Begin your answers with **Hay...** or **No hay...**, as appropriate.

1. ¿Hay muchas personas en esta familia?
   No, no hay muchas personas en esta familia.
2. En esta familia, ¿cuántos hijos hay?
   Hay dos hijos.
3. ¿Hay un abuelo?
   No, no hay un abuelo, pero hay una abuela.
4. ¿Hay hermanas en esta familia?
   No, no hay hermanas. Sólo hay hermanos.
5. Por fin, ¿cuál es el apellido de esta familia?
   Es la familia Ruiz, de Sevilla.

Section 5

Actividad B.   ¿Dónde está... ? Show what you have learned about Spanish geography by selecting the correct answer to the questions you hear.

1. España está... en África / en Europa / en Asia
2. Francia y el mar Cantábrico están... al sur de España / al norte de España / al este de España
3. Portugal y el océano Atlántico están... al sur / al oeste / al este
4. El mar Mediterráneo está... al norte / al este / al oeste
5. La calle Pureza y el barrio de Triana están... en Sevilla / en Madrid / en Barcelona

Now listen to the answers.

1. España está en Europa.
2. Francia y el mar Cantábrico están al norte de España.
3. Portugal y el océano Atlántico están al oeste.
4. El mar Mediterráneo está al este.
5. La calle Pureza y el barrio de Triana están en Sevilla.

Section 6

Actividad A.   ¿De quién se habla? ¡OJO! There is more than one possible answer for some items. First, take a few seconds to scan the list of characters.

1. Escribe una carta.
   Teresa Suárez escribe una carta.
2. Viaja a Sevilla.
   Raquel viaja a Sevilla.
3. Busca a Rosario.
   Raquel busca a Rosario. Don Fernando también busca a Rosario.
4. Hablan con Raquel en la calle.
   Miguel y Jaime hablan con Raquel en la calle.
5. Viven en La Gavia, con su padre.
   Ramón y Mercedes viven en La Gavia, con su padre.
6. Entran en el barrio de Triana en taxi.
   Raquel y el taxista entran en el barrio de Triana en taxi.
7. Cree que Rosario está en España.
   Don Fernando cree que Rosario está en España. Raquel también cree que Rosario está en España.
8. Llega al mercado de Triana con dos chicos.
   Raquel llega al mercado de Triana con dos chicos.
9. Investiga el secreto de don Fernando.
   Raquel investiga el secreto de don Fernando.
10. Revela un secreto a su familia.
    Don Fernando revela un secreto a su familia.

Pronunciación: Las vocales—a, e, i, o, u

Actividad A. Listen to the description of how Spanish vowels are pronounced; then repeat the example words you hear on the tape. Try to imitate the speaker's pronunciation as closely as you can. Note that when you see an accent mark over a vowel, it is stressed. You will learn more about this aspect of Spanish in upcoming lessons.

a: pronounced like the *a* in *father,* but short and tense

    padre   **carta/gata**

e: pronounced like the *e* in *they,* but without the *y* glide

    Pepe   **trece/bebé**

i: pronounced like the *i* in *machine,* but short and tense

    Mimi   **Trini/Pili**

o: pronounced like the *o* in *home,* but without the *w* glide

    como   **poco/somos**

u: pronounced like the *u* in *rule,* but short and tense

    Lulú   **tutú/gurú**

¡OJO! As you listened and repeated, did you notice how each vowel was carefully pronounced, even when it did not receive the spoken stress? In English, unstressed vowels are pronounced *uh* (a sound called a schwa), as in these words: c*a*nal, mot*o*r, An*a*. The schwa does not exist in Spanish. Note how each vowel is distinctly pronounced in these identical cognates: **canal**, **motor**, **Ana**.

Actividad B. Pronounce the following words and phrases, paying special attention to the vowel sounds.

1. habla   trabaja   cree   preguntan   deben   escribe
2. mamá   papá   hermano   esposa   abuelos   amigos
3. número   secreto   oficina   director   abogado
4. Está en España.   Está muy bien.   Es mi hermano.   Vive en Madrid.

¡Aumenta tu vocabulario!

famoso, riguroso, filosofía, teoría, frecuentemente, rápidamente

escuela, estatua, estudiante, España

Actividad A. By using the suffix patterns given in this section, you should be able to understand the indicated words. Repeat the sentences after the speaker the second time you hear them. Then match them with the appropriate drawing in Workbook/Study Guide I.

1. ¡Sevilla es una ciudad **maravillosa**!
   ¡Sevilla es una ciudad maravillosa!
2. En la religión árabe, hay muchas **profecías**.
   En la religión árabe, hay muchas profecías.
3. Para Jaime, las matemáticas son **especialmente** difíciles.
   Para Jaime, las matemáticas son especialmente difíciles.
4. En España, la **cortesía** es muy importante.
   En España, la cortesía es muy importante.
5. La **economía** del norte de España se basa en la industria.
   La economía del norte de España se basa en la industria.

Lección 3: Self-Test

II. El vocabulario

A. The sentences you will hear contain numbers. Write the numbers in words.

1. La familia Ruiz vive en el número 21 de la calle Pureza.
2. Don Fernando tiene 4 hijos.
3. Hay 19 verbos en esta lección.
4. Llegan al Barrio de Triana en 15 minutos.

Lección 4: Textbook

Preparación

Actividad C. Listen to the following conversation that Raquel will have with Miguel Ruiz, Elena's husband. **Ya hablé** means *I already spoke*. Now that you know that, with whom did Miguel speak and what did he learn?

RAQUEL: ¿Miguel, Elena le ha contado lo de la carta?
MIGUEL: Sí, y además ya hablé con mi madre por teléfono.
RAQUEL: ¿Y qué dijo? ¿Mencionó algo de Rosario?
MIGUEL: Realmente no.
RAQUEL: ¿Dijo algo de mi cliente, don Fernando?

MIGUEL: No. No dijo nada.

RAQUEL: Mi cliente, don Fernando quiere saber qué pasó con Rosario. ¿Podría yo hablar por teléfono con su madre?

MIGUEL: No creo. Mi madre prefiere que Ud. vaya a Madrid.

Here are the choices.

a. Miguel habló con Teresa Suárez.   b. Miguel habló con Rosario.   c. Miguel no sabe nada.
d. Miguel sabe algo interesante.

Hay dos respuestas correctas, *a* y *c*. Miguel habló con Teresa Suárez y Miguel no sabe nada.

Listen to the conversation again. **Vaya** means *go*. Now that you know that, how will Raquel and Teresa Suárez make contact?

RAQUEL: ¿Miguel, Elena le ha contado lo de la carta?

MIGUEL: Sí, y además ya hablé con mi madre por teléfono.

RAQUEL: ¿Y qué dijo? ¿Mencionó algo de Rosario?

MIGUEL: Realmente no.

RAQUEL: ¿Dijo algo de mi cliente, don Fernando?

MIGUEL: No. No dijo nada.

RAQUEL: Mi cliente, don Fernando quiere saber qué pasó con Rosario. ¿Podría yo hablar por teléfono con su madre?

MIGUEL: No creo. Mi madre prefiere que Ud. vaya a Madrid.

Here are the choices.

a. La señora Suárez desea hablar con Raquel por teléfono.   b. La señora Suárez desea hablar con Raquel en Sevilla.   c. La señora Suárez desea hablar con Raquel en Madrid.

La respuesta correcta es *c*. Teresa Suárez quiere hablar con Raquel en Madrid.

Vocabulario del tema

En el Colegio de San Francisco de Paula

Las asignaturas de Miguel: la historia, las matemáticas, las ciencias naturales, la religión, el español, el inglés, la educación física

Las asignaturas de Jaime: el español, la religión, las ciencias naturales, las matemáticas, las ciencias sociales, la educación física

Actividad B. You will hear a series of descriptions of what happens in different classes that Miguel and Jaime are taking. Match the descriptions with the following courses.

Here are the descriptions.

1. A veces el profesor habla en español, pero trata de hablar lo más posible en otra lengua. En esta clase, Miguel aprendió a decir *Einstein* sin acento.
2. Esta clase le gusta mucho a Jaime porque puede practicar muchos deportes... el básquetbol, el fútbol. Pero no juega al béisbol, porque no es un deporte muy popular en España.
3. Los números son muy importantes en esta clase. Jaime tiene que practicar mucho en casa: dos más dos son cuatro, cuatro más cuatro son ocho...
4. El Colegio de San Francisco de Paula es un colegio religioso. Por eso los dos chicos estudian la doctrina de la Iglesia Católica, la vida de los santos y mucho más.

You should have written the numbers in this order: 3, 2, 4, 1.

Otras materias

Las artes liberales: el arte, la filosofía, las lenguas extranjeras, la literatura

Las ciencias naturales: la biología, la química

Las ciencias sociales: la sicología, la sociología

Las matemáticas: el cálculo

Otras materias: el comercio, las comunicaciones, la contabilidad, los estudios agrícolas, la informática

Actividad D. You will hear three Hispanic college students talk about what they are studying this term.

Paso 1. Listen and take notes on what they are studying.

Here are the descriptions.

¡Hola! Soy Anita. Me gusta mucho estar en la universidad y estudio mucho. Estudio un poco de todo: historia, biología, computación, francés... ¡No sé! Todo me parece interesante y útil.

¡Yo soy Raúl! Me interesan las ciencias, pero no tengo ningún curso de ciencias este semestre. Sí tomo inglés, literatura española, historia y arte.

Yo me llamo Celia. Los estudiantes de ciencias naturales tienen que estudiar mucho... ¡muchísimo! Yo tengo seis cursos: dos cursos de química, uno de biología, dos de matemáticas y... ah, la computación.

Los animales domésticos
el perro, el gato, el pájaro, el pez

Actividad G. Animales de todo tipo You will hear the narrator from **Episodio 4** describe **el mercadillo de animales** visited by Raquel and the Ruiz family. Listen specifically for the following information.

One type of fish that is sold there.   One type of bird that is sold there.

Here is the passage.

Al día siguiente, Raquel y la familia Ruiz van al mercadillo de los animales, en la Plaza Alfalfa. Allí venden animales de todo tipo. Peces tropicales y pájaros como canarios, loros y patitos. También venden tortugas, gatos y, por supuesto, perros.

Conversaciones: Las presentaciones

Actividad. Más sobre el primer encuentro On the cassette tape you will hear three brief conversations in which people make introductions. You will hear the following brief presentations used to indicate the person being introduced.

Éste es...   Ésta es...   Éstos son...   Éstas son...

Paso 1. Listen to all of the conversations now and identify the form of introduction used in each one.

Here is the first conversation.

—Señora Arrabal, ¡qué gusto de verla!
—Don Felipe, ¿cómo está? Éstos son mis hijos, Carlos y Diego.
—Mucho gusto. ¡Qué grandes están!

Here is the second conversation.

—Hola, Raquel.
—Hola, Elena.
—Éste es mi esposo, Miguel Ruiz.
—Mucho gusto, Miguel.
—Mucho gusto.

Here is the third conversation.

—Alberto, hombre, ¡tanto tiempo! Mira, éstas son mis hijas, Estela y Luisa.
—Hola, Juan. Mucho gusto, señoritas.

Here is the fourth conversation.

—Ana, ¿cómo estás?
—Bien, gracias. Ésta es mi hermana Pepita.
—Hola, Pepita. Mucho gusto.

Un poco de gramática

Actividad.   Los animales domésticos

Paso 1.

Otros animales: el caballo, el canario, el *hámster,* el loro, el lagarto, la serpiente, la tortuga

Adjetivos: inteligente, tonto, cariñoso, indiferente, fiel, independiente, perezoso, cruel, egoísta, bonito, feo, impaciente, hablador, furtivo, pequeño, grande, lento, rápido

Nota cultural: Sevilla

In **Episodios 3** and **4,** many of the scenes you saw took place in Sevilla. Refresh your memory about Sevilla by listening to what the narrator told you at the beginning of **Episodio 3**. Try to associate the place names you hear with scenes you remember from the video episodes. Then complete the following activity.

Sevilla... una ciudad de iglesias con el sonido de sus campanadas, y mercados llenos de personas, los sevillanos y su exuberante cultura, la Catedral y la Torre de la Giralda, El Alcázar y su tradición árabe, los toros y la famosa cerámica sevillana

LECCIÓN 4: WORKBOOK/STUDY GUIDE

Más allá del episodio

Actividad B.

El número uno es cierto. Los padres de Raquel viven en Los Ángeles, California.
El número cuatro es falso. Raquel no está casada. Es soltera.
El número seis es falso. Raquel es impaciente a veces, pero no es arrogante. Es también sensible y sincera. Y tiene mucha imaginación.
El número ocho es falso. Raquel está muy emocionada porque éste es su primer viaje a España.

Now listen to the following narration in order to get information about statements 2, 3, 5, and 7. There may not be answers for all four statements. Here is the passage.

Raquel estudió derecho internacional en la Universidad de California, en Los Ángeles. Fue una estudiante excelente.
Raquel, como muchos mexicoamericanos, es perfectamente bilingüe. Vive en Los Ángeles, en un apartamento moderno.

Trabaja en Ochoa y Sillas.
A Raquel le gusta mucho su trabajo, y es cierto que trabaja mucho. Pero también tiene interés en otras cosas. Por ejemplo, le gustan mucho los animales. Le gustaría tener un perro, pero no tiene tiempo de ocuparse de un animal. También le gusta mucho la naturaleza... los parques, las montañas, estar al aire libre.

Here are some additional answers and comments.

El número tres es cierto. A Raquel le gustan mucho los animales.
El número siete es falso. Raquel vive y trabaja en Los Ángeles.

¿Y el número dos? No sabes todavía si Raquel y Pedro son buenos amigos.
¿Y el número cinco? No sabes todavía si Raquel tiene un hijo.

Gramática
Section 8

Actividad A.   ¿Quién habla? You have learned a great deal about Raquel, Pati (Juan's wife), and Elena Ramírez. Indicate whether the following statements would be made by Raquel, by Pati, or by Elena. Don't be misled by the voice you hear on the tape.

1. Vivo en Nueva York, con mi esposo.
2. Acepto el caso porque es muy interesante.
3. Viajo a España.
4. Vivo en Sevilla, con mi esposo y mis dos hijos.
5. Trabajo en un teatro.
6. Necesito hablar con una señora.
7. Visito a la abuela de mis hijos con frecuencia.
8. Escribo muchos reportes.

Section 9

Actividad A.   Las preguntas de Jaime Match the following questions Jaime might ask Raquel with her answers. Pay particular attention to the question words with which many of Jaime's questions begin. You have heard all of them in the video episodes of *Destinos*. You will hear only the questions on the cassette tape. Listen to all of them first; then do the activity.

1. ¿Dónde vives? ¿en México?
2. ¿Viajas con frecuencia?
3. ¿A quién buscas en Sevilla?
4. ¿Cuándo tomas el tren? ¿mañana?
5. ¿Visitas a tus padres con frecuencia?
6. ¿A quién debes llamar ahora?
7. ¿Qué escribes? ¿una carta?

Actividad C.   Más preguntas para Raquel Here are the questions Jaime asked Raquel in **Actividad A.** Use them as the basis for asking her the same questions, but address her with **usted** forms. You will hear the correct question on the tape. Use the pronoun **usted** in the first questions.

> MODELO: (*you see*)   ¿Donde vives? ¿en México?
> (*you say*)   ¿Donde vive usted? ¿en México?

Now begin.

1. ¿Dónde vive usted? ¿en Mexico?
2. ¿Viaja usted con frecuencia?

Now that a context has been established, you no longer need to use **usted** in the questions.

3. ¿A quién busca en Sevilla?
4. ¿Cuándo toma el tren? ¿mañana?
5. ¿Visita a sus padres con frecuencia?
6. ¿A quién debe llamar ahora?
7. ¿Qué escribe? ¿una carta?

Section 10

Actividad.   Miguel y Jaime: ¡Dos hermanos diferentes! Listen as the speaker on the cassette tape reads the following incomplete paragraph with all of the adjectives in place, in their proper form. Then complete the paragraph yourself, using the adjectives from the right-hand column.

Miguel es un chico muy serio y es un estudiante muy bueno. Siempre saca buenas notas. Le gustan todas las asignaturas, pero su asignatura favorita es ciencias naturales. Algún día desea ser un científico famoso. Cree que los científicos hacen contribuciones importantes a la sociedad.

En cambio, Jaime es un chico realmente desobediente. No le gusta estudiar y siempre saca notas mediocres. Su materia favorita es educación física. Le gustan mucho los animales domésticos, especialmente los perros. Cree que los perros son fieles y cariñosos.

Pronunciación: Diphthongs and linking

Actividad A. Repeat the following words that contain common diphthong patterns.

1. materia   estudiar   patriarca
2. también   siete   tiene
3. episodio   idioma   matrimonio
4. Eduardo   lengua   cuatro
5. abuelo   nueve   bueno
6. seis   veinte   veintiuno

Actividad B. Diphthongs can also occur between words, causing the words to be "linked," pronounced as one long word. Listen to the following phrases and sentences; then repeat them, imitating the speaker on the tape. The second time you hear them, write the missing words.

1. Miguel y Elena
2. Raquel y el taxista
3. Pati es la esposa de Juan.
4. No está ahora en Madrid.
5. Vive ahora en Los Ángeles.

Actividad C. Another type of linking occurs when two identical vowels appear next to each other. Repeat the following phrases and sentences, noting in particular how the indicated vowel sounds are reduced to one.

1. la clase de español
2. el hermano de Ernesto
3. ¿Dónde está Alicia?
4. una lengua antigua

¡Aumenta tu vocabulario!

comunismo, racismo, artista, optimista, director, constructor

Actividad A. Listen to the following groups of cognates; then select the word that does not belong in the group.

1. comunismo   egoísmo   fascismo
2. artista   muralista   dentista
3. instructor   programador   profesor
4. organista   realista   violinista
5. actor   director   pintor

Actividad B. You will hear a series of descriptions of people, including some characters from *Destinos* and some people from the real world. Listen carefully and indicate who is being described, selecting names from the list below. Remember that the word **fue** means *he was* or *she was*. That word will give you an important hint. Listen, in addition, for cognates that end in the patterns you have just learned.

Mercedes Castillo   Pablo Picasso
Carlos Castillo   Carlos Marx

Here are the descriptions.

1. Fue el padre de un movimiento político muy importante del siglo XX. Su teoría política se llama marxismo, y el marxismo es la base del comunismo.

   La respuesta correcta es Carlos Marx, el padre del comunismo.

2. Esta persona es uno de los hijos de don Fernando. No vive en La Gavia, sino en Miami. Es industrial y es director de la compañía que fundó don Fernando, Industrias Castillo Saavedra.

   La respuesta correcta es Carlos Castillo. Es director de la compañía familiar.

3. Este pintor vivió en Francia y en España. Fue uno de los artistas más importantes de este siglo y uno de los inventores del cubismo. Una de sus pinturas más famosas se llama Guernica.

   La respuesta correcta es Pablo Picasso. Es el pintor de Guernica, que está en la primera lección de tu libro de texto.

4. Es uno de los hijos de don Fernando que vive en La Gavia. No es una persona muy optimista. Su pesimismo se ve en su mirada triste.

   La respuesta correcta es Mercedes Castillo. Siempre tiene un aire triste, de tragedia, ¿verdad? ¿Crees que Mercedes también tiene un secreto en su pasado?

LECCIÓN 4: SELF-TEST

III. La gramática

B. Complete the following sentences with what you hear on the tape.

1. A Jaime *le gusta* el perro.
2. Los perros son *animales cariñosos*.

3. Miguel tiene *muchas* asignaturas.
4. Al final del episodio, Osito *está perdido*.

LECCIÓN 5: TEXTBOOK

Preparación

Actividad A.

Paso 1. Now listen to the questions and answers on the cassette tape.
1. ¿Cómo se llama la persona que escribió la carta?   Se llama Teresa Suárez.
2. ¿Dónde vive esa persona?   La señora Suárez vive en Madrid.
3. ¿Desea hablar con Raquel?   Sí, desea hablar con Raquel.
4. ¿Adónde necesita ir Raquel para hablar con ella?   Raquel debe ir a Madrid.
5. ¿Sabe algo de Rosario la familia Ruiz?   La familia Ruiz no sabe nada de Rosario.
6. ¿Cómo debe ir Raquel a Madrid?   Debe ir en tren.

Paso 2. Now listen to the completed paragraph on the cassette tape.

En Sevilla, Raquel conoce a los miembros de la familia Ruiz. No saben nada de Rosario, pero Miguel Ruiz habla con su madre por teléfono. Por eso Raquel sabe que debe ir a Madrid para hablar con ella. Raquel no debe ir mañana, porque la señora Suárez está en Barcelona, con otro hijo. Por eso Raquel tiene un día libre y pasa el tiempo con la familia. En la mañana, todos visitan el mercadillo de los animales, donde Miguel padre compra un perro para su hijo Jaime. Pero Jaime no es muy responsable y el perro, que se llama Osito, se pierde en las calles del Barrio de Santa Cruz.

Actividad C. Listen to the following conversation between Raquel and Elena Ramírez in the Barrio de Santa Cruz. **¿Dónde nos encontramos?** means *Where shall we meet?* Now that you know that, try to listen for the name of their meeting place.

ELENA: Yo voy por esta calle. Y Ud., vaya por ésa.
RAQUEL: Sí, sí. Pero... espere. ¿Donde nos encontramos?
ELENA: En la Giralda... a las once y media.
RAQUEL: Sí, está bien, pero... ¿dónde está la Giralda?
ELENA: Allí, en aquella torre.
RAQUEL: De acuerdo. Y buena suerte.
ELENA: Gracias.

Here is the question.

Elena dice que van a encontrarse en

a. otra calle   b. un café   c. La Giralda

Listen to the conversation again. Knowing that Raquel and Elena have arranged to meet, can you determine approximately at what time they will meet? *Hint:* Listen for a number.

ELENA: Yo voy por esta calle. Y Ud., vaya por ésa.
RAQUEL: Sí, sí. Pero... espere. ¿Dónde nos encontramos?
ELENA: En la Giralda... a las once y media.
RAQUEL: Sí, está bien, pero... ¿dónde está la Giralda?
ELENA: Allí, en aquella torre.
RAQUEL: De acuerdo. Y buena suerte.
ELENA: Gracias.

Here is the question.

Elena y Raquel van a encontrarse aproximadamente

a. a las dos   b. a las once

Vocabulario del tema

Los días de la semana

lunes, martes, miércoles, jueves, viernes, sábado, domingo

Actividad A.   Una semana decisiva The video episodes of *Destinos* that you have seen thus far take place during a decisive week in the lives of don Fernando's family. Listen as the narrator relates the events of that week. Then identify the following actions by the day of the week on which each occurs, beginning with **el lunes**.

> lunes (*Monday*). El doctor viene a La Gavia.
> martes. Los hijos de Fernando llegan a la Gavia.
> miércoles. Fernando revela su secreto.
> jueves. Raquel acepta este trabajo especial.
> viernes. Raquel viaja a España.
> sábado. Raquel comienza a buscar a Teresa Suárez.
> domingo. El día del mercadillo de los animales.

Actividad B.   La semana de Miguel The speaker on the cassette tape will tell you one special thing that Miguel typically does each day of the week. The days are mentioned out of sequence. Listen carefully and indicate on page 56 of the Textbook where Miguel is on each day.

> El jueves Miguel camina al mercado después de la escuela.
> El lunes Miguel visita a su abuela.
> El sábado está en casa con su madre.
> El martes estudia en casa.
> El domingo va la iglesia, con su familia.
> El miércoles le gusta trabajar con su padre.
> El viernes va a la casa de un amigo para cenar.

Now listen as Miguel's week is described in sequence, with some additional information. How much more can you understand?

> El lunes, después de la escuela, Miguel visita a su abuela. El martes estudia en casa; siempre estudia mucho. El miércoles, trabaja con su padre; no desea ser guía turístico, pero le gusta acompañar a Miguel. El jueves camina al mercado con Elena, su madre. El viernes siempre cena en casa de un amigo. El sábado está en su propia casa, para ayudar a su madre. El domingo va a la iglesia con su familia.

¿Qué hora es?

Es la una.	Es la una menos diez.
Son las dos y veinte.	Son las ocho y cuarto.
Son las tres.	Son las dicz y media.
Son las seis.	Son las cinco menos cuarto.
Son las nueve y diez.	

Actividad D.   ¿Qué hora es? You will hear a series of segments from **Episodio 5**. Listen carefully to them and try to catch the times of day you hear.

Here is the first segment.

RAQUEL: Son las once y media. Debo ir a la Giralda. ¡Dios mío! ¿Dónde está Jaime?

Here is the second segment.

CIEGO: Los lunes, martes, miércoles, jueves y viernes, estoy en la Calle Sierpes de las ocho de la mañana hasta la una. Después de la siesta, a las cuatro de la tarde vuelvo y vendo hasta las ocho u ocho y media de la tarde.

Here is the third segment.

—¿Qué horas son?
—Yo sé, yo sé. Son las... ¡tres!
—No. Son las tres y cuarto.
—Y ahora vamos a ver qué horas son aquí. Déjeme ver. Ay, a ver. Ahora, ¿qué horas son? ¿Quién sabe? Ahora son las tres.
—Y ahora vamos a ver qué horas son aquí. Ahora, ¿qué horas son?
—Ahora son las cuatro.
—Ahora, mire, vamos a ver, ahora sí, son las cuatro y cuarto.

Actividad E. ¿Qué hora es? Now it's your turn to answer the question. When you hear the number for each item, tell what time it is on the clock face shown. The speaker on the cassette tape will give you the correct answer.

MODELO: (*you see*) Son las cinco.
(*you say*) Son las cinco.
(*you hear*) Son las cinco.

1. Es la una.
2. Es la una y media.
3. Son las dos.
4. Son las dos y cuarto.

5. Son las nueve.
6. Son las nueve menos cuarto.
7. Son las seis y diez.
8. Son las nueve menos diez.

Conversaciones: Las despedidas

Paso 1. On the cassette tape you will hear three brief conversations in which people take leave of each other. As you listen to each conversation, indicate which **despedida** you hear by writing 1, 2, or 3 next to the appropriate expression.

Hasta luego.   Adiós.   Hasta mañana.

Here is the first conversation.

RAQUEL: Gracias, señor. Ha sido un placer conversar con Ud.
CIEGO: El gusto es mío, señorita.
RAQUEL: Adiós.
CIEGO: Adiós.

Here is the second conversation.

ELENA: ¿Por qué no pasamos por Ud. a las diez de la mañana? ¿Vale?
RAQUEL: Perfecto.
MIGUEL: Hasta mañana.
RAQUEL: Hasta mañana y muchas gracias por todo.
ELENA: Hasta mañana, Raquel.

Here is the third conversation.

PEDRO: Muy bien. Pues, que disfrutes tu estancia en España.
RAQUEL: Gracias, Pedro. Saludos a don Fernando.
PEDRO: Gracias, Raquel. Muy bien. Hasta luego.
RAQUEL: Hasta luego, Pedro.

Nota cultural: La España árabe

Es en Andalucía donde hay más influencia del arte árabe. Fiel al dogma del Corán, el arte árabe no reproduce nunca la figura humana. Se caracteriza por sus líneas curvas y sus complicados motivos geométricos.

En estas fotografías se ven algunos de los monumentos más famosos de la cultura árabe en España. Identifica la foto que corresponde a cada descripción.

- La Alhambra, de Granada, era residencia de los reyes moros y un verdadero palacio del placer. El Patio de los Leones es el sitio que los turistas visitan con más frecuencia.
- El Alcázar de Sevilla es un palacio árabe, construido en el siglo XIV. Esta residencia de los monarcas es de estilo mudéjar. El arte mudéjar combina la ornamentación árabe y la arquitectura del arte cristiano.
- La Mezquita de Córdoba es hoy una catedral cristiana. Este antiguo templo del Islam tiene una infinidad de columnas de mármol de formas diferentes.

¿Por qué hay tanta influencia árabe en esta parte de España?

Datos importantes sobre los Siglos VIII–XV

- 711: Los árabes invaden la Península Ibérica. Encuentran mucha oposición, pero después de siete años, dominan toda la Península, con excepción del País Vasco y parte de Asturias.
- 1492: Isabel de Castilla y Fernando de Aragón, los Reyes Católicos, conquistan Granada, el último reino moro en territorio español. Es el fin de la dominación árabe en España... y el comienzo de la dominación española del Nuevo Mundo, con el primer viaje de Cristóbal Colón.

Una de las principales características de la dominación árabe en España es la tolerancia religiosa. Con unas excepciones, hay largos períodos de convivencia pacífica. Cristianos, árabes y judíos viven y trabajan juntos. En contraste, en 1492 los Reyes Católicos expulsan a los judíos. Los que no desean convertirse al catolicismo están obligados a salir de España.

Lección 5: Workbook/Study Guide

Más allá del episodio
Actividad B.

El número dos es cierto. Don Fernando es español. Nació en Bilbao, una ciudad en el norte de España.

El número cuatro es falso. Don Fernando tiene mucha influencia sobre los miembros de su familia. Le gusta mucho su papel de patriarca.

El número cinco es falso. Don Fernando no habla nunca de su pasado.

El número seis es cierto. Cuando era joven, don Fernando era duro y muy ambicioso.

El número siete es cierto. Carmen nunca supo nada, pero siempre sospechó algo.

Now listen to the following narration in order to get information about statements 1, 3, and 8. There may not be answers for all three statements. Here is the passage.

Don Fernando vive ahora en La Gavia, una hacienda histórica que compró hace varios años. Tiene la intención de restaurar la hacienda. Ya no viaja con frecuencia a la ciudad de México porque no está muy bien. Efectivamente, está muy enfermo.

Cuando era joven, don Fernando no era religioso. Pero ahora que es viejo, es muy religioso, especialmente desde que está enfermo. Es por eso que pasa mucho tiempo en la capilla de La Gavia.

Here are some additional answers and comments.

El número uno es falso. Don Fernando vive ahora en La Gavia.

El número tres es cierto. Don Fernando es muy religioso ahora, pero no lo era cuando era joven.

¿Y el número ocho? No sabes todavía si don Fernando y Rosario tienen hijos.

Gramática

Section 11

Actividad A. ¿Quién habla? You will hear a series of statements that could be made by characters from *Destinos*. Indicate who is the most likely speaker, choosing from the characters shown here.

1. Mi hermana y yo vivimos en La Gavia con nuestro padre. Nuestra madre ya murió; está muerta. No sabemos todavía si tenemos otro hermano.
2. Mi hermana y yo no vivimos en La Gavia, pero visitamos la hacienda a veces. Vivimos en Miami, con nuestros padres.
3. Mi hermano y yo somos de España. Visitamos la ciudad de Madrid a veces, pero vivimos en Sevilla, con nuestros padres.

Section 12

Actividad A. ¿Quién habla? Listen to the following statements and questions, which are addressed to the Ruiz children. Then indicate who is speaking in each case, Elena or Raquel. Both the content of the questions and the verb forms used will help you in some cases.

1. ¿Desean tener un gato también?
2. ¿Deseáis cenar en un restaurante hoy?
3. ¿Viajan a Madrid con frecuencia?
4. ¡Sois irresponsables!
5. ¿Creéis que Rosario está en Madrid?
6. Son buenos estudiantes, ¿no?

Actividad C. ¿Qué deseas saber? You now know a good deal about Elena Ramírez and Miguel Ruiz, but you probably would like to know more about their lives and their opinions. Using the cues provided, form questions to find out more information from them. Use the **vosotros** or **ustedes** form, as appropriate. You will hear both questions on the cassette tape. After you have worked through all of the questions, match the questions with the appropriate answers and identify who has given the answer.

MODELO: (*you see*) hablar francés
(*you say*) ¿Habláis francés?
or ¿Hablan francés?

1. ¿Habláis inglés? ¿Hablan inglés?
2. ¿Cenáis con frecuencia en restaurantes?
   ¿Cenan con frecuencia en restaurantes?
3. ¿Viajáis mucho? ¿Viajan mucho?
4. ¿Compráis muchos cupones de la lotería?
   ¿Compran muchos cupones de la lotería?
5. ¿Escribís muchas cartas? ¿Escriben muchas cartas?
6. ¿Visitáis a Teresa Suárez con frecuencia?
   ¿Visitan a Teresa Suárez con frecuencia?
7. ¿Deseáis tener más hijos? ¿Desean tener más hijos?
8. ¿Creéis que Rosario está en Madrid?
   ¿Creen que Rosario está en Madrid?

Section 14

Actividad A. Un repaso del Episodio 5 Listen to Raquel's story review as you follow along in the Workbook. Then complete the paragraph with the following forms of **ir: voy, va, vamos, ir**.

Bueno, ahora voy a Madrid. La señora Suárez no vive en Sevilla y yo tengo que ir a Madrid para hablar con ella personalmente. Bueno, estos últimos días en Sevilla han sido inolvidables, ¿no creen? ¿Recuerdan Uds. el episodio con el perro, Osito?

Osito se escapa y uno de los hijos de Miguel y Elena lo va a buscar y se pierde. Lo buscamos por todas partes. Por fin yo lo encuentro. A las once y media, Jaime y yo vamos a la Catedral a buscar a sus padres, pero Jaime se pierde otra vez. Por fin encuentro a la familia de Jaime enfrente de la Catedral y vamos a un lugar histórico. Y eso es todo. Mañana, si tengo suerte, voy a ver a la señora Suárez.

Pronunciación: Stress and written accent marks

It is quite easy to learn to pronounce and spell Spanish words correctly. Three simple rules will help you determine whether a written accent is necessary and which syllable to stress when speaking in most cases. Pronounce the words in each section after the speaker on the tape.

Three Simple Rules

Rule 1: If a word ends in a vowel, -**n**, or -**s**, stress normally falls on the next-to-the-last syllable.

> hijo   fascinante   Sevilla   Fernando
> cenan   examen   Mercedes   abuelos

Rule 2: If a word ends in any other consonant, stress normally falls on the last syllable.

> preguntar   actividad   director   universidad
> Raquel   Miguel   español   cultural

Rule 3: Any exception to Rules 1 and 2 will have a written accent mark on the stressed vowel.

> sábado   inglés   matemáticas   religión
> Suárez   Ramón   tradición   también

Actividad A. Pronounce the following words, which follow Rules 1 and 2. You will hear the correct pronunciation after you say the words.

Rule 1:

> Castillo   hermana   escribes   hablamos
> arte   literatura   creen   vamos

Rule 2:

> correr   cenar   hotel   español
> contabilidad   doctor   profesor   Madrid

Actividad B. The speaker on the tape will pronounce the following words. Each will be said twice. Listen carefully and write an accent mark on the appropriate vowel. Then repeat the word.

> está   música   miércoles   Rodríguez
> también   conversación   química   informática

Words with Diphthongs

In a word containing a diphthong, a written accent on the vowel **i** or **u** will break the diphthong, causing it to be pronounced as two separate syllables. Note in particular the stress pattern on words that end in -**ía**. When **a**, **e**, and **o** are paired in any combination, they also result in two separate syllables. Pronounce the words after the speaker on the tape.

> sicología   sociología   Andalucía   desafío
> aeropuerto   reorganizar   caos   paella

¡Aumenta tu vocabulario!

interesante, inteligente, dominante, literatura, figura

Lección 5: Self-Test

II. El vocabulario

A. Listen to a description of some of Elena's activities. Then match the activity and time.

Elena es una mujer muy activa. Los martes va al mercado a las nueve de la mañana. Habla con unas amigas en el mercado. Los jueves va a la casa de su madre a las cuatro de la tarde. Hablan las dos mujeres de las actividades de la semana. Los domingos Elena y su familia van a un restaurante a las dos de la tarde. Los lunes Elena estudia literatura en la Universidad de Sevilla, a las siete de la tarde.

Lección 6: Textbook

Preparación

Actividad C. Now listen to the conversation on the cassette tape. **Su buena suerte** means *your good luck*. Now that you know that, can you guess the meaning of the words **ganadora** and **premio**?

—Aquí estoy en el rápido de Sevilla a Madrid. Conmigo está la ganadora del premio especial de la Organización Nacional de Ciegos.
—¿La lotería?
—Ud. estará muy contenta de su buena suerte.
—Perdone, pero no sé de qué habla.
—Esta maestra de primaria es la señora Díaz. Su clase de sexto grado le compró un cupón y...

Here are the questions. You will not hear the choices on the tape.

La palabra **ganadora** significa...
La palabra **premio** significa...
Las respuestas correctas son *b* y *b*.

Lección 6: Workbook/Study Guide

Gramática
Section 15

Actividad B. ¿Qué pronombre? Continue to indicate the subject pronouns for the following groups of sentences. This time, you will only hear the sentences, and some irregular verbs will be used.

Who is being spoken *to* in these sentences?

1. Chicos, realmente debéis estudiar más. Si deseáis tener un perro, tenéis que sacar buenas notas.
2. Deben estar en la estación, a las once. Si no van a llegar a las once, deben llamar por teléfono.

Las respuestas correctas son **vosotros** y **Uds.**

Who *is speaking* in these sentences?

3. Soy de los Estados Unidos. Viajo a España para investigar un caso fascinante.
4. Corremos por las calles y buscamos a Osito por todas partes.

Las respuestas correctas son **yo** y **nosotros.**

Who is being spoken *about* in these sentences?

5. Es un buen chico, pero necesita estudiar más. No comprende que tener un perro es una gran responsabilidad.
6. Las esposas de Carlos y Juan van a viajar a La Gavia. Desean estar con sus esposos en estos momentos difíciles.

Las respuestas correctas son **él** y **ellas**.

LECCIÓN 7: TEXTBOOK

Preparación

Actividad C. Here is one of the new characters you will meet in **Episodio 7**. As you look at the photo in the Textbook, listen to the brief description on the cassette tape. Then indicate who you think the man might be.

Este hombre es de Sevilla, pero ahora vive en Madrid. Tiene dos hermanos. Uno vive en Barcelona; el otro vive en Sevilla y es guía turístico. ¿Quién será?

Actividad D. Now listen to the conversation on the cassette tape. **Dejar** means *to leave*. Now that you know that, can you guess the meaning of the word **mensaje**?

BOTONES: ¡Qué pena lo de la cartera! Ojalá la encuentre pronto.
RAQUEL: Gracias. Un amigo está buscando el taxi ahora mismo. ¿Me puede hacer el favor de dejar un mensaje con el recepcionista?
BOTONES: Con mucho gusto, señorita.
RAQUEL: Cuando vuelva mi amigo, que me llame por teléfono.
BOTONES: ¿Y cómo se llama su amigo?
RAQUEL: Alfredo Sánchez. Bueno, realmente no es mi amigo. Es un reportero que conocí en el tren.

Here is the question. You will not hear the choices on the tape.

La palabra **mensaje** significa...

La respuesta correcta es *b*.

Based on your guesses so far, on the title of this video episode, and on what you have learned in **Actividad D**, what do you think will happen to Raquel?

a. Raquel pierde su cartera.
b. Raquel encuentra la cartera de otra persona, una persona muy importante para el caso.

La respuesta correcta es *a*.

¿Tienes buena memoria?

Actividad B. **¿Qué pasa?** Now listen to the answers on the cassette tape.

Número uno: La respuesta correcta es *b*. Alfredo llega al hotel con la cartera. Pero hay una confusión y no recibe el mensaje de Raquel. Busca a Raquel en el restaurante pero no la ve. Raquel también busca al reportero pero no lo encuentra.

Número dos: La respuesta correcta es *a*. El botones confunde a Alfredo Sánchez con Federico Ruiz. ¿Qué nombre escribe? Escucha.

BOTONES: ¿Cómo se llama ese señor? Federico Sánchez...

El botones escribe el nombre de Federico y el apellido del reportero, Sánchez. ¡Qué confusión!, ¿verdad?

Número tres: La respuesta correcta es *a*. En la recepción, creen que el señor Díaz es una señora. Ahora, ¿comprendes por qué el reportero creía que Raquel era la maestra que ganó el premio de la lotería?

Vocabulario del tema

La ropa

la blusa, la bufanda, la camisa, la camiseta, los calcetines, la corbata, la chaqueta, la falda, el jersey, las medias, los pantalones, el suéter, el vestido, el zapato

unas medias, unos calcetines, un par de zapatos, un par de pantalones

Actividad A. ¿Qué ropa tiene Raquel? Listen as Raquel lists the articles of clothing that she has brought with her on this trip. As she mentions each item, check it off in the following drawing and note how many of each item she has. ¡OJO! Some of the items depicted are not in Raquel's luggage. Look at the items before Raquel begins.

Now listen to Raquel's description.

> No sé si tengo suficiente ropa para este viaje. A ver. ¿Qué tengo?
>
> Dos blusas... dos suéteres... una falda... un vestido... dos pares de zapatos... unas medias... y un par de pantalones...
>
> Ahora estoy segura de que no tengo suficiente ropa.

Actividad B. ¿Dónde está la ropa de Federico? Listen as Teresa Suárez comments on the way her son takes care of his clothing. As she mentions each item, check it off in the following drawing. ¡OJO! Some of the items depicted are not in Federico's room. Look at the items before Sra. Suárez begins.

Now listen to Mrs. Suárez' comments.

> ¡Huy! ¡Este chico! ¡Ha dejado la ropa tirada por todas partes! La camisa... ah... la camiseta... los calcetines... la corbata... la chaqueta... y los pantalones, aquí en el suelo. ¡Qué barbaridad! Ay, Dios mío, ¡y mira dónde está la bufanda! Pero caramba, caramba... Y el jersey... el jersey aquí.

Los números del 21 al 99

veintiuno, veintidós, veintitrés, veinticuatro, veinticinco, veintiséis, veintisiete, veintiocho, veintinueve, treinta, treinta y uno, treinta y dos, treinta y tres..., cuarenta, cincuenta, sesenta, setenta, ochenta, noventa

Actividad E. ¿Cuál es el número? The speaker on the tape will say a number. Circle the number you hear in each group.

1. setenta y tres
2. ochenta y uno
3. treinta y seis
4. cuarenta y cinco

Actividad F. ¿Cuál es el teléfono? Now the speaker will give a series of telephone numbers. As you listen, supply the missing numbers.

1. Es el 3-45-33-60.
2. Es el 5-99-24-68.
3. Es el 7-36-64-85.
4. Es el 3-75-53-91.
5. Es el 5-59-25-44.
6. Es el 7-15-49-42.

The following activity is not available in the Alternate Edition.

Actividad G. ¿Cuándo... ? The speaker will say a series of dates. All of them are from the twentieth century. Write what you hear, then match the dates with the appropriate historical event.

1. mil novecientos diez
2. de mil novecientos treinta y seis hasta mil novecientos treinta y nueve
3. mil novecientos noventa y uno
4. de mil novecientos cincuenta y uno hasta mil novecientos cincuenta y tres
5. mil novecientos cuarenta y cinco

Conversaciones: Algo sobre la cortesía

Actividad.   Necesito... On the cassette tape you will hear four brief conversational exchanges in which people make a request or tell someone what they would like to do. You know several verbs to use to accomplish that task; for example, **Deseo...**, **Necesito...** However, stating your wishes in that way can seem very blunt or abrupt. The speakers on the tape will show you ways to be more polite.

Paso 1. Listen to all of the conversations now and indicate which of the expressions you hear in each.

Here is the first conversation.

—¿Me permite su pasaporte, por favor?
—Sí, cómo no. Aquí lo tiene.

Here is the second conversation.

—Me gustaría pagar con tarjeta de crédito.
—No es necesario en este momento, señorita.

Here is the third conversation.

—Perdone. El señor no está en el salón. ¿Le podría dejar un mensaje?
—Sí, señorita.

Here is the fourth conversation.

—Dígame.
—Este... Quisiera hablar con la señorita Raquel Rodríguez.
—Lo siento. Aquí no hay nadie con ese nombre.
—Perdone.

Paso 2. Now listen to the conversations again and match the expressions with their probable meaning, as determined by the context of the conversations.

Here is the first conversation.

—¿Me permite su pasaporte, por favor?
—Sí, cómo no. Aquí lo tiene.

Here is the second conversation.

—Me gustaría pagar con tarjeta de crédito.
—No es necesario en este momento, señorita.

Here is the third conversation.

—Perdone. El señor no está en el salón. ¿Le podría dejar un mensaje?
—Sí, señorita.

Here is the fourth conversation.

—Dígame.
—Este... Quisiera hablar con la señorita Raquel Rodríguez.
—Lo siento. Aquí no hay nadie con ese nombre.
—Perdone.

Nota cultural: De la dictadura a la democracia

Refresh your memory about modern Spain by listening to what the narrator told you about the Spanish government in this video episode. Then reread the **Nota cultural** about **la Guerra Civil española** in **Lección 2**. Reviewing information you already know about a topic makes reading about it easier. Before reading, you may also want to take a quick look at the questions in the **Actividad** that follows this **Nota cultural**.

Here is the information from this episode.

> Madrid... la capital de España... el centro de la vida política del país. ¿Qué sistema político tiene España? España es una monarquía parlamentaria. Hay un rey. También están las Cortes. Las Cortes son una institución política muy importante.

Lección 7: Workbook/Study Guide

Más allá del episodio
Actividad B.

El número uno es cierto. Alfredo es una persona dinámica y ambiciosa... ¡y muy curiosa!

El número dos es falso. Alfredo no desea hacer un reportaje sobre Raquel. Pero sí le interesan el viaje de Raquel y la persona que ella busca.

El número tres es cierto. A Alfredo le gusta mucho Madrid porque siempre hay algo interesante para hacer un reportaje.

El número cinco es cierto. Alfredo cree que no avanza muy de prisa. Por eso se siente un poco frustrado.

El número siete es falso. A Alfredo le gusta mucho el periodismo. Pero a lo mejor va a dejar la televisión para trabajar en una revista...

Now listen to the following narration in order to get information about statements 4, 6, and 8. There may not be answers for all three statements. Here is the passage.

> Alfredo no tiene esposa y tampoco tiene novia, pero sí tiene muchas amigas. Es un don Juan y las mujeres creen que su profesión es muy interesante. En sus ratos libres a Alfredo le gusta mucho ir al teatro y cenar en restaurantes de moda. Los deportes le interesan muy poco. Su verdadera pasión es su trabajo.

Here are some additional answers and comments.

El número seis es falso. Alfredo no es casado, pero tiene muchas amigas.

El número ocho es falso. A Alfredo no le interesan los deportes.

¿Y el número cuatro? No sabes todavía si a Alfredo le gusta Raquel.

Gramática
Section 17

Actividad A.   ¿Quién habla? Listen to the following statements and indicate who might have said each of them. ¡OJO! More than one person may be appropriate for each statement.

1. Conozco muy bien la ciudad de Los Ángeles.
2. No conozco a don Fernando personalmente.
3. Voy a conocer a la abogada de California esta noche.
4. Conocemos muy bien Sevilla.
5. No conozco a la Sra. Suárez pero sé quién es.

Actividad B.

No sé mucho acerca de Raquel Rodríguez... sólo que desea saber más de Rosario del Valle, mi buena amiga. Mi hijo y su esposa conocen a esta abogada y dicen que es simpática. No sé... pero la voy a conocer pronto.

   Tengo muchos recuerdos de Rosario. ¿Qué sabe el Sr. Castillo de Rosario? No conozco a este primer esposo de Rosario. Sólo sé que vive en México ahora, y que tiene otra familia, otra vida.... ¿Cuáles son sus motivos? ¿Desea conocer al hijo que tuvo con Rosario? ¿O desea ocultar la historia de su primer matrimonio? Todo es posible....

Pronunciación: d

The Spanish **d** has two pronunciations. At the beginning of a phrase or sentence and after **n** or **l**, it is pronounced like English *d*, as in *dog*.

diez   dos   ¿dónde?   venden   el día   el doctor

In all other cases, it is pronounced like the English sound *th* in *another*.

adiós   usted   ¿adónde?   todo   buenos días   la doctora

Actividad. Repeat the following sentences, imitating the speaker.

1. ¿Dónde está la ciudad de Madrid?
2. Don Julio es el doctor de don Fernando.
3. Dos más diez son doce.
4. Buenos días, Alfredo. ¿Adónde vas?
5. ¿Podría pagar con tarjeta de crédito?

Lección 7: Self-Test

II. El vocabulario

A. You will hear the names of clothing. Indicate with **H (Hombre)** or **M (Mujer)** which is *most likely* to wear each one. ¡OJO! Both may be appropriate in some cases.

1. una blusa
2. una camisa
3. una corbata
4. un vestido
5. una falda
6. los calcetines
7. las medias

Lección 8: Textbook

Preparación

Actividad A. In the last video episode of *Destinos,* you watched a "comedy of errors" that occurred at Raquel's hotel. Things were lost, everyone was looking or waiting for someone else, and identities were confused. To be sure that you have understood the details, match these statements with the characters who made them.

1. «¡Huy! No encuentro mi cartera.»
2. «No se preocupe. José María y yo se lo vamos a buscar.»
3. «Perdón. Hay un error. La tarjeta está a nombre de la Sra. Díaz.»
4. «Ya he conseguido su cartera.»
5. «Por ser tan amable, lo invito a tomar algo.»
6. «Mi madre está muy agradecida y quiere invitarla a cenar con nosotros en casa esta noche.»

Actividad C.

Paso 1. Listen to the following excerpt from Raquel's conversation with Teresa Suárez.

SRA. SUÁREZ: La última carta que recibí de ella fue cuando se casó de nuevo.
RAQUEL: ¿Se casó de nuevo?
SRA. SUÁREZ: Pues, sí. Rosario era muy atractiva... muy simpática. Y como creía que Fernando había muerto...
RAQUEL: Sí, sí. Lo comprendo. ¿Y con quién se casó?
SRA. SUÁREZ: Con un hacendado...

Now read the following sentences as you listen to them on the tape.

> Don Fernando se casó con Rosario en 1935.
> Don Fernando se casó con Carmen en 1942.
> Teresa Suárez se casó con Juan Ruiz en 1941.

What do you think the phrase **se casó** means? If you guessed *got married,* you were right.

Paso 4. Now listen to the excerpt on the tape. Then answer the following question.

SRA. SUÁREZ: ¿Es Ud. pariente de Fernando?
RAQUEL: No. Soy abogada. La familia de él me pidió que investigara el paradero de Rosario.
SRA. SUÁREZ: Así que tampoco es amiga cercana de la familia...
RAQUEL: Realmente no. Conozco bien a Pedro, el hermano de don Fernando.
SRA. SUÁREZ: Una señorita como Ud... tan atractiva, bien educada... ¡Y abogada! Eso era casi imposible cuando yo tenía su edad. Y ahora es tan corriente.

¿Tienes buena memoria?

Actividad C. ¿Qué más sabes ahora?

Paso 2. Now listen to Raquel's review of the essential information she has learned. She will repeat some of the details, so you have two chances to catch them. Because Raquel is talking about the past, remember that she will use many past tense forms.

> La señora empieza a contarme la triste historia de Rosario. Rosario no murió en el bombardeo de Guernica. En verdad, escapó con vida. Para mí, esto es lo más trágico de todo. Don Fernando creía que Rosario había muerto. Ella creía que él había muerto. Ninguno de los dos sabía la verdad. También nos dice la Sra. Suárez que Rosario sí tuvo un hijo. También la señora me dice que Rosario se fue a vivir a la Argentina. Finalmente me dice la señora que Rosario se había casado de nuevo. Entonces, hasta el momento, ésta es la historia.
>
> Rosario no murió en el bombardeo de Guernica y sí tuvo un hijo. El hijo se llama Ángel. Ángel nació en Sevilla. Rosario y Ángel no viven en España. Después de la guerra, Rosario y el niño fueron a vivir a la Argentina. Allí, Rosario se casó de nuevo... con un argentino llamado Martín Iglesias.

Vocabulario del tema

Las palabras interrogativas

¿cómo?, ¿cuál(es)?, ¿cuándo?, ¿cuánto(s)?, ¿dónde?, ¿por qué?, ¿qué?, ¿quién?

The following activity is not available in the Alternate Edition.

Actividad.   Preguntas sobre *Destinos* The speaker on the cassette tape will ask a number of questions about **Episodio 8.** Read the following answers before listening to his questions. Then, as you listen, write the number of the question next to its logical answer. In the speaker's questions you will hear the falling intonation that is typical of questions with interrogatives.

1.   ¿Por qué viaja Raquel a Madrid?
2.   ¿Cuántos hijos tiene Fernando con Rosario?
3.   ¿Dónde cenan Raquel, Teresa y Federico?
4.   ¿Quién es Martín Iglesias?
5.   ¿Dónde viven Rosario y Martín?
6.   ¿Cuántas carteras tiene Raquel?
7.   ¿Cómo se llama el hijo de Rosario y Fernando?
8.   ¿De dónde son Rosario y Fernando, originalmente?
9.   ¿Qué tiene Teresa Suárez que es de Rosario?
10.   ¿Cuándo va Rosario a la Argentina?

Now listen as the speaker asks the questions again. Give your answers and see whether you were right. The speaker will provide some additional information.

1. ¿Por qué viaja Raquel a Madrid?
   La respuesta correcta es *f.* Raquel necesita hablar con ella porque tiene la información que ella busca.
2. ¿Cuántos hijos tiene Fernando con Rosario?
   La respuesta correcta es *h.* Sólo tienen un hijo, Ángel... Ángel Castillo del Valle.
3. ¿Dónde cenan Raquel, Teresa y Federico?
   La respuesta correcta es *g.* Cenan en casa de la señora Suárez. La señora preparó la cena.
4. ¿Quién es Martín Iglesias?
   La respuesta correcta es *c.* El señor Iglesias es el segundo esposo de Rosario... Rosario del Valle Iglesias.
5. ¿Dónde viven Rosario y Martín?
   La respuesta correcta es *a.* Viven cerca de Buenos Aires, en la Estancia Santa Susana.
6. ¿Cuántas carteras tiene Raquel?
   La respuesta correcta es *d.* Sólo tiene una cartera, la cartera que perdió. La dejó en el taxi.
7. ¿Cómo se llama el hijo de Rosario y Fernando?
   La respuesta correcta es *b.* Se llama Ángel... ¿Y sus apellidos? ¿Los sabes? Castillo del Valle.
8. ¿De dónde son Rosario y Fernando, originalmente?
   La respuesta correcta es *i.* Son del pueblo de Guernica.
9. ¿Qué tiene Teresa Suárez que es de Rosario?
   La respuesta correcta es *e.* Teresa tiene unas cartas de Rosario. Le da una carta a Raquel.
10. ¿Cuándo va Rosario a la Argentina?
    La respuesta correcta es *j.* Rosario se va a la Argentina con suhijo después de la Guerra Civil española.

Conversaciones: Cómo agradecer

Actividad.   ¡Muchas gracias!

Paso 1. On the cassette tape you will hear three brief conversations in which people express their gratitude. As you listen to each conversation, indicate how those individuals voice their appreciation by writing 1, 2, or 3 next to the appropriate expression.

Here is the first conversation.

RAQUEL: Gracias por su invitación. Es Ud. muy amable.
SRA. SUÁREZ: No hay de qué.

Here is the second conversation.

RAQUEL: Tiene razón. Me parece un poco lejos.
RECEPCIONISTA: Si no conoce Sevilla, debería de tomar un taxi.
RAQUEL: Gracias. Adiós.
RECEPCIONISTA: Muy bien. Hasta luego.

Here is the third conversation.

SEÑOR: ¿Le sirvo un poco más de fino?
SEÑORA: Sí, por favor. Muchas gracias.
SEÑOR: No hay de qué.

Paso 2. Now listen to the first conversation again and to an additional conversation. This time pay attention to the word Raquel uses to express what she is thankful *for*.

Here is the first conversation again.

RAQUEL: Gracias por su invitación. Es Ud. muy amable.
SRA. SUÁREZ: No hay de qué.

Here is the additional conversation.

RAQUEL: Gracias por su amabilidad. Fue una noche muy agradable.
SRA. SUÁREZ: Gracias. Nos vemos mañana, ¿no? No se olvide de la foto.

Nota cultural: Nos podemos tutear

As you know, Raquel uses **usted** with people she does not know well. In this video episode of *Destinos,* however, you heard one speaker "negotiate" for a less formal way of speaking. Do you remember who that was? As you listen, try to determine the word the speaker uses to describe informal use.

RAQUEL: ¿En qué trabaja, Federico?
FEDERICO: ¿Podemos tutearnos?
RAQUEL: De acuerdo. Es que nosotros usamos más el *usted.*
FEDERICO: Aquí es más común tratarse de *tú.*
RAQUEL: Está bien. ¿En qué trabajas, Federico?

Nota cultural: Las diferencias regionales en España

Before reading this **Nota cultural,** refresh your memory about modern Spain by listening to what the narrator told you about the cities of Madrid and Sevilla in this video episode. Then reread the **Nota cultural** in **Lección 3** about the contrasts that Spain presents, and the one in **Lección 5** about the Arab influence in Spain.
Here is the description of Madrid and Sevilla.

Madrid, la capital de España. Ciudad de impresionantes edificios... ciudad moderna y cosmopolita... una ciudad muy diferente de Sevilla. Sevilla está situada en el sur de España, en la región de Andalucía. Madrid está en el centro del país, en la región de Castilla.

Andalucía y Castilla son dos regiones muy diferentes. En Andalucía, hay vastos terrenos cultivados de olivares. Abundan las casas blancas y la arquitectura muestra la fuerte tradición árabe. En Castilla abundan los pueblos medievales... y se notan más las influencias gótica y europea.

Lección 8: Workbook/Study Guide

Más allá del episodio
Actividad B.

El número uno es cierto. Rosario y Teresa Suárez eran buenas amigas.
El número dos es cierto. Rosario cree que don Fernando murió en el bombardeo de Guernica.
El número tres es falso. Ángel sí es hijo de don Fernando.
El número cuatro es falso. Rosario amaba mucho a don Fernando.

Now listen to the following narration in order to get information about statements 5, 6, 7, and 8. There may not be answers for all four statements. Here is the passage.

Rosario no sabía adónde ir. Un día conoció a un joven argentino que estaba en España, en Sevilla. El joven, Martín Iglesias, le habló a Rosario de las maravillas de la Argentina. A Rosario se le ocurrió que había más oportunidades para su hijo en ese país de Sudamérica. Poco después salió para Buenos Aires. Allí abrió una *boutique,* pero no ganaba mucho dinero. Por casualidad vio a Martín Iglesias de nuevo. Martín le era simpático y le ofrecía seguridad económica. Quería ser un padre para Ángel. Total que se casaron.

Here are some additional answers and comments.

El número cinco es cierto. Rosario cree que hay oportunidades para su hijo—y para ella—en Sudamérica.
El número seis también es cierto. Rosario se casó de nuevo por su hijo. No sabemos si amaba a su nuevo esposo.
¿Y los números siete y ocho? No sabes todavía si Rosario tuvo otro hijo o si ya murió.

Gramática

Section 20

Actividad A. ¿Qué oyes? As you listen to the speaker on the cassette tape, indicate whether what she says is a statement or a question. Remember that questions can be formed in a variety of ways.

1. Estudio inglés y literatura.
2. ¿Estudias español aquí?
3. ¿Por qué estudias español?
4. Me gustaría conocer a Raquel.
5. ¿Raquel es mexicoamericana?
6. ¿Sabes dónde vive en Los Ángeles?
7. Raquel sabe mucho acerca de Teresa.
8. ¿Sabe Teresa mucho acerca de Raquel?

Section 21

Actividad A.

Paso 2. Listen to the completed statements on the cassette tape, check your answers, and indicate whether the statements are **Cierto** or **Falso**.

1. Raquel habla con la Sra. Suárez porque quiere saber algo más de Rosario.
2. La Sra. Suárez no recuerda adónde se fue a vivir Rosario.
3. Federico y su madre piensan que Raquel es entrometida.
4. Don Fernando sigue muy mal, muy enfermo.
5. Raquel le pide a Teresa la dirección de Rosario.
6. Raquel pierde su pasaporte.
7. La investigación empieza a ser aburrida para Raquel.
8. Raquel vuelve a Sevilla mañana.
9. Alfredo y su asistente no pueden encontrar la cartera de Raquel.
10. Don Fernando muere en el hospital.

Actividad B. Teresa, Federico, Jaime Create as many sentences as you can about these members of three generations of the Ruiz family. Use the written cues as a guide. You will hear a possible answer on the tape.

1. Jaime pide caramelos.
2. Teresa quiere mucho a sus hijos.
3. Teresa piensa que los perros son una molestia.
4. Teresa cuenta una historia trágica.
5. Federico vuelve a su casa con Raquel.
6. Jaime pierde a su perro.
7. Jaime sigue a su perro por las calles.
8. Teresa encuentra una foto de don Fernando en un   periódico .
9. Federico quiere ver a Raquel mañana.
10. Teresa empieza a meterse en la vida de sus hijos.

Pronunciacion: *b* and *v*

In most dialects of Spanish, the consonants **b** and **v** are pronounced exactly the same way.

- At the beginning of a phrase, or after **m** or **n**, **b** and **v** are pronounced like the English *b,* as a stop; that is, no air is allowed to escape through the lips. This sound is represented in this way: [b].
- In all other positions, **b** and **v** are fricatives; that is, they are produced by allowing some air to escape through the lips. There is no equivalent for this sound in English. The sound is represented in this way: [ɓ].

Actividad. Listen and repeat as the speaker on the tape pronounces the following words and phrases. Note that the type of **b** sound you will hear is marked at the beginning of each series.

1. [b] blusa barrio biología vestido venden viajar Barcelona Valencia hombre miembro Alhambra investigar investigación

2. [ɓ] hablar trabajar contabilidad todavía sábado habitación revela Sevilla

3. [b/ɓ] bueno / es bueno   viaje / el viaje   va / se va   bien / muy bien   en Venezuela / de Venezuela

Lección 8: Self-Test

III. La gramática

You will hear the following questions on the tape. Complete the answers. If the question uses the **ir a** form, answer without it, and vice versa.

1. ¿Cuándo empieza el viaje?
2. ¿Qué van a pedir ellos?
3. ¿Dónde se va a sentar ella?
4. ¿Cuándo van a volver?
5. ¿Quiénes se casan hoy?
6. ¿Qué encuentra en el hotel?

Lección 9: Textbook

Vocabulario del tema

Los meses y las estaciones del año

Primavera... verano... otoño... invierno. Son las estaciones del año.

Los meses de invierno en España son diciembre, enero y febrero. Los meses de primavera son marzo, abril y mayo. Los meses de verano son junio, julio y agosto. Los meses de otoño son septiembre, octubre y noviembre.

Actividad A.   ¿México o Chile? As you watched **Episodio 9**, you answered questions about the seasons in Spain and Argentina. Now do the same for Mexico and Chile. First listen to a description of the seasons in the different hemispheres. Then answer the questions you hear.

El mundo está dividido en dos hemisferios, el hemisferio norte y el hemisferio sur. Cuando en el hemisferio norte es invierno... en el hemisferio sur es verano.

1. Es noviembre y es primavera.
   Se refiere a Chile.
2. Es julio y es verano.
   Se refiere a México.
3. Es mayo y es otoño.
   Se refiere a Chile.
4. Es enero y es invierno.
   Se refiere a México.

Actividad B.   ¿En qué mes... ? Listen as the names of the following holidays are said by the speaker on the cassette tape. Then indicate in Spanish the name of the month in which the following events occur in the United States.

1. la celebración de la independencia de los Estados Unidos   julio
2. el aniversario de la llegada de Cristóbal Colón a América   octubre
3. el Día de dar Gracias   noviembre
4. el primer día del año   enero
5. el Día del Padre   junio
6. el Día de la Madre   mayo
7. el Día de San Valentín (el Día de los Enamorados)   febrero
8. el Día de San Patricio   marzo
9. el Día del Trabajo   septiembre
10. la Navidad y Chanuka   diciembre

Los colores

amarillo, anaranjado, azul, blanco, gris, marrón, pardo, morado, negro, rojo, rosado, verde

Conversaciones: Para decir que sí

Actividad. ¡De acuerdo!

Paso 1. On the cassette tape you will hear three brief conversations in which people agree to something. As you listen to each conversation, indicate how those individuals responded by writing the number of the conversation (1, 2, or 3) next to the appropriate expression.

Here is the first conversation.

ALFREDO: ¡Esto es increíble! Ud. es la maestra... y ha estado aquí todo el tiempo.

DÍAZ: Sí. Excepto que soy el maestro.

RAQUEL: Bueno. Pues, me alegro de que por fin se hayan encontrado. Felicitaciones a los dos. Y ahora, si me perdonan, tengo que hacer una llamada.

ALFREDO: Sí, vale.

RAQUEL: Hasta luego.

DÍAZ/

ALFREDO: Hasta luego.

ALFREDO: Bueno, cuéntame la historia del cupón.

Here is the second conversation.

FEDERICO: Vale. ¿Pasamos por ti a las nueve? Así podemos ir a la escuela de baile y luego a cenar juntos.

RAQUEL: De acuerdo. Entonces, a las nueve. Hasta luego.

FEDERICO: Hasta luego.

Here is the third conversation.

RAQUEL: Me gustaría ver algunos conjuntos. ¿Algo azul o de color salmón?

EMPLEADA: Un minuto. Tengo un conjunto de color salmón muy bonito.

RAQUEL: ¿Me lo puedo probar?

EMPLEADA: Claro.

Paso 2. Now listen to the first conversation again. You might expect that the word **bueno**, used twice, serves to express agreement, but that is not the case. Listen and try to determine what function the word **bueno** performs in this conversation.

ALFREDO: ¡Esto es increíble! Ud. es la maestra... y ha estado aquí todo el tiempo.

DÍAZ: Sí. Excepto que soy el maestro.

RAQUEL: Bueno. Pues, me alegro de que por fin se hayan encontrado. Felicitaciones a los dos. Y ahora, si me perdonan, tengo que hacer una llamada.

ALFREDO: Sí, vale.

RAQUEL: Hasta luego.

DÍAZ/

ALFREDO: Hasta luego.

ALFREDO: Bueno, cuéntame la historia del cupón.

*The following **paso** is not available in the Alternate Edition.*

Paso 3. You now know several ways to express agreement in Spanish. Listen to the suggestions made to you by the speaker on the cassette tape and, if appropriate, express your agreement with them. If you are not interested, just say **Lo siento, pero no puedo.**

¿Qué tal si vamos a un restaurante y tomamos un café?

¿Qué tal si vamos a Colorado en enero, para esquiar?

Voy a estudiar español esta noche. ¿Te gustaría estudiar conmigo?

Nota cultural: La música española

In this video episode you learned about a special kind of Spanish musical group called **una tuna**. Refresh your memory about Spanish **tunas** by listening to an excerpt from **Episodio 9**. Then complete the following activity.

> Federico saluda a sus amigos, unos músicos de la universidad. Estos cuatro jóvenes pertenecen a una tuna.
>
> Las tunas son grupos musicales formados por estudiantes universitarios. Las tunas se visten con trajes medievales... y tocan música típica de la España medieval.
>
> Una vez al año, las tunas participan en un gran concurso, una competencia musical. Las tunas, así como la celebración de Semana Santa en Sevilla, son otra faceta de las ricas tradiciones medievales de España.

Lección 9: Workbook/Study Guide

Más allá del episodio
Actividad B.

> El número uno es falso. El esposo de Teresa murió hace años.
> El número dos es cierto. Teresa nació en el pueblo de Jerez de la Frontera y vivió en Sevilla cuando era niña. Vive ahora en Madrid.
> El número tres es cierto. Teresa nunca estudió en la universidad.
> El número cinco es falso. Teresa recuerda más el dolor de Rosario.
> El número seis es cierto. Las especialidades de Teresa son la paella y la tortilla de patatas.
> El número siete es falso. Teresa siempre se dedicó a la familia. Nunca trabajó fuera de casa.

Now listen to the following narration in order to get information about statements 4 and 8. There may not be answers for both statements. Here is the passage.

> Cuando no está con su familia, a Teresa le gusta pasar tiempo con sus amigas... ¡y tiene muchas, porque—aunque se mete en todo—es realmente una persona muy simpática! Tiene su rutina diaria. Compra un cupón de la lotería, hace las compras en el mercado, busca algo en la farmacia.... Conoce a todo el mundo en su barrio, que es como una gran familia. Los domingos va a misa.

Here are some additional answers and comments.

> El número cuatro es cierto. A Teresa le gusta mucho hablar con todo el mundo.
> ¿Y el número ocho? No sabes todavía si Teresa espera recompensa.

Gramática
Section 23

Actividad A.   El plan de Alfredo

Paso 2. Now listen as the contact person whom Alfredo called in **Episodio 6** asks him about what he plans to do. Then select the correct answer for each question, based on the preceding paragraph, and say it.

> MODELO: (*you hear*) Hola, Alfredo.
> (*you see*)   Hasta luego, Julio./Buenas tardes, Julio.
> (*you say*)   Buenas tardes, Julio.

1. ¿Vas a encontrar la cartera de Raquel?
   Creo que sí.
2. ¿Piensas dejar la cartera en la recepción?
   No, no la dejo allí.

3. Quieres hablar más con ella, ¿no?
   Sí. Tengo muchas preguntas.
4. Sigues buscando a la maestra, ¿verdad?
   Sí, ¡y pienso encontrarla!
5. ¿Todavía piensas escribir algo sobre la maestra?
   Sí, pienso escribir su historia.
6. ¿También quieres escribir la historia de don Fernando?
   Sí, quiero escribir su historia también.
7. ¿Por qué no puedes escribir las dos historias?
   ¡Excelente idea!

Section 24

Actividad A.   La rutina diaria de la Sra. Suárez Listen as the narrator repeats the details of Teresa Suárez's daily routine. Check off her activities on the following list. Take a few seconds to scan the list.

> Mientras tanto, la Sra. Suárez comienza su rutina diaria. Sale a la calle y camina hacia la Plaza Mayor. Todas las mañanas Teresa Suárez va al quiosco y compra un cupón de lotería. Entra al mercado y hace las compras para el día. La señora siempre busca las frutas y verduras más frescas. La Sra. Suarez sale del mercado... y hace las últimas compras del día en una farmacia. Y así, la vida diaria de Teresa Suárez es como la vida diaria de muchos habitantes de Madrid.

Now listen as the speaker adds some more details about what Sra. Suárez does every day. Compare them with the following statements made by Sra. Suárez. Are the statements you hear on the tape **Cierto** or **Falso**?

> Generalmente la Sra. Suárez se despierta temprano, a las ocho. No se levanta inmediatamente; espera un poco y se levanta en quince minutos. No desayuna, pero sí le prepara el desayuno a Federico. Se viste sin desayunar. Casi todas las noches se acuesta a las once y media o a las doce. Se duerme inmediatamente; no tiene ninguna dificultad en dormirse.

Actividad D.   Preguntas para un amigo Using the following phrases as a guide, ask the appropriate questions to get the following information.

> MODELO: (*you see*)   ¿cómo?/llamarse
> (*you say*)   ¿Cómo te llamas?
> (*you hear*)   ¿Cómo te llamas?

1. ¿Cómo te llamas?
2. ¿Dónde vives?
3. ¿A qué hora te levantas, generalmente?
4. ¿A qué hora llegas a la universidad?
5. ¿A qué hora vuelves a casa?
6. ¿A qué hora te acuestas?
7. ¿Te duermes inmediatamente?

Section 25

Actividad A.   Los comentarios de la Sra. Suárez Is it probable or improbable that Teresa Suárez would make the following statements?

1. Mi hijo Miguel tiene dos hijos.
2. Mis otros hijos viven en Madrid y Granada.
3. Mi hijo Federico vive conmigo.
4. Nuestro apartamento es pequeño, pero tiene suficiente espacio para nuestras cosas.
5. ¡Ay, Federico! ¿Por qué dejas tu ropa en el suelo?
6. Jaime y Miguel, ¿por qué no traéis vuestro perro cuando venís a Madrid?

Section 26

Actividad.   En la tienda de ropa

Paso 1. Listen to the questions the salesclerk might ask Raquel about the clothing she wants to try on or buy.

1. ¿Desea ver aquellas blusas que están en el escaparate?
2. ¿Busca también un vestido?
3. ¿Le gusta ese sombrero? Es muy elegante, ¿no cree?
4. ¿Quisiera ver estos zapatos negros?
5. ¿No quiere ver también aquella chaqueta blanca? Es ideal para la primavera.
6. ¿Necesita medias? Ésas son muy económicas.
7. ¿Va a comprar también esta falda negra?

Pronunciación: *j* and *g*

Spanish **j** never has the sound of English *j*, as in *Jane* or *John*. In some dialects of Spanish it is pronounced like the English *h;* in others it has a rougher, more fricative sound that is produced in the back part of the mouth, just about where you would make a [k] sound: **taco/Tajo, carro/jarro**.

The sound of the letter **j**, represented phonetically as [*], can also be written in Spanish with the letter **g** when **g** appears in front of **e** or **i** (**ge, gi**).

Note the difference in the pronunciation of these words.

Spain:	Jorge	jueves	genial	álgebra
Latin America:	Jorge	jueves	genial	álgebra

Actividad A. Repeat the following words and phrases, imitating the speaker.

1. Jaime   junio   julio   jersey   extranjero   mujer   hijo
2. general   inteligente   geografía   religión   psicología   sociología
3. un colegio religioso   un hijo generoso   una mujer extranjera

When Spanish **g** appears anywhere else, (other than before **e** or **i**), it is pronounced like the *g* in English *go* [g]. Spanish **g** has the [g] sound at the beginning of a phrase or sentence or after **n**. The [g] sound is written as **gu** before **e** and **i**.

In all other positions the **g** in these letter combinations (**ga, go, gu, gue, gui, gr, gl**) represents a fricative sound [g], produced by allowing some air to escape when it is pronounced. There is no exact equivalent for this sound in English.

Actividad B. Repeat the following words and sentences, imitating the speaker.

1. [g]   gato   gusto   guerra   guitarra   gracias   gris   tengo   vengo
2. [g]   el gato   el gusto   la guerra   la guitarra   abogado   agosto   mucho gusto   hasta luego   sigo   sigues   seguir
3. Hasta luego, Gerardo.
   El gusto es mío, doña Julia.

LECCIÓN 9: SELF-TEST

II. El vocabulario

A. The sentences you will hear contain demonstratives. Write the form of the demonstrative you hear.

1. Vamos a ese taller.
2. Siempre pierdo esta cartera.
3. Voy a comprar este vestido azul.
4. En aquella ciudad es primavera.
5. Esa tuna es muy buena.

Now write the form of the possessive adjective you hear.

6. ¿Dónde está tu taller?
7. Traigo vuestra foto en la cartera.
8. Raquel, aquí está su cartera.

9. Amigos, nuestra tuna es excelente.
10. Señorita, aquí tiene sus documentos.

Lección 10: Textbook

Preparación

Actividad C. You have seen in other video episodes that Sra. Suárez has a tendency to comment on the actions of others. Listen to the advice she gives Raquel as they say good-bye. **El corazón** means *heart*.

SRA. SUÁREZ: Gracias, Raquel. Que tenga muy buen viaje.
RAQUEL: Gracias, señora.
SRA. SUÁREZ: Si vuelve otra vez a Madrid, ya sabe que aquí tiene unos amigos.
RAQUEL: Muchas gracias.
SRA. SUÁREZ: Y algo más. Hay algo más en la vida que el trabajo. Hay que dedicarle tiempo al corazón.

Here are the questions.

1. La Sra. Suárez le da a Raquel consejos sobre

   a. su vida profesional   b. su vida personal

   La respuesta correcta es *su vida personal*.

2. Parece que la Sra. Suárez cree que Raquel piensa demasiado en

   a. su trabajo   b. sus padres

   La respuesta correcta es *su trabajo*.

3. La Sra. Suárez probablemente cree que Raquel debe buscar

   a. más clientes   b. un novio

   La respuesta correcta es *un novio*.

Actividad D. Look at the painting in the Textbook of San Jerónimo by a Spanish artist and listen as it is described. The description contains some of the words and phrases for describing people that you will learn in this lesson. As you listen, indicate the word or phrase that you hear in each pair.

Aquí en este cuadro están todos los elementos característicos de los santos de El Greco.
Un santo alto... delgado... con barba... de pelo corto, no largo... y ojos expresivos.

¿Tienes buena memoria?
Actividad A.

Para Raquel, hay solamente una respuesta correcta, el número 1. Las otras oraciones son falsas. Raquel ve al reportero y al Sr. Díaz en el Musco del Prado. Recibe el certificado cuando vuelve a su hotel. ¡Y tiene mucho interés en los cuadros; le interesa mucho la pintura!
Para Federico, no hay ninguna respuesta correcta. La novia de Federico es profesora de baile. Y Federico y su novia se despiden de Raquel después de cenar con ella.
Para la Sra. Suárez, las dos oraciones son correctas.

Vocabulario del tema

¿Cómo son? Los adjetivos descriptivos

Note: You will hear the masculine form only on the tape.

alto, bajo, de mediana estatura

bonito, guapo, feo, corto, largo

grande, pequeño

delgado, gordito

joven, nuevo, viejo

Tiene... barba, pelo rubio, pelo castaño, pelo negro, pelo blanco, pelo canoso, pelo largo, pelo corto, ojos claros, ojos oscuros, ojos expresivos

Actividad A.   Retratos de El Greco y Velázquez Listen again as the narrator describes these paintings by two famous Spanish painters. Then answer the questions that follow.

El Greco es conocido por las figuras en sus pinturas religiosas. En este cuadro están los ejemplos de San Andrés y San Francisco. Los santos de El Greco siempre son altos y delgados. El Greco nunca pintó personas bajas o gordas, como otros pintores. Los santos siempre llevan barba. En este cuadro, San Andrés ya está viejo. Tiene el pelo y la barba blancos. San Francisco es más joven. Tiene el pelo y la barba de color castaño. En las figuras de El Greco, el pelo de los hombres es siempre corto. El Greco nunca pintó los santos con pelo largo. El color del pelo es siempre blanco o castaño. El Greco nunca pintó personas de pelo rubio, como se ve en este cuadro de otro pintor. Muy importante en las pinturas de El Greco son los ojos. Los ojos de los santos son muy expresivos. Los ojos reflejan una fuerte devoción religiosa.

Las personas que aparecen en las pinturas de Velázquez son muy diferentes de las de El Greco. Hay personas bajas... gorditas... rubias... de pelo largo... de diferentes rasgos físicos. Velázquez pintó la realidad. En este cuadro están los elementos que distinguen el arte de Velázquez del arte de El Greco. Primero, la variedad de tipos de personas. Hay personas de pelo rubio... de pelo negro... de pelo castaño. Hay personas altas... bajas. Hay personas delgadas... bonitas... y también gorditas.

Actividad B.   ¿A quién se describe? You will hear a series of descriptions on the cassette tape. Match the description with the following photos. First take a few seconds to scan the photos in the Textbook. You should recognize all of these people, but you do not need to remember their names to do the activity.

Here are the descriptions.

1.   Este hombre no es joven pero tampoco es viejo. Es de mediana estatura. No tiene mucho pelo. Es un señor formal... reservado... pero muy simpático. Pronto va a ser famoso... por un programa de televisión.
2.   Estas personas son muy jóvenes... y son bajas. No son grandes porque son niños todavía. No son famosos, pero sí son muy guapos los dos. Quieren mucho a su abuelito.
3.   Estos señores son hermanos y los dos son viejos ya. Uno de ellos está muy mal; está enfermo. Los dos tienen pelo canoso. Los dos tienen barba. Uno de ellos está muy triste. ¿Por qué? Es una larga historia...
4.   Este santo ya murió, pero su retrato está en el Prado. Es un hombre alto, delgado y bastante viejo. Tiene pelo corto y barba blanca. Sus ojos son muy expresivos. Su retrato fue pintado por un gran pintor español.
5.   Esta señora es un poco baja y vieja. Tiene pelo canoso. Vive con su hijo en un apartamento pequeño en Madrid. Siempre se acuerda de una buena amiga... de una amiga ya vieja también.
6.   Estas personas son jóvenes, delgadas y guapas. Las dos tienen pelo castaño y ojos oscuros. Son novios y están muy enamorados.

7. Esta señorita es joven y bonita y tiene pelo castaño. Su pelo no es muy largo, pero tampoco es corto. Es mexicoamericana, pero ahora está en España para investigar un viejo misterio. El caso es complicado, pero muy interesante.

8. Ésta es otra persona que ya murió. Aunque es baja, gordita y un poco fea, es también famosa porque aparece con otras personas en un cuadro muy famoso que se ve en el Prado. Fue pintado por otro gran pintor español.

Conversaciones

Actividad. Adiós. Hasta luego.

Paso 1. Listen to Raquel's final conversation with Sra. Suárez, Federico, and María. Two of them will use approximately the same phrase to wish her well. See whether you can "catch" it. As you listen, try to remember what people were doing as they said good-bye.

FEDERICO: Aquí está tu taxi, Raquel.
RAQUEL: Gracias, Federico. Les deseo mucha suerte a los dos.
FEDERICO/
MARÍA: Gracias.
RAQUEL: Adiós, señora.
SRA. SUÁREZ: Adiós.
RAQUEL: Adiós, María.
MARÍA: Adiós.
RAQUEL: Adiós, Federico.
FEDERICO: Adiós. Y que tengas un buen viaje a la Argentina.
RAQUEL: Gracias.
MARÍA: Raquel, ¿no tienes tiempo para visitar el Museo del Prado?
RAQUEL: Mañana voy. Mi vuelo no sale hasta las cinco.
MARÍA: A mí me encanta ir al Prado. Te va a gustar mucho.
RAQUEL: Ya lo creo. Señora, le diré a Rosario que le escriba pronto. Aquí tengo su carta. No me voy a olvidar de ella.
SRA. SUÁREZ: Gracias, Raquel. Que tenga muy buen viaje.
RAQUEL: Gracias, señora.

Paso 2. Now listen as Alfredo says good-bye to Raquel. What do you think he will say to her?

ALFREDO: Cuando vuelva a Madrid, quizás me cuente del caso de Fernando Castillo. Siempre busco algo interesante para la televisión.
RAQUEL: Ud. es muy persistente, Alfredo.
ALFREDO: ¿Qué quiere? Soy reportero.
RAQUEL: Adiós, Alfredo.
ALFREDO: Adiós, Raquel. Que tenga buen viaje.

Nota cultural: Los grandes maestros de la pintura española

The previous activities in this lesson have allowed you to listen again to information from the video episode about El Greco and Velázquez. Before beginning to read this **Nota cultural**, listen again to what you heard about Goya in the episode. Then go back to **Lección 2** and look at the painting in the Textbook of *Guernica* by Pablo Picasso, another famous Spanish painter. In the activity that follows the **Nota cultural**, you will use all of the information you have to decide which of the four created works you have not seen previously in the *Destinos* materials.

Here is the description of Goya.

Durante la última parte de su visita al Prado, Raquel se encuentra con una clase de primaria. La maestra les está dando una lección a sus estudiantes sobre Goya. ... en Andalucía, en Italia y en Francia. Murió a los 61 años, en Francia. A los setenta años, Goya entró en un período diferente de su arte: el famoso período negro. En las pinturas de este período predominan escenas horribles... y grotescas. En esta época, Goya estaba triste y desilusionado... y su actitud se refleja en las pinturas de este período.

Más allá del episodio
Actividad B.

El número uno es cierto. Manuel es una persona muy reservada. Detesta especialmente las situaciones inesperadas.

El número dos es falso. Vive en un pequeño apartamento, pero con un gato viejo. No vive con su madre.

El número cuatro es cierto. A Manuel le gustan la literatura, el arte y la ópera.

El número cinco es falso. Sus pintores favoritos son Goya y Velázquez.

El número siete es cierto. Quiere visitar los grandes teatros del mundo.

Now listen to the following narration in order to get information about statements 3, 6, and 8. There may not be answers for all three statements. Here is the passage.

Manuel es un excelente maestro y sus estudiantes lo quieren mucho. Pero eso sí, en la mañana tienen que llegar a las ocho en punto. ¿Por qué? La puntualidad es una de las manías del Sr. Díaz. ¿No recuerdas su conversación con el reportero en el tren? El Sr. Díaz sabía precisamente cuánto tiempo iba a durar el viaje.

La ópera, más que una afición, es realmente otra de sus manías. No le importa volver a ver la misma ópera tres o cuatro veces. Sus óperas favoritas son *Aída* y *Carmen*.

Here are some additional answers and comments.

El número tres es cierto. La puntualidad es una de las manías de este maestro de primaria.

El número seis es falso. Sus óperas favoritas son *Aída* y *Carmen*. Es curioso, pero no le gusta *La Bohéme*....

¿Y el número ocho? No sabes todavía si el Sr. Díaz va a estar en el mismo avión que Raquel, pero es improbable.

Gramática
Section 27

Actividad A. ¿De quién se habla? Indicate who is being described in each of the descriptions you will hear. ¡OJO! Many of the adjectives you will hear end in -a because they agree with the word **persona**, which is feminine. Don't assume that a woman is being described.

1. Esta persona es mexicana pero nació en España, o sea que es española de nacimiento. Tiene pelo blanco y también barba. Es bastante viejo. Quiere saber la verdad acerca de su primera esposa, pero ya no es muy optimista...
2. Esta persona es española, de Sevilla, o sea que es sevillana. Es alto y tiene el pelo un poco canoso. Realmente tiene poco pelo. Es muy inteligente, intelectual... y es una persona reservada. También es muy puntual; la puntualidad es una de sus características más importantes. Sus estudiantes lo quieren mucho.
3. Esta persona también es española, de Sevilla, o sea que también es sevillana. Es baja y delgada. Tiene pelo castaño y largo. Es una persona muy animada y muy sociable que tiene muchos amigos.

Actividad B.

1. Raquel es inteligente y guapa. Tiene pelo castaño y ojos claros.
2. La señora Suárez es vieja, baja y un poco gordita. Tiene pelo blanco.
3. Alfredo Sánchez es curioso, ambicioso y persistente. Tiene pelo corto.

Section 28

As you listen to the following summary of aspects of *Destinos*, think about the ways in which the verbs **ser** and **estar** are used in it.

Raquel Rodríguez es abogada. Es de los Estados Unidos, de Los Ángeles, y es mexicoamericana. Está en España ahora porque investiga un caso.... El caso es el secreto de su cliente.

Don Fernando Castillo Saavedra es el cliente de Raquel. Es un hacendado mexicano que está muy mal. Está en el hospital. ¿Y el secreto? Es sobre su primera esposa.... Para don Fernando, es muy importante encontrar a Rosario.

Después de su investigación en España, Raquel ya sabe muchos detalles del caso. Va a la Argentina ahora y lleva una carta. La carta es de la señora Suárez; es para Rosario. Son las cinco y el vuelo de Raquel sale en quince minutos. ¿Va a encontrar a Rosario? Raquel es persistente... ¡y es muy curiosa!

Section 29

Actividad B.

Juan y yo vivimos muy ocupados. Ésta es nuestra rutina. Nos despertamos temprano, a las siete, y nos levantamos inmediatamente. ¡No hay tiempo que perder! Nos vestimos rápidamente. No es necesario vestirse con elegancia para ir a la universidad....

Generalmente desayunamos juntos, pero un desayuno muy ligero. Yo tomo café y Juan toma café con leche, nada más. Hablamos poco... yo por lo menos hablo poco—no me gusta levantarme y generalmente estoy de mal humor hasta las nueve o las nueve y media. En cambio, Juan.... Pero ésa es otra historia.

Salimos a la calle y nos despedimos. Juan va a la universidad en autobús y yo tomo el metro para llegar al teatro. Trabajamos en diferentes partes de la ciudad, desgraciadamente. Queremos buscar un apartamento más céntrico para los dos, pero... no hay tiempo.

No volvemos a casa hasta la noche, más o menos a las siete. Nos gusta tomar algo para relajarnos—un tequila o ron—y nos contamos los detalles del día. Luego nos sentamos a cenar juntos.

Después empezamos a preparar las cosas para el día siguiente. Vemos la televisión y luego nos acostamos, a las diez y media o a las once. Nos dormimos inmediatamente—¡en eso somos iguales! Pero por las mañanas, ¡ay!

Pronunciación: *c* and *qu*

The Spanish [k] sound is like English [k], but it is not aspirated; that is, no puff of air accompanies its pronunciation. Compare the following pairs of English words in which the first [k] sound is aspirated and the second is not.

can/scan   cold/scold   kit/skit

Spanish [k] is always written as **qu** before **e** and **i**. In all other cases it is written as **c**. The letter **k** appears only in words that are borrowed from other languages.

Actividad A. Repeat the following words, imitating the speaker.

1. ¿qué? ¿quién? aquí porque quiero queremos quisiera
2. casa corto castaño curioso comprar recuerda oscuro busca acuesta doctor
3. kilo kilogramo kerosén kilómetro karate

Actividad B. Repeat the following sentences, imitating the speaker. Pay close attention to intonation.

1. ¿Quién quiere correr en el parque?
2. ¿De qué color es tu corbata?
3. Ricardo tiene pelo castaño y corto.
4. Carmen tiene ojos oscuros.

Lección 10: Self-Test

III. La gramática

B. You will hear a series of phrases on the tape. Write what you hear, including the correct form of the adjective listed here.

1. unos bailes   2. el museo   3. unas mujeres   4. la profesora

Lección 11: Textbook

Preparación
Actividad A.

En el episodio previo, Raquel conoce a María, la novia de Federico. Después de cenar con ellos y la señora Suárez, Raquel se despide. Antes de salir para Buenos Aires, Raquel va al Museo del Prado. Allí ve algunas obras de artistas españoles muy importantes: El Greco... Velázquez... y Goya. Al final de su visita al Museo del Prado, Raquel se encuentra con Alfredo y el Sr. Díaz. Raquel trata de llamar a la agencia de viajes... pero nadie contesta. Decide ir a la agencia para preguntar qué pasa con su reservación.

Repaso de los episodios 7–10
Actividad B.   El sueño de Raquel: Segunda parte Raquel también sueña con la Sra. Suárez.

1. Raquel va a la casa de la Sra. Suárez porque

   b. el hijo de la Sra. Suárez va al hotel y la invita.

2. Durante la conversación con la Sra. Suárez, Raquel se entera de que, después de la guerra, Rosario se fue a vivir a

   b. la Argentina.

3. La Sra. Suárez también le dice a Raquel que Rosario

   a. se casó de nuevo con un rico hacendado.

4. Según Teresa Suárez, don Fernando y Rosario tuvieron

   a. un hijo.

5. Según la dirección que tiene Raquel, Rosario vive

   a. cerca de Buenos Aires.

Lección 11: Workbook/Study Guide

Un poco de todo
Actividad C.   Recomendaciones del guía

Paso 1. Listen as a guide from a travel agency recommended by the Hotel Príncipe de Vergara describes a number of events that take place annually in Spain. Some—but not all—of them will be familiar to you. Give the month or season when each event takes place. ¡OJO! One holiday is not mentioned by the guide.

El calendario de fiestas españolas es muy interesante. Claro que en la primavera ocurren las procesiones de la Semana Santa en Sevilla, pero hay otras fiestas populares en todas partes del país.

En enero, todos celebramos el Año Nuevo. En abril siempre hay una gran feria en Sevilla. Se llama la Feria de Abril. En junio se celebra la fiesta de San Juan. Esta fiesta conmemora la primera noche del verano y se asocian con ella una serie de costumbres folklóricas muy interesantes. En el mes de julio vienen a España personas de muchos países para celebrar la fiesta de San Fermín, cuando la gente corre con los toros por las calles de Pamplona. Luego, en diciembre, todos celebramos la Navidad y, en enero, el Día de los Reyes Magos.

Paso 2. Now it is your turn to play guide. Listen again to the descriptions of Madrid and Sevilla and of Castilla and Andalucía that you heard at the beginning of **Episodio 8**. Then form as many sentences as you can about those two cities and regions, using information you have just heard or any other information you remember about them. Use the phrases given here as a guide. You may want to scan the **Nota cultural** on Sevilla in **Lección 4** before beginning this activity.

Madrid, la capital de España. Ciudad de impresionantes edificios... ciudad moderna y cosmopolita... una ciudad muy diferente de Sevilla.

Sevilla está situada en el sur de España, en la región de Andalucía. Madrid está en el centro del país, en la región de Castilla.

Andalucía y Castilla son dos regiones muy diferentes. En Andalucía hay vastos terrenos cultivados de olivares. Abundan las casas blancas... y la arquitectura muestra la fuerte tradición árabe. En Castilla abundan los pueblos medievales... y se notan más las influencias gótica y europea.

LECCIÓN 12: TEXTBOOK

¿Tienes buena memoria?

Actividad C.   La historia de Ángel

Mi padre era un hombre muy estricto. Quería que Ángel estudiara ciencias económicas. Pero Ángel tenía otras inclinaciones.

Mi madre sentía un afecto muy especial por mi hermano. Ángel fue su primer hijo.

Una vez mis padres y yo vinimos a Buenos Aires a visitar a Ángel. En esa visita mi padre descubrió que Ángel había abandonado sus estudios. Hubo una escena horrible, pues mi padre estaba furioso. Esa misma noche, mi padre sufrió de un ataque cardíaco. Yo nunca perdoné a Ángel.

Dicen que Ángel se embarcó como marinero y que se fue de Buenos Aires. Un día llegó una carta para mi madre. Pero Ángel nunca volvió a Buenos Aires.

Vocabulario del tema

Los números de cien a mil

cien, doscientos, trescientos, cuatrocientos, quinientos, seiscientos, setecientos, ochocientos, novecientos, y mil

Actividad A.   ¿Hay una habitación disponible? Listen as the hotel clerk tries to find out whether there is a room or suite available for Raquel today. Indicate the numbers you hear him say.

Un momento, por favor.... Sí, ¿Andrea? ¿Está disponible la habitación 314?... ¿y la 414?.... No. ¿Y las *suites*?.... Pues, ¿cuál está disponible? La 514, la 614, la 714 y la 814. Gracias.

Actividad B.   Continúa la secuencia You will hear three numbers in each group. Write down the numbers you hear in numerals, in the order you hear them.

MODELO: (*you hear*) cien, doscientos, trescientos
          (*you write*) cien, doscientos, trescientos

1. doscientos, cuatrocientos, seiscientos
2. quinientos, seiscientos, setecientos
3. cien, trescientos, quinientos
4. doscientos, doscientos veinte, doscientos cuarenta
5. ciento cincuenta, doscientos, doscientos cincuenta
6. quinientos once, quinientos doce, quinientos trece

Actividad C.   Hablando de la ropa Here is the laundry list for men's clothing from the Hotel Príncipe de Vergara. Listen as the speaker on the tape names an article of clothing, then tell how much it costs—in pesetas—to have the item washed or cleaned. Remember to make numbers agree with the feminine noun **pesetas** when necessary.

MODELO: (*you hear*) camisa
          (*you say*)   cuatrocientas cincuenta pesetas

camisetas	doscientas cincuenta pesetas	chaqueta	novecientas pesetas
pijama	seiscientas pesetas	traje completo	mil quinientas pesetas
pantalón	quinientas pesetas	pantalón corto	cuatrocientas pesetas

Conversaciones: Más sobre el tuteo
Actividad.   ¿Podemos tutearnos?

Paso 1. In **Lección 8**, you heard Federico ask Raquel to use **tú** forms with him. Listen to the conversation again, filling in the blanks as you listen.

RAQUEL: ¿En qué trabaja, Federico?
FEDERICO: ¿Podemos tutearnos?
RAQUEL: De acuerdo. Es que nosotros usamos más el usted.
FEDERICO: Aquí es más común tratarse de tú.
RAQUEL: Está bien. ¿En qué trabajas, Federico?

Paso 2. Now you will hear part of a conversation between Arturo and Raquel from this video episode. Arturo makes the same request, but some of the details are different. Listen for the pronouns that Arturo mentions.

RAQUEL: ¿Y la familia de su padre, doctor?
ARTURO: Por favor, basta de doctor. Arturo. Podemos tutearnos: Yo te trato de «vos», como hacemos aquí, y vos me tratás de «tú», como dicen ustedes.
RAQUEL: ¡De acuerdo!

*The following **paso** is not available in the Alternate Edition.*

Paso 3. Now you will hear three short exchanges between friends. Decide whether they take place in Spain or in Argentina.

Here is the first exchange.

—Hola María, ¿cómo estás?
—Bien, gracias. ¿Y vos?
—Muy bien, gracias.

You should have indicated **la Argentina**.

Here is the second exchange.

—Yo tengo una hermana. Y tú, ¿cuántos hermanos tienes?
—Dos. Uno se llama José y el otro Manuel.

You should have indicated **España**.

Here is the third exchange.

—Vos tenés las llaves del coche, ¿no?
—Sí, aquí están.

You should have indicated **la Argentina.**

Nota cultural: La Pampa y los gauchos

Before you read this **Nota cultural,** refresh your memory about modern Argentina by listening to what the narrator told you about Argentina and Buenos Aires at the beginning of this video episode. As you listen, keep in mind the view of Buenos Aires that Raquel and Arturo enjoyed from the top of a tall building at the end of the episode.

Buenos Aires es un puerto, el puerto más grande de la Argentina. Aquí viven muchos descendientes de inmigrantes de Europa... españoles, ingleses, franceses, alemanes... y sobre todo italiano. Como Buenos Aires es la capital, aquí se encuentra el Congreso Nacional, y también la Casa Rosada, donde vive el presidente. La República de Argentina es una democracia, pero la democracia es frágil, y en varias ocasiones hubo gobiernos militares.

Lección 12: Workbook/Study Guide

Más allá del episodio
Actividad B.

El número uno es cierto. Martín Iglesias tenía una gran estancia en la Argentina.
El número dos es falso. Rosario conoció a Martín en un hospital en Sevilla.
El número tres es falso. A Rosario le gustó mucho Martín, pero no se enamoró de él inmediatamente.

Now listen to the following narration in order to get information about statements 4, 5, and 6. There may not be answers for all three statements. Here is the passage.

Martín ayudó a Rosario a encontrar una casa en Buenos Aires. También la ayudó a encontrar trabajo en un hospital. Muy pronto Martín se enamoró de Rosario. Para ella, sin embargo, Martín era solamente un buen amigo. Pero Rosario se sentía muy sola. Además Ángel necesitaba un padre. Así que, unos meses después de llegar a la Argentina, Rosario aceptó casarse con Martín. Dejó su trabajo y los tres se fueron a vivir a la estancia Santa Susana. Con el tiempo Rosario se enamoró de Martín.

Here are some additional answers and comments.

El número cuatro es cierto. Martín ayudó a Rosario a encontrar trabajo en un hospital.
El número seis es falso. Rosario se fue de Buenos Aires para vivir con su esposo, en su estancia.
¿Y el número cinco? No sabes todavía si Ángel aceptó a Martín o no.

Gramática
Section 34

Actividad B.   La vida sigue en La Gavia You will hear a series of sentences about activities that might have happened or might be happening at La Gavia. Indicate whether the action is Past or Present.

1. Don Fernando no se siente bien.
2. Llevaron a don Fernando al hospital.
3. Maricarmen se levantó tarde.
4. Todos desean saber algo de Raquel.
5. Mercedes se olvidó de comprar algo.
6. Los hijos de Ramón hablan en el patio.

7. El médico escribió sus impresiones.
8. Los otros hijos llamaron por teléfono.
9. Llama Raquel y contesta Pedro.
10. Raquel les da la información que tiene.

Section 35

Actividad A.   ¿Qué pasó?

Paso 2.

1. En el hotel, ¿tiene el recepcionista la reserva de Raquel?
   No, no la tiene.
2. En la estancia, ¿encontró Raquel a Rosario y Ángel?
   No, no los encontró allí.
3. ¿Recordó Cirilo la nueva dirección de Rosario?
   Sí, la recordó, en parte.
4. ¿Creyó Arturo la historia de don Fernando?
   Sí, la creyó.
5. ¿Raquel conoció a los padres de Arturo?
   No, no los conoció.
6. ¿Cuándo perdió Arturo a sus padres?
   Los perdió hace muchos años.
7. ¿Adónde llevó Arturo a Raquel?
   La llevó al cementerio, para ver la tumba de sus padres.
8. ¿Estudió Ángel la literatura española?
   No, no la estudió. Ángel estudió economía.
9. ¿Arturo perdonó a Ángel?
   No, no lo perdonó.

Actividad C.   ¿Qué hace Raquel? You will hear a series of questions on the cassette tape; here are the answers. Write the number of each question next to the appropriate answer. It is a good idea to scan the answers before you begin this activity.

1. Cuando no tienen su habitación reservada, ¿toma Raquel la *suite*?
2. ¿Raquel quiere encontrar a Rosario?
3. ¿También quiere encontrar a Ángel?
4. ¿Conoció Raquel a los padres de Arturo en este episodio?
5. ¿Crees que Raquel va a recordar por mucho tiempo los incidentes de este viaje?
6. ¿Crees que Raquel recuerda el consejo de Teresa Suárez?

Section 36

Actividad A.   ¿Qué oyó Raquel? Listen again to two brief segments of conversation from **Episodio 12**. Indicate the response you hear, then answer the questions.

Here is the first segment.

CIRILO: Vea, moza... Ella vivía con el hijo, el doctor...
RAQUEL: ¿El hijo es médico?
CIRILO: ¡Claro, y muy buen hombre!

Here is the second segment.

ARTURO: Señorita, usted está hablando de mi madre y de mi hermano.
RAQUEL: ¿Su hermano?
ARTURO: Sí, Ángel. Bueno, quiero decir, es mi medio hermano. Lleva el apellido de su padre, pero el primer esposo de mi madre murió.

Pronunciación: *p* and *t*

Like the Spanish [k] sound, the Spanish [p] and [t] are similar to English [p] and [t], but they are not aspirated. Compare the following pairs of English words in which the first [p] or [t] sound is aspirated and the second is not.

pin/spin   pan/span   tan/Stan   top/stop

Actividad A. Repeat the following words, imitating the speaker.

1. padre   paciente   profesor   esperar   España   esposo
2. tarde   temprano   trabajar   estudio   historia   actividad

Actividad B. Repeat the following sentences, imitating the speaker. Pay close attention to intonation.

1. Su primer esposo es pintor.
2. Piden poco por la pintura.
3. ¿Tienes que trabajar en el taller?
4. Estudian temas históricos.
5. También investigan teorías matemáticas.

LECCIÓN 12: SELF-TEST

II. La gramática

A. Answer the questions you hear with the correct preterite forms.

1. ¿Cuándo va a llegar Raquel a Buenos Aires?
2. ¿Ángel se va a mudar a la ciudad?
3. ¿Cuándo van a decidir Raquel y Arturo buscar a Ángel?
4. ¿Cuándo va a oír Raquel la historia de Rosario?

LECCIÓN 13: TEXTBOOK

Preparación

Actividad A. Listen to the review of **Episodio 12** that you will hear at the beginning of this video episode. Then, based on the review and on what you remember, indicate whether the following events took place (**Sí ocurrió**) or not (**No, no ocurrió**) in the previous episode.

Raquel llega a Buenos Aires después de un largo viaje. Tiene problemas con su reservación en el hotel, pero el recepcionista le da la suite, número 714. Exhausta, Raquel cuenta su dinero. Luego descansa. Al día siguiente, Raquel va a la estancia Santa Susana. Allí habla con un gaucho, Cirilo. Cirilo le dice que Rosario se mudó a la capital y que ya no vive en la estancia.

En la ciudad, Raquel conoce a un hombre. Raquel le pregunta si conoce a Ángel Castillo. Descubre en ese momento que este hombre también es hijo de Rosario. Arturo le cuenta a Raquel la historia de Ángel: de cómo abandonó sus estudios, de la reacción de Martín Iglesias, segundo esposo de Rosario, de cómo Ángel se hizo marinero y de la muerte de Rosario. Arturo quiere ayudarle a Raquel en su búsqueda y deciden comenzar al día siguiente.

Actividad C.

Paso 1. Listen to the conversation on the cassette tape, trying to get the gist of it. Then read the following version of it to see whether you missed anything. Then indicate which of the following sentences is an accurate summary of the conversation you just heard.

SEÑOR: Yo soy José, sí, señor.
ARTURO: Disculpe la molestia. Mario nos dijo que tal vez Ud. puede conocer a Ángel Castillo, mi hermano.

SEÑOR: ¿Ángel Castillo?

ARTURO: Sí, es mi hermano. Perdimos contacto hace muchos años. Tenía amigos acá. Pintaba. Le gustaban los barcos.

SEÑOR: Lo siento. No lo conozco. ¿Ya hablaron con Héctor?

ARTURO: No. ¿Quién es?

SEÑOR: Sí. Tienen que hablar con Héctor. Él ha vivido siempre en este barrio. Conoce a todo el mundo. Seguro que conoció a su hermano.

RAQUEL: ¿Y dónde podemos encontrar a Héctor?

Nota cultural: ¿Cómo se dice... ?

As you have already learned, the names for some foods are different in different parts of the Spanish-speaking world. Listen again as Arturo and Raquel discuss what Arturo is going to prepare for dinner.

ARTURO: ¿Alguna vez probaste parrillada?

RAQUEL: Todavía no.

ARTURO: Tenés que probar las mejores brochettes de Buenos Aires.

RAQUEL: ¿Y dónde preparan esas brochetas?

ARTURO: Naturalmente, que las preparo yo en mi propia parrilla.

RAQUEL: ¿Tienes una parrilla?

ARTURO: Sí, en el jardín de mi casa... pero sólo para clientes especiales...

Vocabulario del tema

Los mariscos los calamares, el langostino, el mejillón, el cangrejo, la langosta, la ostra

El pescado el lenguado, el salmón, el atún, la merluza

Otros comestibles el aceite, el arroz, la ensalada, la manteca, la mantequilla, el pan

Actividad A.   Los mariscos, el pescado y otros comestibles Listen as the speaker on the cassette tape talks about some of her food preferences. She will use the phrases **me gusta...** and **me gustan...** as well as the verb **prefiero....** Write the number of the sentence next to the appropriate drawing.

1. Me gustan mucho los mariscos, especialmente los langostinos... y el cangrejo.
2. ¡No me gustan nada los calamares! En un restaurante, nunca pido arroz con calamares. Sin embargo este plato les gusta mucho a algunos de mis amigos.
3. También me gusta el pescado. Prefiero el salmón, que es un pescado muy rico.
4. También me gusta el atún, y lo como con frecuencia. Es bueno cuando uno está a dieta.
5. Para cenar, a veces como solamente una ensalada con un poco de aceite y pan.
6. Cuando estoy a dieta, no como mantequilla.

Actividad B.   ¿Cuánto cuesta? Listen as the grocery clerk from **Episodio 13** tallies the prices of a number of items her customer has bought. As you listen, write down the price of each item. *Note:* The monetary unit of Argentina is **el austral** (from the adjective **austral**, which means *southern*).

El arroz, son 440 australes; este pan, son 220 australes; este otro pan, 460 australes; y este aceite, 1.050 australes. Total: 3.200 australes.

Now state the prices yourself, item by item. You will hear the correct answer on the tape.

El arroz, son 440 australes; este pan, son 220 australes; este otro pan, 460 australes; y este aceite, 1.050 australes. Total: 3.200 australes.

Conversaciones: En una tienda

Actividad.   Quiero...

Paso 1. Listen to two exchanges from **Episodio 13** in which clients listen to what is available, then tell the clerk what they want to buy. Which of the two phrases do they use?

Here is the first conversation.

> —A ver... a mi marido le gustan los langostinos... —Langostinos... —y también los mejillones.
> —Mejillones... ¡Mire qué mejillones! ¿No le gustan los calamares? Tengo unos calamares bien bonitos.
> —No. Déme medio kilo de langostinos... de los grandes, ¿eh?
> —Agustín, medio kilo de langostinos... de los grandes, ¿eh?

Here is the second conversation.

> —¿Qué pescado tiene hoy?
> —De pescado, tengo varios. Tengo salmón, merluza. También tengo lenguado...
> —Déme un kilo de lenguado.
> —Un kilo de lenguado...

Paso 2. Now you will hear one of the same clients conversing with a clerk in another store. Listen for the word **cóbreme** and see whether you can guess its meaning in context.

> —Mire. Aquí tengo el pan, el arroz, el otro pan y el aceite. Y no encuentro la manteca.
> —No hay manteca. Hubo problemas.
> —¡Huf! Cóbreme esto.
> —Bueno. El arroz, son 440 australes. Este pan, son....

Nota cultural: La Argentina, país de contrastes

At the beginning of **Episodio 13** you saw a brief introduction to Argentina and to its incredible geographical variety. Listen to the introduction again. Try to remember the images you saw in the video episode and locate the places named on these maps.

> La Argentina está situada en Sudamérica. Los países vecinos son Chile, al oeste, Bolivia y el Paraguay, al norte; el Brasil y el Uruguay, al este.

> La Argentina es un país grande. De todos los países de Latinoamérica, sólo el Brasil es más grande que la Argentina... y la Argentina es el país más grande de todos los países donde se habla español.

> Al oeste hay montañas altas... la famosa cordillera de los Andes. En el centro, la región que se llama La Pampa... una gran extensión llana. Al norte, el Chaco... una región semiárida. En el noreste está la Mesopotamia... una región de mucha vegetación. Y al sur, está la Patagonia... una región con zonas frías.

Now listen to a series of statements about Argentina. Are they **Cierto** or **Falso**? You will hear the answers on the cassette tape.

1. La Argentina está en Sudamérica. Es cierto.
2. Los países vecinos son Chile, Costa Rica, Bolivia, el Paraguay, el Uruguay y el Brasil. Es falso. Costa Rica no es un país vecino de la Argentina.
3. La Argentina es el país más grande de Sudamérica. Es falso. El Brasil es más grande.
4. Hay más personas que hablan español en el Brasil que en la Argentina. Es falso. En el Brasil se habla portugués.
5. La Argentina tiene solamente una región geográfica, La Pampa. Es falso. La geografía de la Argentina tiene una gran variedad.

Más allá del episodio

Actividad B.

El número uno es cierto. Martín y Ángel nunca se llevaron bien, porque eran personas muy diferentes.

El número dos es cierto. Rosario nunca fue severa con Ángel porque el niño le recordaba a don Fernando.

El número tres es falso. Ángel abandonó sus estudios y empezó a llevar una vida bohemia.

El número cuatro es falso. Ángel pasaba tiempo en la Boca porque le fascinaban los barcos.

El número siete es falso. Ángel no tuvo mucho éxito en vender sus dibujos.

Now listen to the following narration in order to get information about statements 5, 6, and 8. There may not be answers for all three statements. Here is the passage.

Ángel se fue de Buenos Aires en seguida, sintiéndose culpable de la segunda tragedia de su madre. No le dejó a Rosario ni una dirección ni un número de teléfono. Pronto se embarcó como marinero y empezó a viajar. Héctor fue uno de sus primeros amigos. Juntos, los dos vieron mucho mundo. Nunca más habló con su madre o con su hermano Arturo.

El número cinco es cierto. Ángel se fue de la capital cuando murió su padrastro.

El número seis es cierto. Ángel se sintió culpable de la muerte de Martín.

¿Y el número ocho? No sabes todavía si Ángel se casó.

Gramática

Section 37

Actividad B.

Llegué a Buenos Aires y tomé un taxi a mi hotel.
El recepcionista me buscó otra habitación.
Subí a mi *suite* y comencé a contar mi dinero.
Descansé en la *suite* y dormí muy bien por la noche.
Por la mañana, salí para la estancia Santa Susana.
Le pregunté a Cirilo dónde vivía Rosario.
Volví a la ciudad con el chofer.
Busqué la dirección en la calle Gorostiaga.
Conocí a Arturo y le expliqué la historia.
Él decidió ayudarme.

Actividad C.   ¿Qué pasó?

Paso 2. Now check your answers on the cassette tape. First, ask each question, then listen to the correct question-and-answer sequence on the tape.

1. ¿Cuándo llegaste a Buenos Aires?   —Llegué ayer por la tarde.
2. ¿Cómo comenzaste la investigación?   —Viajé a la estancia Santa Susana.
3. ¿Con quién hablaste en la estancia?   —Hablé con Cirilo, un gaucho.
4. ¿Volviste a Buenos Aires en seguida?   —Sí, claro. Volví inmediatamente.
5. ¿Encontraste la casa fácilmente?   —La encontré, pero no fácilmente.
6. ¿Conociste al hijo en seguida?   —Sí, entré y hablé con él inmediatamente.
7. ¿Le explicaste la situación a Arturo?   —Le expliqué todo y me escuchó con atención.

Section 38

Actividad B.   ¿Quién la ayudó?

Paso 2. Now check your answers on the cassette tape. First, ask each question, then listen to the correct question-and-answer sequence on the tape.

> MODELO: (*you see*)   Me dejó en casa de Arturo.
> (*you say*)   ¿Quién te dejó en casa de Arturo?
> (*you hear*)   ¿Quién te dejó en casa de Arturo?   —El chofer.

1.   ¿Quién te dejó en casa de Arturo?   —El chofer.
2.   ¿Quién te recibió en casa de Arturo?   —El ama de casa.
3.   ¿Quién te buscó en el hotel, con una foto de Ángel?   —Arturo.
4.   ¿Quién te llevó al barrio de La Boca?   —Arturo.
5.   ¿Quién te llevó a la casa de José, y a su barco?   —Mario.
6.   ¿Quién te invitó a almorzar?   —Arturo.
7.   ¿Quién también te invitó a cenar?   —Arturo.

Section 39

Actividad B.

En su *suite*, Raquel se sentó en la cama y contó su dinero. Se sintió más tranquila al saber que, de momento, tenía suficiente. Se acostó muy temprano y se durmió en seguida.

Al día siguiente Raquel salió muy temprano para la estancia Santa Susana. Habló con Cirilo y se despidió de él muy contenta, porque tenía la dirección de Rosario. En una casa en la calle Gorostiaga, un ama de casa la dejó entrar y la invitó a sentarse en un sofá. Conoció al doctor... el hijo de Rosario.

Los dos se contaron sus historias y se escucharon con atención. Al día siguiente, Arturo y Raquel fueron a La Boca. De momento, sólo la búsqueda de Ángel los unía.

Pronunciación: *s, z, ci,* and *ce*

Actividad A. Listen to the differences between these pronunciations of the [s] sound in two distinct Spanish-speaking areas of the world.

Vamos a Santa Susana este lunes.
Vamos a Santa Susana este lunes.

El ciego reconoce la voz de Jaime Ramírez.
El ciego reconoce la voz de Jaime Ramírez.

Dicen que hay una buena merluza para el almuerzo.
Dicen que hay una buena merluza para el almuerzo.

Actividad B. Listen as the speaker pronounces these sentences that contain the [s] sound. Note that his pronunciation reflects a usage common in informal speech in the Hispanic world: the [s] sound is aspirated at the end of a word or syllable.

1.   Los mejillones son fabulosos, y también el arroz con calamares.
2.   Todos los pescados y mariscos que hay por aquí están frescos.
3.   Es mi hermano. Perdimos contacto hace muchos años.

Actividad C. Repeat the following words and sentences, imitating the speaker.

1. búsqueda   ostras   mariscos   langostas   miércoles
2. ciudad   cierto   cenar   conocer   hacienda
3. arroz   azul   conozco   otra vez   empiezo
4. estación   dirección   preparación   lección   conversación
5. Cirilo busca a cinco o seis gauchos.
   Sus zapatos son azules y sus calcetines son rosados.
   Reconozco la necesidad de decidir en seguida.

LECCIÓN 13: SELF-TEST

II. El vocabulario

A. The sentences you will hear contain the names of fish, shellfish, or other foods. Write the names you hear.

1. Tenemos unos calamares muy buenos.
2. Los mejillones son fabulosos.
3. Quiero un sándwich de atún.
4. Siempre prefiero el lenguado.
5. Quiero una ensalada verde.
6. El salmón es muy popular.
7. Debemos tener pan todos los días.
8. El arroz es un comestible básico.

LECCIÓN 14: TEXTBOOK

Preparación

Actividad B. In this video episode Raquel and Arturo will meet and talk with Héctor. Listen to part of their conversation on the cassette tape, trying to get the gist of it. Then read it to see whether you missed anything. Then listen to the conversation again.

RAQUEL: ¿Se quedó a vivir en el extranjero?
HÉCTOR: Sí. No recuerdo bien qué país era... ¿saben? Creo que era Puerto Rico, pero no estoy seguro. Era un país en el Caribe... no sé si Puerto Rico, pero estoy seguro que era en el Caribe.... Sí, posiblemente Puerto Rico.
RAQUEL: ¿Y la carta?
HÉCTOR: ¡Claro! ¡La carta! La tengo que buscar.
ARTURO: Es muy importante para mí.
HÉCTOR: Sí, comprendo. Mire, Ud. sabe dónde encontrarme. Necesito un par de días para buscar la carta.
ARTURO: Bueno, se lo agradezco muchísimo.
HÉCTOR: No hay de qué. Ángel era mi amigo.

¿Tienes buena memoria?

Actividad A.   ¿Cuánto recuerdas? Listen to part of Raquel's story review once again if you think you need to, then answer the following questions about **Episodio 14**.

Me han pasado muchas cosas muy interesantes aquí en Buenos Aires, ¿no? Por ejemplo, anoche cené con Arturo. ¿Fuimos a un restaurante o me invitó a su casa? Arturo me invitó a cenar a su casa. Y fue una cena muy buena. ¿Y qué preparó Arturo para la cena? Preparó unas brochetas. Durante la cena, Arturo me contó algo de su vida. ¿Recuerdan? Primero, vive solo. No tiene familia. Segundo, está divorciado y su esposa—digo, su exesposa—regresó al Perú. Ah, y también sabemos que es psiquiatra y que su profesión es muy importante para él. Después de la cena, tomamos un poco de café. Vi unas fotografías que Arturo tomó. Al final de la cena, Arturo me llevó al hotel. Y ya en el hotel, llamé a mi familia. Hablé con mi madre. Hoy continuamos con la búsqueda. Fuimos al Piccolo Navio, un restaurante en el barrio italiano.

Vocabulario del tema

La carne la carne de cerdo, la carne de vaca, el chorizo, el jamón, la panceta, el pollo, los riñones, el tocino, el bistec, el cordero, la chuleta de cerdo, la chuleta de cordero, la hamburguesa, el pavo, la ternera

Otros comestibles la cebolla, el pimiento morrón, el queso, el tomate, el vino, el vino blanco, el vino tinto

Actividad A.   La carne y otros comestibles Listen as the speaker on the cassette tape talks about some of his food preferences. He will use the phrases **me gusta...** and **me gustan...** as well as the verb **prefiero....** Write the number of the sentence next to the appropriate drawing.

1. Me gusta mucho la carne, sobre todo la carne de vaca. Para cenar, prefiero un bistec con patatas y una ensalada.
2. Para almorzar, me gusta comer una hamburguesa. A veces como un sándwich de jamón y queso.
3. Para desayunar como panceta y pan tostado, generalmente con huevos fritos.
4. No me gusta mucho el pavo, pero sí como pollo con frecuencia. A mi esposa le gusta preparar pollo para la cena.
5. Nunca comemos riñones, ni tampoco carne de cerdo.

Actividad B.   Las brochetas y otros comestibles Listen as Arturo and Raquel talk about how **brochetas** are prepared, as well as some other dishes. Try to provide the missing words without looking back at the list of foods.

ARTURO: Preparo las brochettes con riñoncitos, carne de vaca, carne de cerdo, chorizos y panceta.
RAQUEL: ¿Panceta? ¿Qué es eso?
ARTURO: Creo que Uds. le llaman «tocino».
RAQUEL: Ah, sí.
ARTURO: Y también... pimiento morrón, tomate, cebolla y ciruela, para darle el toque artístico y agridulce.
RAQUEL: En España probé unos jamones deliciosos.
ARTURO: Sí, los jamones españoles tienen gran fama.
RAQUEL: La carne argentina también tiene gran fama, sobre todo la carne de vaca.
ARTURO: Si te gusta el pollo, tengo una receta fabulosa: pollo a la inglesa. Se prepara con limón y mayonesa.

Conversación: Cuando la conversación es difícil...

Actividad.   Hablando con los padres

Paso 1. As you listen to the conversation in its entirety, note which phrases Raquel uses in each of the following situations.

1. Her mother is making too much out of a situation.
2. Raquel wants to end the conversation.

Here is the conversation.

RAQUEL: Estoy muy bien. ¿Y Uds.?
MADRE: Bien, bien hijita, bien, pero te echamos de menos. ¿Te gusta Buenos Aires?
RAQUEL: Sí, mucho. Y la investigación va muy bien.
MADRE: Me preocupo porque estás sola.
RAQUEL: Ay, mamá, no te preocupes. Ya tengo un amigo.
MADRE: ¿Un amigo? ¿Quién es?
RAQUEL: El hermano de la persona que busco. Es muy amable... y me está ayudando mucho. Se llama Arturo.
MADRE: Está bien, pero cuídate, ¿eh?
RAQUEL: Sí, mamacita, sí.

MADRE: ¿Comes bien?

RAQUEL: Ah, sí. Esta noche comí en casa de Arturo. Ay, ¡qué cena tan deliciosa!

MADRE: ¿Qué comiste?

RAQUEL: Unas brochetas.

MADRE: ¿Unas qué?

RAQUEL: Unas brochetas... de carne de vaca, de cerdo, chorizos, panceta...

MADRE: ¿Panceta?

RAQUEL: Digo, tocino. Le llaman *panceta* en la Argentina.

MADRE: Mira, dos días en Buenos Aires y ya hablas como los gauchos.

RAQUEL: No exageres, mamá.

MADRE: Oye, cuando regreses a la casa te voy a preparar unos buenos tamales.

RAQUEL: Está bien, mamá. Bueno, tengo que colgar.

MADRE: Bien, hijita. Cuídate, ¿eh?

RAQUEL: Sí, mamá. Y besos para papá. Adiós.

Paso 2. Now listen to the conversation again just for fun. Even though Raquel is a mature adult and a professional, her mother asks the questions mothers typically ask when a child is far away from home. Listen for the phrases in the left-hand column, then indicate their meaning by selecting the answer from the right.

RAQUEL: Estoy muy bien. ¿Y Uds.?

MADRE: Bien, bien hijita, bien, pero te echamos de menos. ¿Te gusta Buenos Aires?

RAQUEL: Sí, mucho. Y la investigación va muy bien.

MADRE: Me preocupo porque estás sola.

RAQUEL: Ay, mamá, no te preocupes. Ya tengo un amigo.

MADRE: ¿Un amigo? ¿Quién es?

RAQUEL: El hermano de la persona que busco. Es muy amable... y me está ayudando mucho. Se llama Arturo.

MADRE: Está bien, pero cuídate, ¿eh?

RAQUEL: Sí, mamacita, sí.

MADRE: ¿Comes bien?

RAQUEL: Ah, sí. Esta noche comí en casa de Arturo. Ay, ¡qué cena tan deliciosa!

MADRE: ¿Qué comiste?

RAQUEL: Unas brochetas.

MADRE: ¿Unas qué?

RAQUEL: Unas brochetas... de carne de vaca, de cerdo, chorizos, panceta...

MADRE: ¿Panceta?

RAQUEL: Digo, tocino. Le llaman *panceta* en la Argentina.

MADRE: Mira, dos días en Buenos Aires y ya hablas como los gauchos.

RAQUEL: No exageres, mamá.

MADRE: Oye, cuando regreses a la casa te voy a preparar unos buenos tamales.

RAQUEL: Está bien, mamá. Bueno, tengo que colgar.

MADRE: Bien, hijita. Cuídate, ¿eh?

RAQUEL: Sí, mamá. Y besos para papá. Adiós.

Nota cultural: José de San Martín, héroe nacional de la Argentina

Before reading the following passage about José de San Martín and his role in Latin American history, review what you know about him by listening again to information from the video episode. Pay particular attention to the names of the countries.

¿Quién fue San Martín? ¿Por qué es tan importante para los argentinos? En los siglos XVIII y XIX, las colonias americanas iniciaron sus respectivas revoluciones. José de San Martín fue el líder militar de la liberación de la Argentina en 1812, de Chile en 1817 y del Perú en 1821. Es el héroe nacional de los argentinos.

Más allá del episodio
Actividad B.

El número uno es falso. Rosario y Ángel tuvieron una relación muy especial, no Rosario y Arturo.

El número tres es cierto. La muerte de su padre lo marcó mucho.

El número cuatro es falso. Arturo estudió psiquiatría porque era la carrera que quería seguir.

El número cinco es cierto. Arturo conoció a su primera esposa en Lima, en una conferencia de psiquiatría.

El número siete es falso. El primer año todo fue muy bien.

Now listen to the following narration in order to get information about statements 2, 6, and 8. There may not be answers for all three statements. Here is the passage.

Arturo y Ángel eran muy diferentes. Arturo adoraba la estancia Santa Susana, y Ángel nunca se sintió en su casa allí. Además Ángel tenía muchos más años que Arturo. Los dos hermanos nunca fueron buenos amigos.

Arturo quería mucho a Estela, su primera esposa. Pero los dos eran muy jóvenes. Él tenía mucho trabajo y ella se aburría con su vida en Buenos Aires. Cuando su matrimonio con Estela empezó a fracasar, Arturo pensó que un hijo era la solución a todos sus problemas. Pero Estela le dijo que no debían tener hijos si no se llevaban bien. Y Arturo tuvo que aceptarlo.

Here are some additional answers and comments.

El número dos es cierto. Arturo y Ángel nunca fueron buenos amigos.

El número seis es falso. Arturo y Estela no tuvieron hijos.

¿Y el número ocho? No sabes todavía si Arturo quiere casarse de nuevo.

Gramática
Section 41

Actividad A. ¿Qué nos pasó?

1. En una pescadería, un señor... no nos ayudó mucho, realmente.
2. Mario, el dependiente de una tienda de antigüedades,... nos llevó a la casa de José.
3. José investigó dónde estaba Héctor y luego... nos encontró en un restaurante, El Barco.
4. Héctor... nos invitó a acompañarlo a casa.
5. Héctor... nos prometió buscar una carta de Ángel.

Section 42

Actividad B. La vida de José

José vive en el barrio de La Boca. Está cerca del puerto de Buenos Aires. Vive con su esposa, doña Flora, al lado de la tienda de antigüedades de Mario. También vive cerca del barco donde trabaja.

Todos los días, antes de ir al barco, José desayuna en casa. Camina entre la casa y el trabajo, y durante el día regresa a casa a comer. José cree que es bueno no vivir lejos de donde él trabaja porque puede llegar al barco sin levantarse muy temprano.

Pronunciación: *r* and *rr*

The flap **r** is similar to the sound of *tt* or *dd* in the English words *Betty* and *ladder,* respectively.

petty/**pero**   sadder/**Sara**   motor/**moro**

Many pairs of words are distinguished only by the difference in these two sounds, so it is important to pronounce them accurately. For example, **pero** means *but,* **perro** means *dog.*

Actividad A. Repeat the following words, phrases, and sentences, imitating the speaker.

1. para gracias pero vivir traer tarde muerto
2. rojo revelar retrato rubio rosado repaso real
3. barrio correr arroz guerra perro marrón error
4. Mi perro corre rápidamente.
5. Tenemos unos riñones ricos.   Estos errores son raros.   Recibieron el contrato temprano.
   Fernando, Martín y Rosario.

Actividad B. **¿*r* o *rr*?** You will hear a series of words and phrases. Indicate the word or phrase you hear.

1. Ahorra gasolina.
2. ¿Hay coral aquí?

3. Perro, no.
4. Un narrador.

Actividad C. Trabalenguas Listen to the following tongue twister, then repeat it, imitating the speaker.

R con R, guitarra.
R con R, barril.
Mira qué rápido corren
los carros del ferrocarril.

Now listen and repeat.

R con R, guitarra.
R con R, barril.
Mira qué rápido corren
los carros del ferrocarril.

LECCIÓN 14: SELF-TEST

II. El vocabulario

A. You will hear a list of meats. Put the letter of the source next to the number of each item in the list.

1. la chuleta de cerdo
2. la hamburguesa
3. el tocino o la panceta
4. el pavo

5. el pollo
6. el bistec
7. el jamón
8. la chuleta de cordero

LECCIÓN 15: TEXTBOOK

Preparación
Actividad B.

Paso 1. Listen to part of a conversation between Arturo and Raquel without looking ahead in this activity. Then answer the question. You should listen to this section of the cassette tape only once.

RAQUEL: ¿En qué piensas?

ARTURO: En Ángel. ¿Qué quería de la vida? ¿Qué buscaba?

RAQUEL: ¿Te sientes bien? ¿Qué te pasa?

ARTURO: No te preocupes. No es nada.

RAQUEL: Ya verás. Pronto podrás hablar con tu hermano... Arturo, dime por favor qué es lo que te pasa.

ARTURO: Me tenés que perdonar, Raquel. Es que...

RAQUEL: ¿Sí... ?

ARTURO: Tengo un mal presentimiento... ¿Qué pasa si Ángel... ?

Paso 2. Now listen to the conversation again. A written version of it is provided to help you understand it. Then answer the questions. This time, you may listen to the cassette tape as many times as you need to.

RAQUEL: ¿En qué piensas?

ARTURO: En Ángel. ¿Qué quería de la vida? ¿Qué buscaba?

RAQUEL: ¿Te sientes bien? ¿Qué te pasa?

ARTURO: No te preocupes. No es nada.

RAQUEL: Ya verás. Pronto podrás hablar con tu hermano... Arturo, dime por favor qué es lo que te pasa.

ARTURO: Me tenés que perdonar, Raquel. Es que...

RAQUEL: ¿Sí... ?

ARTURO: Tengo un mal presentimiento... ¿Qué pasa si Ángel... ?

¿Tienes buena memoria?

Actividad B.   ¿Qué paso?

Raquel visitó varias tiendas con Arturo y compró una bolsa de cuero. Más tarde, fue a la Cuadra, un centro comercial. Allí compró una blusa y unos pantalones. Luego regresó a su hotel. Mientras tanto, Héctor llamó a Arturo para decirle que encontró la carta. Pero no puede ver a Arturo y Raquel hasta mañana. Esto no le gustó mucho a Raquel. Empieza a ponerse un poco impaciente y quiere terminar pronto la investigación.

Para pasar el resto del día, Raquel y Arturo dicidieron ir a un parque, aunque la idea no le interesó mucho a Arturo. Pero lo pasaron muy bien. Anduvieron en bote y en mateo y también tuvieron un *picnic* con la comida que Arturo llevaba en la canasta. Por la noche, Raquel recibió un regalo de Arturo, una linda chaqueta de cuero. Parece que sí hay una atracción entre Arturo y Raquel, ¿no?

Vocabulario del tema

Las frutas la banana, el durazno, la frutilla, la manzana, el melón, la naranja, la uva, la cereza, la ciruela, la fresa, el limón, el melocotón, la pera, la piña, el plátano, la sandía, la toronja

Actividad A.   El espectáculo de Jaime Bolas Listen again to Jaime's patter during his juggling act and indicate the fruits he mentions.

Ahora, señoras y señores, Uds. verán al gran Jaime Bolas con su nuevo espectáculo, «Ensalada de fruta». Bueno, ¿qué necesitamos para hacer una ensalada de fruta? Primero, una manzana... una manzana; luego, una naranja... naranja; y después, otra naranja más. Entonces, mi primera ensalada consiste en una manzana, una naranja y otra naranja. ¡Vamos!.... Bueno, gracias, muchas gracias. Ahora, para los aficionados a los chimpancés, vamos a hacer una ensalada de frutas... de bananas, para la cual vamos a usar una banana, dos bananas y tres bananas, para mis amigos los simios. ¡Vamos!.... Bueno. ¿Y qué nos queda? Un melón, melón. No, dos... dos melones, señores, dos melones... y una naranja. Entonces, esta ensalada va con dos melones y una naranja. Atención. Vamos....

Actividad B. En la canasta de Arturo As you know, Arturo goes shopping for a picnic lunch. Listen again to the conversation he has with the fruit-store clerk. Then complete the following summary with as much information as you can remember.

ARTURO: Buenas.
DEPENDIENTE: ¿Desea alguna fruta? Toda esta fruta es fresca y muy deliciosa.
ARTURO: Sí. Déme seis naranjas, tres manzanas y medio kilo de esas uvas.
DEPENDIENTE: ¿Algo más?
ARTURO: ¿Melones tiene?
DEPENDIENTE: Sí, señor. Allá están. Mire.
ARTURO: Déme uno. ¿Están dulces?
DEPENDIENTE: Ah, sí. Bien dulces, señor. ¿Algo más?
ARTURO: Eh, sí. Un kilo de bananas.
DEPENDIENTE: ¿No quiere llevar algunos duraznos o frutillas?
ARTURO: No, gracias. Eso es todo.
DEPENDIENTE: Medio kilo de uvas, un melón, un kilo de bananas, seis naranjas y tres manzanas. 1.420 australes, señor. Muchas gracias.
ARTURO: Ahora me falta comprar pan, queso y una botella de vino.

The following activity is not available in the Alternate Edition.

Actividad C. ¿Y tú? What kinds of fruit do you like to eat? Listen as the speaker on the cassette tape talks about her preferences, then indicate whether you agree or disagree.

MODELOS: (*you hear*) A mí me gusta mucho la sandía.
(*you say*) A mí también me gusta mucho la sandía.
or A mí no me gusta la sandía.
(*you hear*) A mí no me gustan los duraznos.
(*you say*) A mí tampoco me gustan los duraznos.
or A mí sí me gustan los duraznos.

1. A mí me gusta mucho la sandía.
2. A mí no me gustan los melocotones.
3. Me gustan mucho las fresas. Las como con frecuencia en verano.
4. Y me gustan las bananas. Como una para el desayuno todos los días.
5. Mi fruta favorita entre todas es la piña. ¿Cuál es la fruta que tú prefieres entre todas?

Conversaciones: Para animar
Actividad. ¡Vamos!

Paso 1. Listen to Raquel and Arturo's conversation about the buggy ride, trying not to look at the printed version of the conversation that follows.

ARTURO: Ah no no no. Raquel, por favor, no...
RAQUEL: ¿No? Debe ser divertido... ¿Vamos?
ARTURO: ¿En serio?
RAQUEL: ¡En serio! ¿No te gusta nada?
ARTURO: Bueno, está bien, si vos querés...
RAQUEL: ¿Qué pasa? ¿No te gusta? ¡Te da vergüenza! Mira lo rojo que estás.
ARTURO: Raquel, todos nos están mirando.
RAQUEL: Anda, ¡vamos, vamos! Debe ser divertido, ven...

*The following **paso** is not available in the Alternate Edition.*

Paso 2. Now you will hear two brief conversations. A possible rejoinder for each is printed below, but it is incomplete. Complete each one with the expression you think is most appropriate.

Here is the first conversation.

> —Mira, una exposición de arte española. ¿No quieres verla?
> —¿Yo? Tú sabes... No me gusta el arte.

Here is the second conversation.

> —Tengo que ir a comprar un regalo para Jaime. ¿Me quieres acompañar?
> —No, hoy no. Ya sabes que no me gusta ir de compras. Además, estoy muy cansado.

Un poco de gramática

The following activity is not available in the Alternate Edition.

Actividad. ¿Qué dijo?

1. RAQUEL: ¿Y tú? ¿Cuánto tiempo estuviste casado?
   ARTURO: Cinco años.
2. RAQUEL: Héctor dijo que Ángel se fue a vivir a un país del Caribe. Posiblemente a Puerto Rico.
3. RAQUEL: Arturo estaba muy pensativo porque tuvo un mal presentimiento.
4. RAQUEL: Primero, anduvimos en mateo. Fue muy divertido para mí, pero para Arturo fue un escándalo. ¡Ja! Luego anduvimos en bote. Finalmente, tuvimos un *picnic* muy especial.

Nota cultural: Buenos Aires, una ciudad europea en el Nuevo Mundo

At the end of **Episodio 12**, from the rooftop of a tall building Arturo pointed out some landmarks to Raquel. Listen again to his words, then complete the statement that follows.

> Ven que te quiero mostrar mi ciudad... Aquélla es la Torre de los Ingleses, frente a la Estación Retiro. Y ésa es la Plaza San Martín y la Avenida del Libertador...

Lección 15: Workbook/Study Guide

Más allá del episodio
Actividad B.

> El número uno es falso. Héctor conoció a Ángel en el puerto de Buenos Aires.
> El número dos es cierto. Los dos se hicieron buenos amigos muy pronto.
> El número cuatro es cierto. Héctor lo recomendó al capitán de su barco.
> El número cinco es falso. Ángel no nació para ser marinero. En un barco, era un desastre.

Now listen to the following narration in order to get information about statements 3 and 6. There may not be answers for both statements. Here is the passage.

> Héctor y Ángel eran muy diferentes; tenían muy pocas cosas en común. La única excepción era su amor a los barcos.
> Los dos amigos viajaron mucho juntos. Fueron a Europa y a África varias veces. Pero Héctor no fue con él al Caribe. El día que Ángel se embarcó en ese viaje, Héctor estaba muy enfermo y no pudo ir. Pero sí conoció a su futura esposa en el hospital. Héctor pensó que así era el destino. Ésa fue la última vez que vio a su amigo. Y fue el comienzo de una nueva etapa de su propia vida.

Here are some additional answers and comments.

> El número tres es falso. Héctor y Ángel eran muy diferentes en todo, menos en su amor a los barcos.
> El número seis es falso. Héctor conoció a su esposa en el hospital, después de que Ángel se embarcó.

Gramática
Section 43

Actividad B. «Una noche y un día interesantes»

Paso 1. Listen again to Raquel's review of what happened in this video episode. Try to focus on the sequence of the events rather than on details.

Otra vez he pasado una noche y un día interesantes en Buenos Aires. Anoche, después de hablar con Héctor, Arturo y yo volvimos a su casa. Allí conversamos un poco. Pero durante la conversación, Arturo estaba muy pensativo. Arturo estaba muy pensativo porque tuvo un mal presentimiento. Arturo cree que su hermano, Ángel, ha muerto. Pero no hay motivos para que crea eso. Lo que pasa es que Arturo se siente culpable. Arturo se siente culpable porque, después de que Ángel se fue de casa, nunca hizo nada por buscarlo.

Bueno. Todo eso ocurrió anoche. Hoy fue un día más alegre. Primero fui con Arturo de compras. Entramos a una tienda de artículos de cuero. Vi una chaqueta. Era bonita y de buena calidad, pero no la compré. Al final, compré una bolsa. Esta. Es linda, ¿no creen Uds.? Después de la tienda, Arturo y yo nos separamos. Él volvió a su casa y yo seguí haciendo mis compras. Yo seguí con las compras y compré varias cosas para mi viaje a Puerto Rico: Compré una blusa, un pantalón, un vestido y un traje de baño. Más tarde, ya aquí en el hotel, Arturo me llamó. Pero no pudimos hablar con Héctor hoy. Tenemos que esperar hasta mañana. Entonces Arturo y yo pasamos el resto del día juntos. Fuimos al Parque del Rosedal. ¡Qué bien lo pasamos! Primero, anduvimos en mateo. Fue muy divertido para mí, pero para Arturo fue un escándalo. ¡Ja! Luego anduvimos en bote. Finalmente, tuvimos un *picnic* muy especial. Arturo sirvió frutas frescas: manzanas, melones, naranjas, bananas y uvas. Y también comimos pan y queso. ¡Lo pasé muy bien! Arturo es una persona extraordinaria, ¿no creen Uds.?

Section 44

Actividad B. ¿Qué hicieron? You will hear a series of questions about things that some *Destinos* characters have done. Answer the questions as completely as you can. Look at the list of useful phrases before beginning this activity and be sure you understand the meaning of all of them.

MODELO:　(*you hear*) ¿Qué le mandó Teresa Suárez a don Fernando?
　　　　　　(*you say*)　Una carta. (Le mandó una carta.)
　　　　　　(*you hear*) Le mandó una carta.

1. ¿Qué le mandó Ángel a Héctor?
   Le mandó una carta, desde el Caribe.
2. ¿Qué le regaló Arturo a Raquel?
   Le regaló una campera negra muy bonita.
3. ¿Qué le contó Raquel a Arturo?
   Le contó una historia... la historia de don Fernando.
4. ¿Qué le dio Cirilo a Raquel?
   Le dio la dirección de Rosario en Buenos Aires.
5. ¿Qué les dio José a Arturo y Raquel?
   Les dio el nombre de Héctor.
6. ¿Qué le regaló Héctor a Arturo?
   Le regaló un cuadro de Ángel.
7. ¿Qué le trajo Arturo a Raquel para el *picnic*?
   Le trajo fruta, pan y queso... en una canasta.
8. ¿Qué le contó Arturo a Raquel?
   Le contó una historia... la historia de su medio hermano Ángel.

Pronunciación: *n* and *ñ*

In Spanish the **n** is pronounced just as in English. The **ñ** is pronounced like the *ny* in the English word *canyon*, which comes from the Spanish word **cañón**. Remember that **ñ** is a separate letter in the Spanish alphabet; it comes after **n**.

Actividad A. Repeat the following words and sentences, imitating the speaker.

1. año señora mañana español pequeño compañera
2. cana/caña sonar/soñar mono/moño cena/seña
3. La compañía del señor Muñoz está en España.
   Los niños pequeños hablan español.
   La señorita Ordóñez tiene veinte años.

Actividad B. You will hear a series of words. Circle the word you hear.

1. pena
2. uña
3. leña
4. suena
5. tino

Lección 15: Self-Test

II. El vocabulario

A. You will hear a list of fruits. Write the number you hear with the appropriate drawing.

1. el limón
2. las uvas
3. el melón
4. la banana
5. la manzana
6. la naranja

Lección 16: Textbook

Preparación

Actividad A.

Al principio del episodio previo, Raquel nota que Arturo está pensativo. Cuando ella le pregunta qué le pasa, Arturo le dice que tiene un mal presentimiento.

—Arturo— dice Raquel —dime cuál es el mal presentimiento que tienes.
—Es que—, contesta Arturo—algo me dice que Ángel ya murió.

Raquel trata de calmar a Arturo. Y cuando están por salir para el hotel, se dan cuenta de la atracción mutua que sienten. Se besan y luego Arturo lleva a Raquel al hotel.

Al día siguiente los dos pasan mucho tiempo juntos. Van de compras en la calle Florida y más tarde van al parque Rosedal. Lo pasan muy bien. Ahora, en este episodio, esperan tener noticias de Héctor.

Actividad B.

Paso 1. Listen to part of a conversation between Arturo and Raquel without looking ahead in this activity. Then complete the statements according to what you understood. You should listen to this section of the cassette tape only once.

ARTURO: ¿Sabés? Ángel es el único pariente que tengo. ¿Ya decidiste cuándo te vas a ir?
RAQUEL: Debería tomar el primer vuelo... don Fernando está muy mal. Y no puedo tardarme mucho.
ARTURO: Hace unos pocos días que te conozco... y parece como si hiciera muchos años.
RAQUEL: Yo siento lo mismo.

ARTURO: Tc voy a extrañar.

RAQUEL: Yo también a ti.

ARTURO: Aunque... tal vez...

RAQUEL: ¿Tal vez... ?

ARTURO: Tal vez... yo podría ir a Puerto Rico, y los dos continuar la búsqueda de Ángel.

RAQUEL: ¿Quieres decir que irías a Puerto Rico?

ARTURO: ¿Te gustaría?

RAQUEL: ¡Claro que sí! Mucho. Pero, ¿tú puedes?

ARTURO: Creo que sí.

RAQUEL: ¿Y tu trabajo? ¿tus pacientes?

ARTURO: Bueno, no sería fácil dejar todo. Pero... yo quiero ir.

Paso 2. Now listen to the conversation again. Read the following portion of it before listening. Then answer the questions. This time you may listen to the cassette tape as many times as you need to.

ARTURO: ¿Sabés? Ángel es el único pariente que tengo. ¿Ya decidiste cuándo te vas a ir?

RAQUEL: Debería tomar el primer vuelo... don Fernando está muy mal. Y no puedo tardarme mucho.

ARTURO: Hace unos pocos días que te conozco... y parece como si hiciera muchos años.

RAQUEL: Yo siento lo mismo.

ARTURO: Te voy a extrañar.

RAQUEL: Yo también a ti.

ARTURO: Aunque... tal vez...

RAQUEL: ¿Tal vez... ?

ARTURO: Tal vez... yo podría ir a Puerto Rico, y los dos continuar la búsqueda de Ángel.

RAQUEL: ¿Quieres decir que irías a Puerto Rico?

ARTURO: ¿Te gustaría?

RAQUEL: ¡Claro que sí! Mucho. Pero, ¿tú puedes?

ARTURO: Creo que sí.

RAQUEL: ¿Y tu trabajo? ¿tus pacientes?

ARTURO: Bueno, no sería fácil dejar todo. Pero... yo quiero ir.

The following activity is not available in the Alternate Edition.

¿Tienes buena memoria?

Actividad C.   La carta de Ángel Raquel and Arturo have finally found out some specific information about what happened to Ángel. Listen again as Arturo paraphrases the letter Ángel wrote to Héctor, then indicate whether the following statements about Ángel are **Cierto** or **Falso**.

Está fechada en San Juan de Puerto Rico. Le da las gracias por su recomendación... Dice que no es un verdadero marinero... y que sigue pintando. Ha viajado por muchos países: Francia, Inglaterra, Alemania... y también España... su país de origen. Piensa quedarse a vivir en Puerto Rico... No quiere volver nunca más a la Argentina. Aquí está su dirección.

Vocabulario del tema

Las legumbres y las verduras la aceituna, la cebolla, los chícharos, el chile, los ejotes, la lechuga, la papa, el tomate, la zanahoria
el apio, los guisantes, la calabaza, el champiñón, los frijoles, las judías verdes, el maíz
el brécol, el brocolí, la coliflor, las espinacas, la patata

Actividad A.   En el mercado Listen again to Raquel's shopping list and note the items she mentions.

A ver... cebolla... chícharos.... ejotes... lechuga... tomates... zanahorias... papas... chiles.... Me hacen falta las aceitunas.

Actividad B. Una cara hecha de legumbres y verduras

Paso 1. Listen again as Raquel shows Arturo the photograph she has found in one of his books and indicate the drawings of the vegetables you hear.

RAQUEL: Mira cómo ha usado las verduras. Ésta aquí es una hoja de lechuga. Y éste es un tomate.
ARTURO: ¿Un tomate? No puede ser.
RAQUEL: Sí, sí. Y éstas aquí son cebollas. Éstas son aceitunas.
ARTURO: ¿Aceitunas?
RAQUEL: Sí, aceitunas. ¡No te hagas el tonto! Y éstos son chícharos.
ARTURO: ¿Chícharos?
RAQUEL: Sí, chícharos. En México y en California los llamamos chícharos.
ARTURO: Aquí les decimos arvejas.
RAQUEL: Ésta es una zanahoria. Y éstos son ejotes.
ARTURO: Y éstos son ajíes.
RAQUEL: ¿Cómo ajíes?
ARTURO: Sí, pero Uds. les llaman chiles, ¿no?
RAQUEL: Sí.

Conversaciones: Perdone Ud.

Paso 1. Listen to the following dialogues and complete them with the words you hear: **con permiso, disculpe,** or **perdone.**

Here is the first conversation.

—Esta maestra de primaria es la Sra. Díaz. Su clase de sexto grado le compró un cupón y...
—Perdone. Creo que se ha equivocado. Yo no soy la Sra. Díaz. Y tampoco soy maestra.

Here is the second conversation.

—Mostrame una foto tuya. De tu pasaporte, por ejemplo.
—Disculpe, doctor, lo llaman por teléfono. Un Sr. Héctor...

Here is the third conversation.

—Perdone. ¿Tiene Ud. la hora?
—Sí, son las dos y cuarto.
—Muchas gracias. Voy a buscar algo de comer. Perdone.

Paso 2. Now listen to two brief dialogues to identify the phrase used to ask permission to pass by or through a group of people.

Here is the first conversation.

—Con permiso. Necesito pasar, por favor... Con permiso.

Here is the second conversation.

—Sí, ahora voy, Magdalena. Con permiso.... Con permiso.... permiso...

Un poco de gramática

The following activity is not available in the Alternate Edition.

Actividad. ¿Quién fue?

MODELO: (*you see*) Vine a Buenos Aires en busca de Ángel y Rosario.
(*you say*) Raquel. Raquel vino a Buenos Aires en busca de Ángel y Rosario.
(*you hear*) Raquel vino a Buenos Aires en busca de Ángel y Rosario.

1. Raquel vino a la Argentina en busca de una mujer.
2. Arturo no pudo evitar un mal presentimiento.

3. Raquel hizo dos caras con verduras.
4. Raquel quiso calmar a Arturo. ¡Y también Héctor!
5. Ángel vino a la Argentina hace muchos años.
6. Héctor pudo encontrar la carta de su amigo.
7. Arturo supo por fin la dirección de Ángel. ¡Y también Raquel!
8. Arturo puso fruta en una canasta.

Nota cultural: Otras ciudades argentinas

You have already learned a good deal about Buenos Aires, the political and economic capital of Argentina. In this video episode you learned a little bit about some other Argentine cities. Refresh your memory by listening to an excerpt from **Episodio 16** as you look at this map. Try to focus on the most important characteristics of each city. Then complete the following sentences.

El puerto de Buenos Aires es el más importante de la Argentina. Por aquí pasan numerosos barcos con las diferentes exportaciones e importaciones que son vitales para el país. Claro, hay otras ciudades en la Argentina que son importantes también.

En el centro del país está Córdoba, una ciudad histórica de un millón de habitantes. En el oeste, casi en el límite con Chile, está Mendoza. Esta ciudad es importante por la agricultura, sobre todo por las uvas, ingrediente esencial en la producción del vino. Al norte de Buenos Aires quedan Tucumán y Rosario. Tucumán, como Córdoba, es una ciudad histórica y hermosa. Rosario, en cambio, es una ciudad industrial en las riberas del Río Paraná. Aunque estas ciudades son importantes, el centro político y económico de la Argentina es Buenos Aires.

Lección 16: Workbook/Study Guide

Más allá del episodio
Actividad B.

El número uno es falso. La idea de trabajar en un barco le gustó. No lo dudó.
El número dos es falso. Ángel siempre tenía a mano algo con que dibujar.
El número tres es falso. Ángel trató de adaptarse a la vida de los marineros, pero le fue muy difícil.
El número cinco es falso. En España, Ángel no encontró lo que buscaba.
El número siete es cierto. En Puerto Rico Ángel encontró la libertad.

Now listen to the following narration in order to get information about statements 4, 6, and 8. There may not be answers to all three statements. Here is the passage.

Ángel siempre quería conocer España y sobre todo Sevilla, la ciudad donde nació. Cuando era pequeño, su madre le contó muchas cosas sobre la ciudad. Pero cuando llegó allí todo era muy diferente de lo que se imaginaba. Ángel se sintió decepcionado. Sevilla no era su casa.

En Sevilla pensó mucho en Teresa Suárez, la amiga de su madre. Buscó su dirección y su número de teléfono. Un día, por fin, fue a su casa. Se quedó delante de la puerta durante mucho tiempo. Al final decidió que no era una buena idea hablar con ella y se fue.

Ángel pensó en escribirle a su madre desde España. Pero prefirió no hacerlo. Durante sus viajes, muchas veces quiso escribirle, pero nunca lo hizo. Era mejor olvidar el pasado. Lo que necesitaba era encontrar el lugar ideal para empezar una nueva vida.

Here are some additional answers and comments.

El número cuatro es falso. Ángel pensó en escribirle a su madre muchas veces, pero no lo hizo.
El número seis es cierto. Fue a su casa pero decidió que no era una buena idea hablar con ella.
¿Y el número ocho? No sabes todavía si en Puerto Rico Ángel se hizo muy famoso.

Gramática

Section 46

Actividad A. ¿Quién lo dijo?

1. Raquel dijo: «Hice dos caras con verduras.»
2. Arturo dijo: «Quise sacar una foto de Raquel y yo juntos.»
3. Héctor dijo: «En mi día libre, vine al puerto de Buenos Aires para pescar.»
4. Raquel dijo: «Me puse la campera que me mandó Arturo.»
5. Arturo dijo: «Al principio no pude sacar la foto porque no funcionó la cámara.»
6. Héctor dijo: «Sí, yo fui amigo de Ángel en otra época.»
7. Arturo y Raquel dijeron: «Ayer no pudimos hablar con Héctor.»
8. Arturo y Raquel dijeron: «Fuimos al puerto a buscar a Héctor.»
9. Unas personas de La Boca dijeron: «No pudimos ayudar a las personas que vinieron al barrio con la foto.»
10. Arturo dijo: «No supe que Ángel se fue a vivir al Caribe.»

Actividad B. ¿Qué pasó?

Paso 1. Listen again to Raquel's review at the end of **Episodio 16**.

Arturo es muy buena persona, ¿no? Me gusta mucho. ¿Qué fue a buscar? Bueno. Hoy sabemos más de Ángel. Por una carta, sabemos de su paradero. Pero, el día no empezó con una carta. El día empezó con una cámara... una cámara poco cooperativa, ¿no? ¡Pobre Arturo! Le gusta tener toda su vida muy ordenada. Se puso muy enfadado cuando la cámara no funcionó.

Bueno, después de la sesión fotográfica, tuvimos noticias de Ángel. Héctor llamó a Arturo. Héctor tenía la carta de Ángel y quería dársela a Arturo. ¿Recuerdan adónde fuimos a buscar a Héctor? ¿Fuimos a su casa? No, no fuimos a su casa. Fuimos al puerto para buscarlo. Allí lo encontramos. Estaba pescando. Le dio la carta a Arturo. Arturo estaba muy nervioso. Empezó a leer la carta en voz alta. Después de leer la carta, Arturo se quedó muy pensativo. Pobre Arturo. Una vez más tuvo ese mal presentimiento.

Más tarde, hablamos sobre mi viaje a Puerto Rico. ¿Y qué idea se le ocurrió a Arturo? Claro. La idea me gustó mucho. Bueno, después de eso, volví a mi hotel y llamé a México. Hablé con Ramón. Le conté a Ramón las últimas noticias, le hablé de la carta de Ángel y del mal presentimiento de Arturo. Ramón me dijo que él también tenía un mal presentimiento. Entonces, Arturo me llamó. Me invitó a su casa para revelar las fotos. Antes de ir a su casa, preparé una sorpresa para él. ¿Recuerdan adónde fui y qué compré? En la casa de Arturo, mientras él revelaba las fotos, yo hice dos caras con verduras. Fue una gran sorpresa para Arturo. Le gustaron mucho.

Bueno. Aquí estoy. Arturo fue a buscar algo. Pero no sé qué. Me pregunto, ¿qué va a pasar en Puerto Rico? ¿Encontraré a Ángel finalmente? Y ahora, tengo un interés personal. ¿Qué va a pasar entre Arturo y yo?

Section 47

Actividad A. ¿A quién? Listen to the following conversations from **Episodio 16** and indicate the indirect object pronouns (**me, te, le,** or **les**) that you hear. Then, for each indirect object pronoun, indicate the meaning of the pronoun, with an **a** plus noun or pronoun phrase: **a mí, a Arturo,** and so on. For direct object pronouns (**lo, la, los, las**), indicate the noun to which the pronoun refers.

1. ARTURO: Está fechada en San Juan de Puerto Rico. Le da las gracias por su recomendación. Dice que no es un verdadero marinero... y que sigue pintando.
2. ARTURO: Otra vez... este presentimiento. Algo me dice que Ángel ya murió.

3. ARTURO: Hace unos pocos días que te conozco y parece como si hiciera muchos años.
   RAQUEL: Yo siento lo mismo.
   ARTURO: Te voy a extrañar.
   RAQUEL: Yo también a ti.
   ARTURO: Aunque... tal vez...
   RAQUEL: ¿Tal vez?
   ARTURO: Tal vez... yo podría ir a Puerto Rico y los dos continuar la búsqueda de Ángel...
   RAQUEL: ¿Quieres decir que irías a Puerto Rico?
   ARTURO: ¿Te gustaría?
   RAQUEL: ¡Claro que sí!
4. RAQUEL: Le conté a Ramón las últimas noticias. Le hablé de la carta de Ángel y del mal presentimiento de Arturo. Ramón me dijo que él también tenía un mal presentimiento.
5. ARTURO: ¿Qué pasó?
   RAQUEL: Te digo... Es una señal. Salgo mal en las fotos y la cámara lo sabe.
   ARTURO: Raquel, basta ya de eso. Quiero una foto de nosotros y vamos a sacarla.

Pronunciación: *ch*

The Spanish **ch** is pronounced like the same letters in the word *church*. Remember that in Spanish the **ch** is considered a single letter; it comes after **c** in the alphabet.

Actividad. Repeat the following words, imitating the speaker.

1. mucho champiñones lechuga chocolate
2. chico chiles chícharos anoche
3. chorizo chino chuleta chaqueta
4. Los muchachos escuchan a Charo.
   Chela es una chica chilena.

LECCIÓN 16: SELF-TEST

II. El vocabulario

A. You will hear a list of vegetables. Match the number of each with its English equivalent.

1. la papa	5. los guisantes	8. el maíz
2. el apio	6. la calabaza	9. la zanahoria
3. las aceitunas	7. el champiñón	10. los frijoles
4. la lechuga		

LECCIÓN 17: TEXTBOOK

Preparación
Actividad B.

Paso 1.
Les pido a las primeras cien estrellas que veo esta noche que podamos encontrar a Ángel en Puerto Rico... que esté bien y que por fin esta familia pueda reunirse definitivamente.

Paso 2. Based on what you know about Arturo and on your observation of his behavior, what do you think he will wish for? Listen as he makes his wish.

Yo también les pido lo mismo. Que podamos encontrar a mi hermano y que él pueda conocer a su padre, don Fernando. Y que esta persona, esta mujer, sea parte importante de mi vida... y que yo sea parte importante de su vida también.

Paso 3. Now listen to the scene in its entirety.

ARTURO: Vení. Hay una tradición en mi familia que quiero compartir con vos.... ¿Qué ves?

RAQUEL: Veo la luna... las estrellas... y a ti.

ARTURO: ¿Alguna vez le pediste un deseo a una estrella?

RAQUEL: Sí. Cuando era una niña pequeña en California.

ARTURO: Bien. Pedí vos primero.

RAQUEL: ¿Yo?

ARTURO: Por supuesto.

RAQUEL: Les pido a las primeras cien estrellas que veo esta noche que podamos encontrar a Ángel en Puerto Rico... que esté bien y que por fin esta familia pueda reunirse definitivamente.

ARTURO: Yo también les pido lo mismo. Que podamos encontrar a mi hermano y que él pueda conocer a su padre, don Fernando. Y que esta persona, esta mujer, sea parte importante de mi vida... y que yo sea parte importante de su vida también.

¿Tienes buena memoria?

Actividad B. In the last several video episodes you have learned information about Arturo and his half-brother Ángel. In this episode you learned more about Raquel. Listen again to Raquel's answers to Arturo's dinner table questions, then complete this summary with these words and phrases.

ARTURO: ¿Y vos? Yo no sé nada de vos... Algún hombre habrá habido en tu vida...

RAQUEL: Hubo uno. Nos conocimos en la Universidad de California. Él estudiaba administración de empresas.

ARTURO: ¿Y?

RAQUEL: Después de graduarse, consiguió un buen trabajo en Nueva York y se fue a vivir allá.

ARTURO: ¿Y no se volvieron a ver?

RAQUEL: Bueno. Yo también conseguí un puesto, pero en Los Ángeles. Con la distancia nos fuimos alejando. A mí me gustaba mi trabajo. Ahora estoy muy contenta. Me gusta mucho vivir en Los Ángeles. Y, gracias a mi trabajo, viajo y conozco a mucha gente interesante.

ARTURO: ¿Siempre has vivido en Los Ángeles?

RAQUEL: Pues, ¿sabes? Nací allí. Pero he pasado parte de mi juventud en México.

ARTURO: ¿Y por qué?

RAQUEL: Mis padres insistían en que éramos tanto mexicanos como norteamericanos. Pasé los veranos en Guadalajara con unos parientes. Y una vez fui por un año entero.

ARTURO: ¿Y te gustó eso?

RAQUEL: ¿Que si me gustó? Huy, sí. Me encantó.

Raquel nació en Los Ángeles, pero se siente tanto mexicana como norteamericana. Ella siempre pasó los veranos en México con la familia mexicana de sus padres. Una vez fue a México por un año entero. Le gustó mucho esa experiencia.

Raquel estudió en la Universidad de California. Allí conoció a un estudiante joven, quien llegó a ser su novio. Después de graduarse, él se fue a vivir a Nueva York y ella se quedó en Los Ángeles. Ahora ella está muy contenta con su trabajo, porque viaja mucho y conoce a mucha gente interesante.

Vocabulario del tema

El arte de escribir el artículo, la comedia, el cuento, el ensayo, la novela, la obra, la poesía, el poema

Las personas el autor, la escritora, el novelista, la periodista

Los medios de comunicación la computadora, la máquina de escribir, el ordenador, el periódico, la revista

Actividad A.   ¿Quién era Borges? The speaker on the cassette tape will tell you more about Jorge Luis Borges, the great Argentine writer. Write the number of each sentence next to the appropriate drawing.

1.   De niño, a Borges le gustaba leer novelas.
2.   Luego Borges fue periodista. Trabajó para un periódico por unos años.
3.   También era autor de artículos para revistas.
4.   Luego empezó a escribir cuentos.
5.   Publicó varias colecciones de sus obras, como *Ficciones, El Aleph* y otros libros.
6.   Nunca usó una computadora.

Actividad B.   Más sobre Borges

Paso 1. Refresh your memory about Borges by listening again to what you learned about him in **Episodio 17.**

> Borges fue poeta, cuentista y ensayista. Fue uno de los grandes escritores argentinos de este siglo. Como escritor, Borges fue muy original, único. Sus temas eran la realidad y la fantasía, especialmente la fantasía como una extensión de la realidad. Entre sus colecciones más conocidas están *El Aleph* y *Ficciones.* Borges viajó mucho durante su vida. Le gustaba conversar y contar historias. Entre los escritores latinoamericanos, Borges es uno de los que ha recibido más atención mundial.

Conversaciones: Más saludos y despedidas
Actividad.   Buenos días

Paso 1. You will hear three brief conversations on the cassette tape. As you listen, complete them by indicating the words you hear.

Here is the first conversation.

CIRILO: Buenas, moza. Para mí es un gusto conocerla. ¿Así que Ud. anda buscando a la señora Rosario?
RAQUEL: Sí. ¿Ud. la conoce?

Here is the second conversation.

ARTURO: Buenos días.
DEPENDIENTE: Buen día.
ARTURO: Estoy buscando a mi hermano, con el cual perdí contacto hace muchos años.

Here is the third conversation.

ARTURO: Te paso a buscar en quince minutos.
RAQUEL: No, Arturo. Voy a tomar un taxi. Tengo... algunas cosas que hacer todavía.
ARTURO: Está bien. Chau.
RAQUEL: Hasta luego.

*The following **paso** is not available in the Alternate Edition.*

Paso 2. Now you will hear three short exchanges between friends. Decide whether they take place in Argentina or not.

Here is the first conversation.

> —Hola, Pedro. ¿Cómo estás?
> —Bien. ¿Y vos?
> —Muy bien. Nos vemos en casa de Alberto esta noche, ¿verdad?
> —Sí.
> —Entonces hasta luego.
> —Chau.

Here is the second conversation.

> —Buen día, doña Aída. ¿Va al mercado hoy?
> —Sí. Esta noche vienen mis hijos a cenar.
> —¿Qué va a preparar?
> —¡Una parrillada!

Here is the third conversation.

> —Buenos días, Manuel.
> —Hola, Jaime. ¿Me llamaste por teléfono anoche?
> —No. ¿Por qué?
> —Una persona llamó y dejó tu nombre. ¿Estás seguro que no fuiste tú?
> —Pues claro, sé lo que te digo.
> —Bueno. Entonces, perdona. Adiós.
> —Adiós, Jaime.

Nota cultural: Las madres de la Plaza de Mayo

In **Episodio 17** you learned about part of Argentina's history. Listen again as the narrator tells you about one of the results of that era. Then read the following narration to find out more details.

> La historia política de la Argentina ha sido tumultuosa. La Constitución estableció un gobierno con un presidente y un Congreso Nacional. Pero en varias ocasiones, hubo gobiernos militares con pocas libertades, especialmente poca libertad de expresión. Hubo una época en la historia argentina cuando la represión era particularmente dura. Durante esta época miles de personas con ideas políticas diferentes a las del gobierno desaparecieron por completo.
> Durante los años setenta un pequeño grupo de mujeres empezaron a protestar contra el gobierno. Querían saber el paradero de sus hijos. Aunque el gobierno ha cambiado, las protestas continúan.

Lección 17: Workbook/Study Guide

Más allá del episodio
Actividad B.

> El número uno es falso. El ex novio de Raquel era mexicano.
> El número dos es cierto. Estudió Administración de Empresas en la Universidad de California en Los Ángeles.
> El número tres es falso. Era muy buen estudiante y muy ambicioso.
> El número cinco es falso. Se fue a trabajar a Nueva York.

Now listen to the following narration in order to get information about statements 4 and 6. There may not be answers to both statements. Here is the passage.

> Luis tuvo muchas entrevistas, con las mejores empresas de los Estados Unidos. Y tuvo ofertas de varias empresas. Todas eran muy interesantes. En particular había tres ofertas muy atractivas. La primera era para trabajar en Boston, la segunda en Nueva York, y la tercera para trabajar en Los Ángeles. Luis eligió la de Nueva York, sin dudarlo mucho...

Here are some additional answers and comments.

El número cuatro es cierto. Tuvo varias ofertas muy interesantes. Una era para trabajar en Los Ángeles, pero no la aceptó.
¿Y el número 6? No sabes todavía si Luis se enamoró de otra mujer.

Gramática

Section 49

Actividad A. ¿Qué dijeron?

1. ARTURO: Lleva el apellido de su padre, pero el primer esposo de mi madre murió. Debe haber un error. Él murió en la Guerra Civil española y este señor de México no puede ser el padre de mi hermano.

2. RAQUEL: Al final compré una bolsa. Ésta. Es linda, ¿no creen Uds.? Después de la tienda, Arturo y yo nos separamos. Él volvió a su casa y yo seguí haciendo mis compras.

3. RAQUEL: Finalmente tuvimos un *picnic* muy especial. Arturo sirvió frutas frescas: manzanas, melones, naranjas, bananas y uvas. Y también comimos pan y queso. ¡Lo pasé muy bien!

4. RAQUEL: Después de graduarse, consiguió un buen trabajo en Nueva York y se fue a vivir allá.
   ARTURO: ¿Y no se volvieron a ver?
   RAQUEL: Bueno. Yo también conseguí un puesto, pero en Los Ángeles. Con la distancia, nos fuimos alejando.

5. RAQUEL: En el jardín, les pedimos a las estrellas que nos concedieran unos deseos. Yo pedí primero y luego pidió Arturo.

Section 50

Actividad A. Mientras tanto, en Sevilla The Ruiz family has just received Raquel's postcard. On the cassette tape you will hear a series of questions that Jaime, who has not read the card yet, might ask about it. Can you find an appropriate answer that Elena might give? Take a moment to scan the possible answers before beginning.

1. ¿Nos escribió una carta de Buenos Aires?
   No. Nos escribió una tarjeta postal.
2. ¿Nos mandó un regalo a Miguel y a mí?
   No, no os mandó un regalo, pero sí os compró algo.
3. Y, ¿cuándo nos lo va a mandar?
   A ver... Dice que va a escribirnos de Puerto Rico.
4. ¿Os contó sus planes?
   Sí, nos contó un poco. Dice que va al Caribe.
5. ¿Os explicó qué le pasó al hijo de la señora Rosario?
   Pues... nos habló de un hijo de Rosario, y luego de otro señor. Pero no está muy claro.
6. ¿Os gustó conocer a Raquel cuando estaba aquí?
   Sí, claro. Nos encantó conocerla.
7. ¿Qué os pareció su investigación?
   Bueno, la investigación nos pareció muy importante.

Actividad B. La tarjeta de Raquel ¿Qué os parecen las fotos, especialmente la del Rosedal? Os compré un regalo en Buenos Aires. Voy a mandároslo de Puerto Rico. ¡Me divertí mucho aquí!

Section 51

Actividad B. La tarjeta de Raquel

Paso 2. You will hear a series of questions about the content of Raquel's postcard. They are addressed to Miguel and Elena Ramírez; for that reason, the speaker will use the pronoun **os**. Can you find an appropriate answer for each question? Answer as if you were Miguel or Elena.

1. ¿Os contó quién es Arturo?
   Sí, nos lo contó.
2. ¿Os explicó quién es Ángel?
   No, no nos lo explicó.

3. ¿Os explicó por qué va al Caribe?
   Sí, nos lo explicó.
4. ¿Os contó cómo conoció a Héctor?
   No, no nos lo contó.
5. ¿Os dijo qué regalo os compró?
   No, no nos lo dijo.
6. ¿Os dijo que lo pasó muy bien con Arturo?
   No, no nos lo dijo... pero sí nos dijo que se divirtió mucho.

Pronunciación: y and ll

The Spanish sound [y] is generally pronounced like the *y* in English *yo-yo* or *yellow*, although there are several, slight regional variations that have no exact English equivalent. Especially at the beginning of a word, it is often pronounced more like the English *j* in *just*. In Argentina and Uruguay, as you have heard in Arturo's speech, it is pronounced more like the *s* in *measure* or the *z* in *azure*.

The letters *y* and *ll* are pronounced exactly the same by most Spanish speakers. Remember that in Spanish the *ll* is considered a single letter; it comes after *l* in the alphabet.

Actividad A. Listen to the differences between these pronunciations of the [y] sound in different parts of the Spanish-speaking world.

> el Caribe: Yolanda lleva una blusa amarilla. Yo, no.
> Madrid: Yolanda lleva una blusa amarilla. Yo, no.
> México: Yolanda lleva una blusa amarilla. Yo, no.
> la Argentina: Yolanda lleva una blusa amarilla. Yo, no.

Now listen to these phrases.

> la Argentina: Leyó un cuento en castellano.
> México: Leyó un cuento en castellano.

Actividad B. ¿l o ll? Indicate the letter used to spell each of the following words. Each word will be said twice.

1. llevo
2. lechuga
3. calle
4. llamamos
5. contabilidad
6. julio

Actividad C. Repeat the following words and sentences, imitating the speaker.

1. llamar llevar llegar yo también ya no yoyó
2. ellas calle cebolla amarillo mayo leyó
3. Yolanda Carillo llegó de Castilla.
   Julio leyó la novela de Cela.
   Yo me llamo Guillermo.

Lección 17: Self-Test

II. El vocabulario

A. Match the descriptions you hear with the appropriate form of writing.

1. la descripción de cómo usar una computadora
2. una narración extensa sobre la historia de una familia
3. una obra corta en verso, con palabras elegantes, rimadas, sobre el amor
4. una narración corta sobre un chico que perdió su perro
5. una obra dramática en tres actos

Lección 18: Textbook

Repaso de los episodios 12–17

The following activity is not available in the Alternate Edition.

Actividad B.   La búsqueda de Arturo y Raquel

Preguntamos por Ángel Castillo en varios lugares del barrio italiano, La Boca. Pero nadie se acordaba de Ángel. Finalmente dimos con un hombre. Ud. no tiene idea de lo difícil que nos fue conseguir la información que buscábamos. Después de varios días, Héctor llamó a Arturo para decirle que había encontrado la carta.

Sabiendo que Ángel se quedó a vivir en Puerto Rico y con la dirección de su casa en San Juan, hice los preparativos para salir de Buenos Aires. En verdad, le estoy escribiendo esta carta desde el aeropuerto.

Actividad C.   Las actividades de Raquel

Tendría que decirle que mi estancia en Buenos Aires no ha sido nada más que trabajo. En primer lugar, he tenido la oportunidad de conocer un poco la ciudad. Pude hacer unas compras, pues como Ud. sabrá en la Argentina hay muchos artículos de cuero muy bonitos. Y, claro, también comí, y comí y comí y comí mucho.

Si me permite la confianza, quisiera decirle que seguí sus consejos. El hermano de Ángel, Arturo, se ha hecho buen amigo mío. Para decir la verdad, siento un afecto muy especial por él. Resulta que Arturo me va a visitar en San Juan en un par de días. Así concluye mi estancia en Buenos Aires.

Siento mucho la muerte de su buena amiga tanto por Ud. como por don Fernando. Ojalá mi viaje a Puerto Rico tenga los resultados deseados, que encuentre a Ángel Castillo y que por fin se reúna con su padre.

Reciban Ud. y su familia un saludo cordial de

Raquel Rodríguez

Lección 18: Workbook/Study Guide

Gramática
Section 52

Actividad A.   En la Argentina I

Cuando Raquel llegó a Buenos Aires, fue directamente a su hotel. A la mañana siguiente salió para la estancia Santa Susana, la dirección que le dio Teresa Suárez. En la estancia, habló con Cirilo, un gaucho que se acordó de Rosario. Según Cirilo, Rosario se mudó a la capital hace años. Cirilo le dio a Raquel la dirección de Rosario en Buenos Aires.

En Buenos Aires, Raquel buscó la calle y el número. Cuando no encontró el nombre Castillo, decidió preguntar por Ángel en una casa. El psiquiatra con quien por fin habló fue Arturo Iglesias, hijo de Rosario... y medio hermano de Ángel Castillo. Arturo le contó que Rosario murió hace unos años. En cuanto a Ángel, le dijo Arturo, perdió contacto con él hace mucho tiempo. Los dos fueron a un cementerio, donde Raquel sacó fotos de la tumba de Rosario, para mostrárselas a don Fernando.

Actividad B.   En la Argentina II

Motivado tal vez por su sentimiento de culpabilidad, Arturo decidió ayudar a Raquel en su búsqueda. Cuando llegó al hotel al día siguiente, le mostró a Raquel una foto de Ángel. Con la foto, los dos fueron a La Boca, en busca de Ángel. Allí les preguntaron a varias personas si reconocían al hombre de la foto. Desgraciadamente, nadie lo reconoció.

Por fin un señor les dijo que tal vez José, un marinero, los podría ayudar. Raquel y Arturo encontraron a José en su barco. El marinero no reconoció a Ángel tampoco, pero mencionó el nombre de Héctor, otro marinero. José fue a buscarlo. No lo encontró, pero sí pudo decirles que lo podrían conocer mañana por la noche en una cantina, el Piccolo Navio.

Actividad D.   En la Argentina IV   You will hear the speaker on the cassette tape begin the following sentences that continue the summary of the events in Argentina. Complete the sentences with the preterite forms of the infinitives.

> MODELO: (*you see*)   Al día siguiente, mientras esperaban la llamada de Héctor, Raquel y
> Arturo (ir) de compras por la mañana.
> (*you hear*)   Al día siguiente, mientras esperaban la llamada de Héctor, Raquel y
> Arturo...
> (*you say*)   Raquel y Arturo fueron de compras por la mañana.
> (*you hear*)   Raquel y Arturo fueron de compras por la mañana.

1. Al día siguiente, mientras esperaban la llamada de Héctor, Raquel y Arturo... Raquel y Arturo fueron de compras por la mañana.
2. Héctor... Héctor llamó a Arturo por la tarde.
3. Él... Él encontró la carta.
4. Pero no... Pero no pudo hablarles hasta mañana.
5. Por eso, ya que no había nada más que hacer, Raquel y Arturo... Raquel y Arturo pasaron el resto del día juntos.
6. Ellos... Ellos se divirtieron mucho en el Rosedal.
7. Allí... Allí anduvieron en mateo y en bote y tuvieron un *picnic*.

LECCIÓN 19: TEXTBOOK

Preparación
Actividad B.

Paso 2.   Now listen to the dialogue on the cassette tape. You should be able to obtain a lot of information from it.

LA VECINA: Señorita, ¿a quién busca?
RAQUEL: Buenos días, señora. Busco al señor Ángel Castillo.
LA VECINA: ¿No sabe Ud., señorita? El señor Castillo murió.
RAQUEL: ¿Cuándo murió?
LA VECINA: Hace poco. Es una pena, tan buenos vecinos que eran. Pero el pobre...
RAQUEL: ¿Ángel?
LA VECINA: Sí, Ángel Castillo. Nunca se repuso de la muerte de su esposa.
RAQUEL: ¿Entonces era casado?
LA VECINA: Sí, su señora era una mujer muy linda. Era escritora. Pero murió ya hace varios años. Los dos están enterrados en el antiguo cementerio de San Juan.

¿Tienes buena memoria?
Actividad B.   La primera tarde en San Juan

En el apartamento, Ángela le dice a Raquel que piensa mudarse. «No quiero vivir sola en este apartamento», dice. Raquel queda sorprendida, porque el apartamento es muy bonito. Pero también comprende que el recuerdo de sus padres debe ser muy triste para Ángela.

Ángela trata de llamar a sus tíos, pero no tiene suerte. Mientras sigue intentando, Raquel sale a visitar un lugar de interés histórico, la Casa Blanca. Luego Ángela se reúne con ella para visitar los jardines de la Casa Blanca y para mostrarle otras lugares interesantes. Van al Parque de las Palomas y a la Capilla de Cristo y finalmente regresan al apartamento.

Allí es donde Raquel descubre que Ángela tiene novio. Pero no lo va a conocer pronto porque está en Nueva York. Raquel también ve la foto de un joven atractivo. ¡Otro hijo de Ángel!

Vocabulario del tema

Las instrucciones la bocacalle, el bloque, la calle, la cuadra, las escaleras, la esquina, la ruta
bajar, cruzar, doblar, a la derecha, a la izquierda, seguir derecho, virar
baje... , camine... , doble... , siga... , tome... , vire...
hacia, hasta, por

Actividad A. Las instrucciones del taxista As happens frequently in urban life, a road is closed off—**bloqueado**—due to construction work, and Raquel must reach Ángel's house on foot. Listen as the cab driver tells her how to get there and indicate in the following dialogue the words you hear.

EL TAXISTA: Mire. ¿Ve la esquina?
RAQUEL: Sí.
EL TAXISTA: Tome a la izquierda.
RAQUEL: A la izquierda.
EL TAXISTA: En el próximo bloque, vire a la derecha.
RAQUEL: A la derecha.
EL TAXISTA: Camine derecho hasta que encuentre unas escaleras a la izquierda.
RAQUEL: A la izquierda.
EL TAXISTA: Baje las escaleras y cuando encuentre la calle Sol... ¿cuál es el número que busca?
RAQUEL: El cuatro de la calle Sol.
EL TAXISTA: Entonces, creo que está a mano derecha. Cuando encuentre la calle Sol, si se pierde, pregunte. Todo el mundo conoce esa calle.

Actividad B. Otra ruta
Paso 1. Listen as Ángel's neighbor gives Raquel directions to the cemetery. As you listen, fill in the missing words.

LA VECINA: Los dos están enterrados en el antiguo cementerio de San Juan.
RAQUEL: ¿En el cementerio?
LA VECINA: Sí.
RAQUEL: ¿Podría decirme cómo llegar allí?
LA VECINA: Por supuesto. Siga por esta calle. Entonces vire a la izquierda. Luego va a encontrar una bocacalle y vire a la derecha y allí está el Morro. Al lado está el cementerio.
RAQUEL: Sigo por esta calle. Luego a la izquierda encuentro una bocacalle. Allí a la derecha. Allí está el Morro y al lado el cementerio.

The following activity is not available in the Alternate Edition.

Actividad C. ¿Dónde está la Plaza de San Martín? Listen as a speaker from Argentina gives you directions to the Plaza de San Martín from the corner of La Valle and la Avenida 7 de Julio. If you were there, could you find the Plaza based on his directions? Listen to the passage all the way through. Then listen step by step and indicate the directions you hear.

¿Que dónde queda La Plaza de San Martín? Escuche. Es muy fácil llegar. Siga Ud. por esta calle, La Valle. Luego va a encontrar la calle Florida. Allí doble a la izquierda. Siga por la calle Florida todo derecho hasta el final. Allí está la Plaza.

Now listen to the directions step by step and answer the questions.

1. ¿Que dónde queda La Plaza de San Martín? Escuche. Es muy fácil llegar. Siga Ud. por esta calle, La Valle.
2. Luego va a encontrar la calle Florida. Allí doble a la izquierda.
3. Siga por la calle Florida todo derecho hasta el final. Allí está la Plaza.

Un poco de gramática

The following activity is not available in the Alternate Edition.

Actividad.   ¿Qué pasaba mientras... ? What was happening when the following events took place in **Episodio 19**? Listen to the questions on the cassette tape, then select the correct answer and repeat it. You will hear the choices and the correct answer on the tape.

MODELO: (*you hear*) Mientras el taxista le explicaba a Raquel cómo llegar a la calle Sol, ¿qué hacía Raquel?

     a.   Caminaba derecho.
     b.   Lo escuchaba con atención.
     c.   Miraba hacia el horizonte.

     (*you say*)   Lo escuchaba con atención.
     (*you hear*) La respuesta correcta es *b*. Lo escuchaba con atención.

Now begin.

1. Mientras el taxista le daba instrucciones a Raquel, ¿qué más hacía Raquel?
   a. Miraba un plano turístico.   c. Escribía las instrucciones.
   b. Repetía las instrucciones.

   La respuesta correcta es *b*. Repetía las instrucciones.

2. Mientras Raquel tomaba una foto de la tumba de Ángel Castillo, ¿qué hacía Ángela?
   a. La miraba.   c. Ponía flores en varias tumbas.
   b. Estaba en casa.

   La respuesta correcta es *a*. La miraba.

3. Mientras Ángela llamaba a sus tíos, ¿qué hacía Raquel?
   a. Escribía en su cuaderno.   c. Miraba cuadros de Ángel.
   b. Visitaba la Casa Blanca.

   La respuesta correcta es *b*. Visitaba la Casa Blanca.

4. Mientras esperaban a los tíos de Ángela, ¿qué hacían Raquel y Ángela?
   a. Comían en un restaurante.   c. Dormían la siesta.
   b. Tomaban algo y conversaban.

   La respuesta correcta es *b*. Tomaban algo y conversaban.

Nota cultural: San Juan, Puerto Rico

In **Episodio 19** you learned a little bit about the island of Puerto Rico as well as the city of San Juan. Listen again to the narrator's description as you look at this map. Then read the following narration to find out more about this capital city.

San Juan queda en el norte de Puerto Rico, en la costa del Atlántico de la isla. Otras ciudades importantes son Caguas en el centro de la isla... Ponce, en el sur, en la costa del Caribe... y Mayagüez en el oeste.

Pero San Juan, por ser la capital, es la ciudad principal de la isla. En realidad, cuando se habla de San Juan, se habla de un San Juan moderno... con edificios altos y ciudades vecinas, como Hato Rey, Río Piedras, donde está la Universidad, y Santurce... y de la famosa zona turística, la Playa del Condado.

Y también del Viejo San Juan... el San Juan histórico. Aquí en el Viejo San Juan hay iglesias... casas... murallas y edificios... todos de la época colonial.

Gramática
Section 54

Actividad A. ¿Qué hacían?

Paso 2.

1. Pensaba en Raquel.
   Arturo pensaba en Raquel.
2. Comían juntos en La Gavia.
   Los hijos de don Fernando comían juntos en La Gavia.
3. Dormía en su habitación.
   Don Fernando dormía en su habitación.
4. Iban a salir de casa.
   Los tíos de Ángela iban a salir de casa.
5. Hablaban de la investigación de la abogada.
   Los hijos de don Fernando hablaban de la investigación de la abogada.
6. Escuchaba los problemas de un paciente.
   Arturo escuchaba los problemas de un paciente.
7. Andaban hacia su carro.
   Los tíos de Ángela andaban hacia su carro.
8. No se sentía muy bien.
   Don Fernando no se sentía muy bien.

Más allá del episodio

Actividad B. What else would you like to know about Ángel? Listen to the short segment on the cassette tape, then complete the following statements.

María Luisa era escritora. Muy pronto Ángel aprendió mucho sobre la poesía. Le gustaban especialmente los poemas de su esposa, pero también empezó a leer la obra de otros poetas.

Los dos esposos amaban el arte, claro. María Luisa creía en el talento de Ángel y lo incitó a crear sus mejores cuadros. Le abrió las puertas del mundo artístico puertorriqueño. Ángel encontró en ella la inspiración y el ánimo de seguir adelante. Juntos lograron el éxito y la fama.

Actividad B. Un poco de historia First you will hear just the sentences that correctly describe the early 1500s to early 1600s.

1. Los españoles empezaban a colonizar América. Ya estaban en muchas partes: en México, en Puerto Rico, en Cuba...
3. En España, Fernando e Isabel eran los reyes de Castilla y León y otras partes de la península. Eran los Reyes Católicos.
5. En Inglaterra Henry VIII era el rey.
6. Había colonias inglesas en lo que hoy son los Estados Unidos: en Virginia, en Massachusetts...
7. En lo que hoy es el Perú, los incas tenían una civilización muy avanzada. Hoy día se pueden ver unas ruinas incas espectaculares en Machu Picchu.

Now you will hear just the sentences that do not describe the early 1500s to early 1600s.

2. Cleopatra no reinaba en Egipto. Reinaba poco antes del nacimiento de Cristo.
4. En la China y el Japón sí existía ya una civilización avanzada. La China y el Japón tienen un historia cultural muy rica.
8. Muchos ingleses no vivían todavía en lo que es hoy California. No llegaron allí hasta más tarde.

Actividad B.   ¿Qué están haciendo? Listen as the speaker on the cassette tape describes the photographs in Workbook I. Can you match each description with its photograph?

1. Raquel y Ángela están hablando en el cementerio donde están enterrados los padres de Ángela.
2. Raquel y Arturo están buscando a Ángel, en las calles del barrio italiano La Boca. Les están mostrando una foto de Ángel a todos.
3. Raquel está buscando la tumba de Ángel Castillo. No está buscando a los hijos de él.
4. Raquel les está preguntando a Jaime y Miguel si Teresa Suárez vive en esta calle. Ellos están escuchándola con atención porque no la conocen y porque es una extranjera.

Pronunciación: x

The letter **x** is usually pronounced [ks], as in English. However, before a consonant or at the beginning of a word it is often pronounced [s]. In a few special cases (for historical reasons), the **x** is pronounced like the Spanish **j**.

Actividad. Repeat the following words and sentences, imitating the speaker.

1. existía   examen   exagera   exilio
2. explicaba   extrañaba   extraordinario   extremo   xerografía   xenofobia   xilófono
3. México   Texas   Oaxaca
4. Extraño a mis parientes en México.
   No me gustan las temperaturas extremas.
   La medicina no es una ciencia exacta.

LECCIÓN 19: SELF-TEST

II. El vocabulario

B. You will hear a series of sentences. Write the **por** expression you hear.

1. Puedes doblar a la derecha aquí, *por ejemplo.*
2. Ángela y Raquel se conocen *por primera vez* en el cementerio.
3. Había palomas *por todas partes* en ese parque.
4. *Por eso* busco la tumba de Ángel Castillo.
5. *Por supuesto* que puede sacar una foto de la tumba.
6. *Por favor*, señorita, ¿dónde está la calle Muñoz Rivera?

LECCIÓN 20: TEXTBOOK

Preparación
Actividad A.

Paso 1. Refresh your memory about the events of the previous video episode by listening to the narrator's summary of it, which you will hear again when you watch **Episodio 20.**

En el episodio previo, Raquel viaja a San Juan, Puerto Rico. Gracias a un marinero argentino, tiene la dirección de la casa de Ángel Castillo. Una vecina le da a Raquel la triste noticia de que Ángel y su esposa, María Luisa, ya han muerto. En el cementerio, Raquel conoce a esta mujer, Ángela Castillo, hija de Ángel Castillo. Raquel le dice que tiene unos familiares en México. Más tarde, Ángela habla con sus parientes por teléfono. Quieren conocer a Raquel. En una hora llegan.

Actividad B.

Paso 1. In this video episode you will meet one of Ángela's aunts, **la tía Olga.** Ángela calls her **la gruñona de la familia.** Listen to a conversation from **Episodio 20** between Raquel, Olga, and Ángela. You may follow along in the written text if you like.

RAQUEL: ...Y como don Fernando está gravemente enfermo en el hospital, es importante que Ángela vaya a México pronto.
OLGA: Creo que eso va a ser imposible.
ÁNGELA: ¿Por qué?
OLGA: Ángela, no conocemos a esa gente. Puede ser peligroso.
ÁNGELA: Titi Olga, por favor...

Actividad C.

Paso 1. In this video episode you will hear Ángela read from a storybook that her father wrote for her when she was a child. Listen to the beginning of the story, following along in your Textbook as needed. You should also look carefully at this illustration from the storybook.

El coquí y la princesa

A nuestra hija Ángela, nuestra princesa...
Érase una vez un coquí. Le gustaba pintar. Su padre y su madre querían mandarlo a la escuela. Pero el pequeño coquí no quería estudiar. Sólo quería pintar.

Vocabulario del tema

Los parientes el abuelo, la abuela / el esposo, la esposa / el hermano, la hermana / el hijo, la hija / el padre, la madre / el tío, la tía

los nietos, el nieto, la nieta / los primos, el primo, la prima / los sobrinos, el sobrino, la sobrina
los suegros, el suegro, la suegra / el yerno, la nuera, el cuñado, la cuñada
el padrastro, la madrastra / el hijastro, la hijastra / el hermanastro, la hermanastra / el medio hermano, la media hermana

Actividad A.   Los parientes Listen to the definitions provided by the speaker on the cassette tape. Can you provide the Spanish word that represents the relationship described? In each case the speaker describes how someone is related to him- or herself.

1. Soy un abuelo. Estos parientes son los hijos de mi hijo.
   a.   los nietos

2. Tengo un hermano. Estos parientes son los hijos de mi hermano y su esposa.
   a.   los sobrinos

3. Tengo varios tíos. Estos parientes son los hijos de mis tíos.
   b.   los primos

4. Estoy casado. Estos parientes son los padres de mi esposa.
   b.   los suegros

5. Mi esposa tiene varios hermanos. Estos parientes son sus hermanos.
   a.   los cuñados

6. Mi padre tiene un hijo con su primera esposa, que se murió hace años. Este pariente es el hijo de ese matrimonio.
   b.   el hermanastro

Actividad B.   La familia de Ángela

Paso 1. As you listen to Ángela describe her family, complete her family tree. Fill each box with the appropriate name and indicate family relationships using connecting lines. Some hints are given for you.

ÁNGELA: Ésta es mi abuela, doña Carmen Contreras de Soto... una mujer muy dinámica.

RAQUEL: Y éstos son tus padres, ¿no? Ángel y María Luisa.

ÁNGELA: Sí.

RAQUEL: ¿Y éstos?

ÁNGELA: Éstos son mis tíos: tío Carlos, tía Carmen, tío Jaime y titi Olga, ¡ay!, la gruñona de la familia. Todos son hermanos de mi madre.

RAQUEL: ¿Y tu abuelo?

ÁNGELA: Mi abuelo murió hace años. Era un hombre muy cariñoso. Tengo una foto de mis abuelos.

RAQUEL: Casi todas las madres tienen un hijo favorito. ¿Tiene tu abuela un hijo favorito?

ÁNGELA: Según mi abuela, su hijo predilecto era mi padre, que en realidad era su yerno.

RAQUEL: Así que había relaciones muy estrechas entre suegra y yerno.

ÁNGELA: Eran más que suegra y yerno. Eran como madre e hijo.

RAQUEL: ¿Y estas niñas tan preciosas?

ÁNGELA: Son mis primas. Ésta es Elena, Laura y Silvia. Laura es hija de mi tío Jaime. Elena y Silvia son hijas de mi tía Carmen.

Conversaciones: Cómo contestar el teléfono

Actividad.   ¡Brring! ¡Brring!

Paso 2. You will hear four brief excerpts from this and previous video episodes. Indicate the expressions you hear that appear in the previous list.

Here is the first excerpt.

ARTURO: Hola, Héctor... Sí, ¿qué tal?, ¿cómo le va?

Here is the second excerpt.

PEDRO: Sí, bueno. Habla Pedro.

Here is the third excerpt.

DOÑA CARMEN: ¿Sí? Oh, Ángela. ¿Cómo estás, querida?

Here is the fourth excerpt.

TERESA SUÁREZ: Sí, dígame. Federico, ¿dónde estás?

Paso 3. Now listen to the excerpts again. Do you recognize any of the characters or any characteristics about the type of Spanish they speak?

Here are the names of the speakers. Write the number of the conversation next to the appropriate name, then give the name of the country the speaker is from and the way he or she answers the phone.

Here is the first excerpt.

ARTURO: Hola, Héctor... Sí, ¿qué tal?, ¿cómo le va?

Here is the second excerpt.

PEDRO: Sí, bueno. Habla Pedro.

Here is the third excerpt.

DOÑA CARMEN: ¿Sí? Oh, Ángela. ¿Cómo estás, querida?

Here is the fourth excerpt.

TERESA SUÁREZ: Sí, dígame. Federico, ¿dónde estás?

Lección 20: Workbook/Study Guide

Más allá del episodio

Actividad B. What else would you like to know about Ángela? Listen to the short segment on the cassette tape, then complete the following statements.

Ángela y su hermano Roberto tuvieron una infancia muy feliz. Los dos hermanos casi siempre se llevaban muy bien, aunque de vez en cuando se peleaban. La relación entre los hermanos cambió poco a poco, sin embargo, después de la muerte de sus padres. Ya no eran tan unidos como antes. Empezaban a pelearse sobre cuestiones de dinero... de la propiedad familiar. Ahora que Roberto está en México, la comunicación entre ellos es más difícil todavía. Ángela no sabe cómo su hermano va a tomar las noticias de Raquel. Se pregunta si no va a reaccionar negativamente, en contra de su padre.

Gramática

Section 57

Actividad A.   Ángela cuenta la historia

Bueno, esta mañana, cuando salí para el cementerio, no tenía idea de la sorpresa que me esperaba. Cuando llegué, llevaba flores en la mano, claro, y las miraba. Eran margaritas y yo pensaba en cómo eran las flores favoritas de mamá.

Cuando me acerqué a la tumba, allí estaba Raquel, tomando fotos. Yo no comprendía por qué una persona querría tomar fotos de la tumba. Las dos fuimos a sentarnos en las escaleras de la capilla y Raquel empezó a explicarme qué hacía allí. Cuando yo oí la historia de Rosario, estaba sorprendida, pero lo que me convenció fue la carta de una señora en España. ¡Ay, cuántas emociones contradictorias! Me sentía triste, confusa, aprehensiva... todo.

Section 59

Actividad A.

1. Nunca les dijo nada a sus hijos acerca de Rosario.
    Don Fernando nunca les dijo nada a sus hijos acerca de Rosario. ¡OJO! Y Teresa Suárez tampoco les dijo nada a sus hijos.
2. No tenía ninguna idea del paradero de su hermano.
    Arturo no tenía ninguna idea del paradero de su hermano.
3. En La Boca, nadie lo reconocía.
    En La Boca, nadie reconocía a Ángel Castillo.
4. Siempre se acordaba de su primer esposo.
    Rosario siempre se acordaba de su primer esposo, don Fernando.
5. No tenía ninguna idea de quién fue Rosario.
    Elena Ramírez no tenía ninguna idea de quién fue Rosario.
    ¡OJO! Su esposo, Miguel Ruiz, tampoco sabía quién fue.
6. Buscaba a alguien que conociera a Ángel Castillo.
    Arturo buscaba a alguien que conociera a Ángel Castillo.
    ¡OJO! Y Raquel también buscaba a alguien que lo conociera.
7. No sabían nada de la primera esposa de un pariente.
    Los hijos de don Fernando no sabían nada de la primera esposa de su padre.
8. Encontró algo importante para una persona.
    Alfredo Sánchez, el reportero del tren, encontró algo importante para Raquel: su cartera.

Actividad B.

1. EL NARRADOR: «Además de ver lo que sucede en este episodio, también vamos a aprender más vocabulario relacionado con la familia.»
2. EL NARRADOR: «También vamos a aprender algo sobre la historia de la isla de Puerto Rico.»
3. TÍA OLGA: El padre de Ángela, que en paz descanse, nunca mencionó nada de su familia.
   JAIME: ¿Trae algún documento?
4. ÁNGELA: «¿Desean tomar algo? Tengo jugo de parcha.»
5. TÍA OLGA: Me imagino que tu hermano no sabe nada de esto.
   ÁNGELA: Llamé a Roberto, pero no estaba en su casa. ¡Nunca está en su casa!
   TÍA OLGA: No puedes ir a México sola.
   ÁNGELA: No te preocupes.
   RAQUEL: Si quieren saber algo más...
   TÍA OLGA: Yo quiero hacerle una pregunta. ¿Por qué Ángel nunca mencionó a su familia?

Pronunciación: More about Linking

Actividad. Pronounce the following phrases and sentences as if they were one word, imitating the speaker.

1. el abuelo   el episodio   el hospital
2. los indios   las Antillas   los abuelos
3. no estaba   tú eres   de esto   ¿qué hotel?
4. la isla   la historia   la opinión   la investigación
5. mi hermano   su hermano   mi hotel   me imagino
6. Tengo una foto de mis abuelos.   ¿Tiene tu abuela un hijo favorito?   ¿Trae algún documento?   Creo que eso va a ser imposible.   Yo voy a hablar con ella primero.

LECCIÓN 20: SELF-TEST

II. El vocabulario

A. Listen to the descriptions of some kinship terms and write the term described.

1. La esposa de tu hijo.
2. La hija de tu padrastro.
3. El padre de tu esposo o esposa.
4. La hermana de tu esposo o esposa.
5. Los hijos de tu hermano.
6. La hija de tu tía.

LECCIÓN 21: TEXTBOOK

Preparación

Actividad A.

Paso 1. Refresh your memory about the events of the previous video episode by listening to the narrator's summary of it, which you will hear again when you watch **Episodio 21**.

En el episodio previo, Ángela le muestra fotografías de su familia a Raquel mientras esperan a los tíos de Ángela. Por fin llegan los tíos. Raquel les cuenta la historia de su investigación y Olga, una tía, le hace muchas preguntas. Raquel las contesta con mucha paciencia. Más tarde, Ángela llama a su abuela, quien vive en otra parte de Puerto Rico, San Germán. La abuela le dice a Ángela que quiere conocer a Raquel. Entonces, esta mañana, Ángela y su prima Laura recogen a Raquel en el Caribe Hilton y las tres comienzan su viaje a San Germán.

Actividad B. In this video episode Raquel has the following conversation with an employee at a tollbooth on the highway. Listen, and follow along in the text if you like. As you listen, keep in mind that the word **taller** means *repair shop*.

RAQUEL: Perdone. Algo le pasó al carro. ¿Nos podría ayudar?
EMPLEADA: Me gustaría mucho, señorita, pero no puedo. ¿Por qué no llaman a un taller en Ponce?

¿Tienes buena memoria?

Actividad A. La historia sigue

1. Esta mañana Ángela, su prima Laura y yo salimos de San Juan para ir a San Germán.
2. En ruta a San Germán aprendí muchas cosas interesantes. Por ejemplo, ¿es una peseta puertorriqueña igual a una peseta española? No. Una peseta puertorriqueña vale veinticinco centavos. Es una moneda norteamericana.
3. En Puerto Rico una banana es **un guineo**. En España se dice **plátano**. Otra fruta con un nombre diferente es la naranja.
4. En camino a San Germán, cerca del peaje, tuvimos problemas con el carro.
5. La mujer del peaje me dio un número de un taller para llamar. ¿En dónde estaba el taller? ¿En San Juan, Caguas o Ponce? Exacto. El taller estaba en Ponce y Ángela llamó.
6. Luego vino el señor del taller y remolcó el carro a Ponce. En el taller, supimos que el carro estaba en muy malas condiciones.
7. Y aquí estamos, cansadas y listas para dormir. Ahora tendré que esperar hasta mañana para conocer a Carmen Contreras.

Actividad B. Un poco de historia. ¡Un desafío!

Por más de 400 años, Puerto Rico formó parte del vasto imperio español. Para el imperio, San Juan era uno de los puertos más importantes de todas las Américas.

En 1898 estalló la guerra entre los Estados Unidos y España. Al perder la guerra, España tuvo que concederle el resto de su imperio a los Estados Unidos. Las Filipinas, Cuba y Puerto Rico pasaron a manos norteamericanas.

En 1902 Cuba consiguió su independencia de los Estados Unidos. Las Islas Filipinas se independizaron en 1946, pero Puerto Rico siguió siendo territorio norteamericano.

Vocabulario del tema

¿Qué tiempo hace?

Hace muy buen tiempo. Está muy nublado.
Hace muy mal tiempo. Está despejado.
Hace mucho frío. Llueve.
Hace mucho fresco. Está lloviendo.
Hace mucho calor. Nieva.
Hace mucho sol. Está nevando.
Hace mucho viento.

La temperatura está a ochenta grados.

Actividad A. En Ponce hace calor. Listen again as the narrator uses a number of terms to describe weather conditions. Complete the statements with the terms you hear.

Here is the first description.

Dice Ángela que en Ponce hace calor. ¿Qué significa «hace calor»?
Cuando una persona dice que hace calor, se refiere a la temperatura... a las temperaturas altas. A los 85 grados, hace calor. A los 90 grados, hace más calor. Y a los 100 grados, hace mucho calor.

Here is the second description.

> Cuando una persona dice que hace frío, se refiere a las temperaturas bajas. A los 40 grados, hace frío. A los 35 grados, hace más frío. Y a los 10 grados, hace mucho frío.

Here is the third description.

> Entre los 50 y los 60 grados, hace fresco. Cuando hace fresco, no es necesario llevar una chaqueta. Cuando hace fresco, un suéter es suficiente.
> En Puerto Rico, nunca hace frío. Puerto Rico tiene un clima más o menos tropical.

Actividad C.   ¿Qué tiempo hacía? You will hear a series of questions about weather conditions in different parts of the United States. Indicate what the weather was like in those places last March 30, based on the following map. If no particular weather condition is depicted, answer by saying **Hacía buen tiempo.** Take a few seconds to scan the map and its legend. You will hear the legend on the cassette tape. What known words can you associate with the unfamiliar words?

> nieve, lluvias, lloviznas, calor, frío, nublado

Here is the model.

> MODELO: (*you hear*) ¿Qué tiempo hacía en la Florida? ¿Llovía?
> (*you say*)   No, no llovía. Hacía buen tiempo.

1. ¿Qué tiempo hacía en Idaho? ¿Nevaba?
   Sí, nevaba. También hacía frío.
2. ¿Qué tiempo hacía en Ohio? ¿Llovía?
   Sí, llovía.
3. ¿A cuánto estaba la temperatura en Maine? ¿A cuarenta grados?
   No. En Maine la temperatura estaba a treinta grados.
4. ¿Qué tiempo hacía en el sur de California? ¿Hacía calor?
   No, no hacía calor. Hacía frío.
5. ¿A cuánto estaba la temperatura en Nueva York?
   Estaba a cuarenta grados.
6. ¿Qué tiempo hacía donde tú vives?

Nota cultural: Otras ciudades puertorriqueñas

In this video episode, due to Raquel, Ángela, and Laura's unscheduled stop in Ponce, you learned a bit about that city. **Ponceños** (people who live in Ponce) and other Puerto Ricans are fond of saying that **Ponce es Ponce,** which probably implies that people do things their own way in this relatively small, attractive city. Listen again to what the narrator told you about Ponce and try to recall the images in the video episode. Then read this passage about Ponce and other cities on **la Isla** and indicate them on the map.

> «Ponce, la Perla del Sur», «Ponce, la ciudad señorial»… En la esquina de la plaza central de Ponce está la Catedral de Nuestra Señora de Guadalupe. Y ésta es la plaza donde los ponce-ños se reúnen para hablar y disfrutar de sus horas libres. Aquí vemos sus magníficas calles antiguas… su viejo teatro, la Perla… sus famosos y viejos árboles, las ceibas… el Parque de Bombas, pintado de rojo y negro… y la música del pasado, la danza… y la bomba… originales de Ponce.

Lección 21: Workbook/Study Guide

Más allá del episodio
Actividad B.

> Arturo espera con impaciencia una llamada de Raquel. También trata de ponerse en contacto con ella en Puerto Rico, pero nunca está. Quiere hablar con ella, eso sí. Pero también quiere saber lo que ha descubierto acerca de Ángel. Efectivamente siente una ambivalencia muy fuerte acerca de Ángel. Tiene muchas ganas de verlo—si está vivo—, pero también tiene un poco de miedo. No hace más que preguntarse si su hermano querrá volver a verlo a él.

Gramática

Section 60

Actividad A. You should have indicated items 1, 2, 4, 5, 9, and 10. Here are some comments on the other items.

3. Arturo y Raquel se llevaban muy bien desde el principio. Simpatizaron casi en seguida.
6. Lo pasaban muy bien juntos.
7. Al contrario, tenían bastante tiempo libre y hacían muchas cosas interesantes. Fueron al Rosedal, fueron de compras...
8. Arturo se puso muy pensativo cuando leyó la carta y Raquel se preocupaba por él.

Actividad C. La tía Olga tenía muchas preguntas As you know, Ángela's Aunt Olga was not quick to accept Raquel's story. You will hear a series of questions that Olga would have liked to ask Raquel. Can you match her questions with Raquel's probable answers? It is a good idea to scan the answers before beginning.

1. ¿Cómo sabían Ud. y el medio hermano que Ángel vivía en Puerto Rico?
2. ¿Por qué pensaban Uds. que Ángel tenía amigos en el puerto de Buenos Aires?
3. ¿Cómo podían explicarle o mostrarle a la gente cómo era Ángel?
4. ¿Qué querían Ud. y Pedro Castillo hacer después de encontrar a Ángel?
5. ¿Dónde pensaban Ud. y Arturo reunirse con Ángel?

Section 61

Actividad A.

1. Ángela tiene ganas de conocer a su abuelo en México.
2. Raquel tuvo mucha suerte cuando encontró a Ángela en el cementerio.
3. Laura tenía mucha hambre en el hotel en Ponce.
4. Los tíos de Ángela tenían miedo de mandar a Ángela a México sola.
5. Ángela tiene ganas de recoger el coche y seguir con el viaje.
6. Don Fernando tiene prisa por ver a sus parientes perdidos antes de morir.
7. Arturo tiene ganas de hablar con Raquel, pero ella no está en su hotel cuando él la llama.
8. Ángela tiene que ponerse en contacto con un pariente que está en México.

Section 62

Actividad A. ¿Cierto o falso? You will hear a series of statements that compare and contrast Raquel and Ángela. Indicate whether the statements are **Cierto** or **Falso**, as far as you know. You should make some educated guesses. You will hear the answers on the cassette tape.

1. Ángela es menor que Raquel.
2. Raquel viaja mucho menos que Ángela.
3. Raquel tiene más paciencia que Ángela.
4. Ángela es más impetuosa que Raquel.
5. Raquel tiene menos preparación profesional que Ángela.
6. Raquel sabe más de carros que Ángela.
7. A Raquel le gustan los niños menos que a Ángela.
8. Ángela sabe más de Puerto Rico que Raquel.

Here are the answers.

1. Cierto.   2. Falso. Raquel ha viajado mucho últimamente, y parece que Ángela no viaja mucho.
3. Cierto.   4. Cierto.   5. Falso. Raquel es abogada. No sabes todavía si Ángela tiene una profesión o no.   6. Falso. Probablemente, pero realmente no se sabe por cierto. 7. Falso. Parece que a las dos les gustan los niños. Lo pasan muy bien con Laura, y tienen mucha paciencia hablando con ella.   8. Cierto.

Actividad E.   ¿Y tú? You will hear some questions about aspects of your life. Answer the questions in complete sentences and with real information.

1. Por lo general, ¿llevas más de veinte dólares en tu cartera, o menos?
2. ¿Tienes más de tres hermanos, o menos de tres?
3. ¿Hablas más de dos lenguas? ¿Cuántas hablas en total?
4. ¿Estudias más de cuatro horas por día, o menos?
5. ¿Recibes más de dos cartas por semana, o menos?

Pronunciación: Intonation and Rhythm

Actividad A. Repeat the following questions and exclamations after the speaker. Pay particular attention to punctuation, intonation, and rhythm.

1. ¿Con quién vas a cenar esta noche?
2. ¿Dónde vas a estar mañana a las tres?
3. ¿Ya hablaste con tus tíos?
4. ¿Pudiste hablar por fin con Arturo?
5. Van a llegar por la tarde, ¿no?
6. Es el tío de Ángela, ¿verdad?
7. ¡Es imposible verlos esta tarde!
8. ¡Por Dios! ¡Eso es horroroso!

Actividad B. When you hear the corresponding number, say the following sentences. Then repeat them, imitating the speaker.

1. Enero es el primer mes del año.
2. No comprendí lo que me dijiste.
3. Se casó el catorce de abril.
4. Ocurrió en el año mil novecientos.
5. Estábamos en Puerto Rico en mayo.
6. Ponía flores en la tumba cuando la vi.

LECCIÓN 21: SELF-TEST

II. El vocabulario

B. You will hear a series of sentences. Listen, then complete these sentences with a **tener** expression that explains what you heard.

1. Necesito un suéter, ¿sabes?
2. Debemos salir de aquí ahora.
3. Debo acostarme ahora.
4. Vamos a tomar una Coca-Cola.
5. Necesito algo de comer.
6. ¡Gané la lotería!

LECCIÓN 22: TEXTBOOK

Preparación
Actividad.

En camino a San Germán, Raquel, Ángela y Laura, la prima de Ángela, tienen dificultades con el carro. Finalmente, llaman a un taller de reparaciones. Viene un hombre y remolca el carro a Ponce. El mecánico les dice que el carro no va a estar listo hasta el día siguiente. Raquel y sus dos compañeras tienen que pasar la noche en Ponce.

¿Tienes buena memoria?

Actividad A.   Las preguntas de Raquel

Paso 1. Listen again as Raquel asks questions at the end of the video episode while she is waiting for the family to say good-bye. Select the correct answer from the choices provided. Raquel will give the correct answer on the cassette tape.

Bueno. Esta mañana fuimos al taller a recoger el carro. ¿Estaba listo el carro cuando llegamos? Sí, el carro estaba listo. ¿Y cómo estaba Ángela? ¿Estaba muy contenta? ¿O estaba furiosa? Exacto. Ángela estaba furiosa.

Bueno. Cuando llegamos a San Germán, Dolores nos recibió en la casa. ¿Dónde estaba la abuela? ¿Estaba en la iglesia, en el mercado o en el patio? Estaba en la iglesia. Dolores nos recibió porque la abuela estaba en la iglesia.

Entonces, Ángela, Laura y yo fuimos a la iglesia. Después regresamos a casa y comimos. En la sala, Ángela, doña Carmen y yo conversamos. Así me enteré de varias cosas. ¿Recuerdan algo de la conversación?

Paso 3. Now listen again as Raquel gives the answers to the previous items. Then continue to answer her questions.

Bueno. Primero, yo sé que Ángela estudió en la Universidad Interamericana, en San Germán. También yo sé que cuando la mamá de Ángela se enfermó, Ángela se quedó a vivir con la abuela. Y el papá de Ángela venía todos los fines de semana a San Germán. También sé que Ángel pintaba constantemente en San Germán.

Bueno. Después de la conversación, Ángela y yo fuimos al cuarto de Ángel. ¿Y qué encontramos allí? Encontramos unas hojas. ¿Y qué contenían las hojas? Las hojas contenían recuerdos... recuerdos de Ángel. Y esas hojas de recuerdos, ¿decían algo sobre su vida en la Argentina? Contenían recuerdos de su madre y de su hermano.

Bueno. Ahora tengo que hacer planes con Ángela para viajar a México. Ojalá don Fernando siga mejor. Y Arturo, tengo que hablar con Arturo sobre esas hojas de recuerdos.

The following activity is not available in the Alternate Edition.

Actividad C.   Recuerdos de Ángel. ¡Un desafío!

Mi madre me contaba de los horrores de la Guerra Civil. Mi padre murió y yo nunca lo conocí. Éstos son recuerdos de mi dura infancia. El mar. La primera vez que vi el mar fue en ruta a la Argentina. Éste es mi hermano Arturo, o por lo menos el recuerdo de él. Nos llevábamos como perros y gatos. Me gustaría verlo otra vez. Pero es imposible. Es muy tarde. Mi madre, ¡cuánto la extraño! A veces siento su presencia. Éstos son mis amigos del puerto... los primeros en decirme que me dedicara a la pintura. Mi esposa, María Luisa. Recuerdo de ella su ternura, su voz, sus ojos y su hermoso pelo negro. Mis hijos... ahora lo más importante de mi vida, Ángela y Roberto. El mar. Mi inspiración... y mi destino final.

Vocabulario del tema

Cambios de estado acostumbrarse, adaptarse, alegrarse de, cansarse, divorciarse de, enfadarse con, enfermarse, enojarse con, molestarse, quedarse, reponerse

Actividad A.   Ángela y Raquel

Paso 1. You now know even more about Ángela Castillo, and you have seen Ángela and Raquel interact over a number of video episodes. What have you observed about them? Start by indicating which of the following statements describe Ángela.

1. Se molesta fácilmente... y con frecuencia.
2. No es muy enérgica y se cansa rápidamente.

3. Quiere casarse y tener una familia grande.
4. No se acostumbra fácilmente a vivir en ciertas situaciones o lugares nuevos.
5. A veces se pone muy pensativa.

Paso 3. Would you say that Raquel and Ángela are similar or very different? Listen to a brief description of them on the cassette tape and see whether your observations were accurate.

Es obvio que a Raquel y Ángela las une cierto afecto. Esto es posible porque, en cierto sentido, las dos mujeres son semejantes. Raquel y Ángela se acostumbran fácilmente a vivir en situaciones o lugares nuevos. No les cuesta trabajo adaptarse. Y las dos tienen también mucha energía. No se cansan rápidamente... aunque hay que admitir que Raquel se cansa un poco más que Ángela, pero eso es por la diferencia de edades. También se parecen en que son muy sensibles. A veces se ponen pensativas. Sienten las cosas afectivas profundamente, sobre todo cuando se trata de la familia.

Al mismo tiempo, sin embargo, Ángela y Raquel tienen temperamentos diferentes. Ángela se molesta fácilmente, por cualquier cosa, por pequeña que sea. En cambio, Raquel tiene más paciencia. Tal vez es así porque Raquel es una mujer madura.

Las dos mujeres son solteras; ninguna tiene esposo todavía. Ángela piensa casarse antes de los 30 años. No sabe si quiere tener una familia grande, pero sí quiere casarse... y ya tiene novio. Raquel, en cambio, no piensa mucho en casarse. Es una persona muy ocupada y está muy contenta con su vida tal como es ahora. Pero quién sabe lo que pasará con Arturo...

Nota cultural: La economía de Puerto Rico

Before reading the following selection about the economy of modern-day Puerto Rico, consider what you have already learned about the island. For what reason would many people from other countries visit it? If you thought of the tourist industry, you were correct. It is one of the mainstays of the present-day Puerto Rican economy. Now listen again as the narrator tells you about the history of San Germán. His description includes information about another important aspect of the economy of the Island.

San Germán, uno de los pueblos más antiguos de Puerto Rico. En las calles se puede ver la historia de su pasado y su arquitectura tan peculiar. San Germán llegó a ser un importante centro agrícola... con grandes fincas de caña de azúcar, tabaco y café. Aquí en San Germán está la Universidad Interamericana. En el centro de San Germán se encuentra una de las iglesias más antiguas del hemisferio... Porta Coeli, construida en 1606.

LECCIÓN 22: WORKBOOK/STUDY GUIDE

Más allá del episodio: Doña Carmen, suegra de Ángel

Actividad B. What else would you like to know about doña Carmen and her relationship with her daughter and son-in-law? Listen to the short segment on the cassette tape, then complete the following statements.

Cuando María Luisa se enfermó, se instaló en la casa de su madre. Ángel tuvo que quedarse en San Juan por su trabajo, pero siempre venía a pasar los fines de semana al lado de su esposa. Durante los primeros meses llevaban una vida casi normal. María Luisa escribía y Ángel pintaba. Doña Carmen estaba muy contenta de tener a su hija en su casa... y más cuando estaban allí los dos.

Desgraciadamente, el estado de María Luisa se agravó y en poco tiempo se murió. Fue un golpe terrible para todos. Pero para Ángel fue como perder su propia vida. Poco a poco dejó de venir a San Germán porque allí todo le recordaba a su esposa y no podía pintar. Para doña Carmen fue como perder a dos hijos a la vez.

Gramática

Section 63

Actividad C.   Un poco de historia

Paso 1. Listen as the speaker on the cassette tape describes one aspect of the history of Puerto Rico.

Durante muchos años Puerto Rico era una colonia española. Después de la guerra entre España y los Estados Unidos, la Isla pasó a ser territorio norteamericano. En aquel entonces el azúcar era el producto más importante de la Isla. Había grandes fincas de caña de azúcar.

Doña Carmen y su esposo eran dueños de una de esas fincas. En esa época, su finca era una de las más grandes. A veces trabajaban en la finca más de doscientos hombres. También había ganado en la finca. Poco a poco, sin embargo, doña Carmen y su esposo iban vendiendo la finca en parcelas.

En los años 40, el gobierno trataba de diversificar la economía de la Isla. Pero la industria del azúcar seguía siendo una parte importante de la economía puertorriqueña.

Section 65

Actividad A.   ¿Cómo están?   You will hear a series of sentences on the cassette tape. Each one will be said twice. Write them down, then indicate the character you think each sentence describes. Pay attention to the adjective endings, because they convey information about gender and number.

1. Debe estar preocupado porque no tiene noticias de Raquel.
2. Se sentían sospechosos de Raquel.
3. Está muy enfermo y quiere saber algo de la investigación de Raquel.
4. Se siente triste cuando piensa en la muerte de su hija.
5. Estaba sorprendida cuando oyó la historia de su abuelo que vivía en México.
6. Está preocupada. Quiere que don Fernando conozca a sus nietos antes de morir.

Actividad B.   ¿Cómo se sentía Raquel?

Paso 2. Now check your answers by listening to the cassette tape. First you will hear each sentence. Give your answer, then listen to the possible answer given on the tape.

1. En Sevilla Jaime se perdió dos veces. Raquel...
   Raquel estaba preocupada... ¡y enojada!
2. Raquel dejó su cartera en el taxi en Madrid.
   Estaba preocupada.
3. Supo que Rosario vivía en la Argentina.
   Estaba sorprendida.
4. En la Estancia Santa Susana Cirilo le dijo que Rosario se mudó a Buenos Aires. Raquel...
   Raquel estaba contenta, porque sabía dónde buscarla.
5. Cuando conoció a Arturo, él le dijo que Ángel era su hermano. Raquel...
   Raquel estaba *muy* sorprendida.
6. Arturo la llevó al aeropuerto y se despidió de ella. Raquel...
   Raquel estaba muy triste... y un poco pensativa.
7. En San Juan le informó una vecina que Ángel estaba muerto. Raquel...
   Raquel estaba muy triste.
8. Raquel tenía que contarles a los tíos la historia de Ángel y don Fernando.
   Estaba un poco incómoda.
9. En Puerto Rico algo le pasó al coche y tenían que pasar la noche en Ponce. Raquel...
   Raquel estaba muy cansada.
10. Doña Carmen le dio a Ángela permiso de ir a México con Raquel.
    Estaba muy contenta.

Pronunciación: More on Stress and the Written Accent

Actividad A. Repeat the following words after the speaker, paying close attention to stress and the written accent.

1. moneda   paradero   escaleras   puertos   empiezan
2. señal   ciudad   bailar   responder   taller
3. película   semáforo   periódico   búsqueda   máquina
4. Ángel   inglés   avión   después   San Germán

Actividad B. When you hear the corresponding number, read the following pairs of words. Then repeat the correct pronunciation, imitating the speaker.

1. hablo   habló
2. llamo   llamó
3. búsqueda   buscábamos
4. nación   naciones
5. lápiz   lápices
6. avión   aviones
7. preguntar   preguntárselo
8. buscando   buscándolo

Actividad C. Repeat the following pairs of words, then provide the meanings that are missing.

1. mi / mí
2. tu / tú
3. el / él
4. si / sí
5. se / sé
6. te / té
7. que / ¿qué?
8. este / éste

Lección 22: Self-Test

II. El vocabulario

B. You will hear a series of statements. Listen, then complete these sentences with the correct form of one of the adjectives from the list.

1. La abuela va a hacerme muchas preguntas.
2. Trabajaron toda la noche sin dormir.
3. Murió mi perro esta mañana.
4. Ángela y Raquel pueden ir a San Germán ahora.

Lección 23: Textbook

¿Tienes buena memoria?

Actividad A.   ¿Relaciones serias?

Bueno, aquí estoy, en la Universidad de Puerto Rico. Cuando regresamos de San Germán, ¿era de mañana, de tarde o de noche? Era de noche. En el hotel, hice una llamada de larga distancia. ¿Llamé a México para hablar con Pedro o llamé a Buenos Aires para hablar con Arturo? Llamé a Buenos Aires para hablar con Arturo. ¿Estaba Arturo en casa o no? Arturo estaba en casa cuando yo lo llamé.

Arturo y yo hablamos un rato, unos minutos, ¡y qué sorpresa! Arturo me dijo algo que realmente me sorprendió. ¿Qué me dijo Arturo? Arturo me dijo que me quería mucho. ¿Qué voy a hacer? Arturo es muy simpático, pero... ¿quiero tener unas relaciones serias en estos momentos? No sé.

Actividad B.   La vida de Ángela

Bueno. Hoy fui con Ángela al banco donde trabaja. ¿Por qué fuimos? Fuimos al banco porque Ángela tenía que hablar con la supervisora. Finalmente vinimos aquí a la universidad. Ángela quería ver a una persona aquí, ¿recuerdan? Ángela quería ver a su novio, Jorge. Cuando llegamos aquí a la universidad, ¿qué hacía Jorge? ¿Hablaba con un estudiante o daba una clase? Cuando nosotras llegamos, Jorge daba una clase. Ahora Jorge y Ángela están en frente. Seguramente Ángela le está enseñando la copa. Esa copa debe tener mucho valor sentimental. ¿Qué va a decir don Fernando cuando la vea por fin? ¿Qué es esa música?

Vocabulario del tema

Las partes de una casa el baño, la cocina, el comedor, el cuarto, la sala
el balcón, el jardín, el patio, la terraza
la escalera, el piso, la planta baja, la puerta, la ventana
el estacionamiento, la vista a

Algunos aparatos domésticos la estufa, el horno de microondas, la lavadora, el lavaplatos, la nevera, la secadora
el estéreo, el radio, el televisor, la videocasetera

Actividad A.   ¿Qué decide Ángela?   Listen again as Ángela, Raquel, and Blanca, the realtor, discuss the features of one of the apartments that Ángela is considering. Then indicate which of these two advertisements corresponds to the apartment. Take a few seconds now to scan both of them. As you listen to the conversation, you may want to check off features in the advertisements as you hear them, noting the number of each and any other factors, as appropriate.

BLANCA: Éste es el apartamento que te interesaba.
ÁNGELA: La sala y el comedor están juntos, pero es un espacio muy grande. ¡Qué vista tan hermosa!
RAQUEL: El balcón es muy grande. ¿Y la cocina?
BLANCA: Ya te la enseño.
RAQUEL: Es muy moderna.
ÁNGELA: Los cuartos son bastante grandes.
BLANCA: Este apartamento viene con tres baños. Éste, otro baño allá, y otro baño allá...
ÁNGELA: Me encanta esta vista...
BLANCA: Ángela, hay otras personas interesadas en éste. Si te decides, tienes que darme el depósito pronto.
RAQUEL: ¿Para reservarlo?
BLANCA: Sí. A ver, ¿qué me dices, Ángela?

Actividad B.   ¿Qué tiene el *Town House*?
Paso 1. Listen to the same three characters as they walk through the town house. Use the advertisement you didn't select in **Actividad A** to keep track of the features.

BLANCA: Éste es muy bonito. Tiene estacionamiento para dos autos y está muy cerca de la playa.
ÁNGELA: La sala y el comedor de éste son más pequeños.
RAQUEL: Pero éste tiene un pequeño patio.
ÁNGELA: Vamos a ver la cocina.
RAQUEL: Esta cocina es más grande.
ÁNGELA: La estufa y la nevera son blancas. Esta cocina se vería muy bonita en tonos pasteles. A ver, ¿lavaplatos?
BLANCA: No tiene.
ÁNGELA: ¿Y lavadora y secadora?
BLANCA: Aquí.
ÁNGELA: Bien. Vamos a ver los cuartos. ¿Están arriba? Aquí puedo poner cuadros de mi papá. Y allí, plantas.
RAQUEL: Ay, qué bien. Tiene un abanico.

ÁNGELA: ¿Ése es el único baño que hay? Creo que ya me decidí.

RAQUEL: ¿Cuál te gusta más?

ÁNGELA: Los dos tienen estacionamiento. Eso es muy importante. Pero... el apartamento me gusta más.

RAQUEL: La vista al mar parece que te convenció.

ÁNGELA: Sí, tengo que vivir cerca del mar. Blanca, acabo de decidirme.

Un poco de gramática

The following activity is not available in the Alternate Edition.

Actividad. En este momento... Think about the characters you saw at the end of **Episodio 23**. What were they doing? And what about the characters who were *not* shown? What were they doing? Answer these questions by creating complete sentences with a word or phrase from each column. ¡OJO! More than one ending may be appropriate for some characters. First, listen to the list of endings.

pensando en Raquel

haciendo los preparativos para un viaje

buscando la música que escuchó de repente

abrazándose

leyendo una carta que le mandó Raquel

comiendo—¡siempre tiene hambre!

visitando a su padre en el hospital

trabajando en una excavación

pensando en algo que le sorprendió mucho

pensando en sus «nuevos» nietos

besando a su novia

Now begin.

1. Raquel — Raquel estaba buscando la música que escuchó de repente.
2. Mercedes y Ramón — Mercedes y Ramón estaban visitando a su padre en el hospital.
3. Pedro — Pedro estaba leyendo una carta que le mandó Raquel.
4. Jorge — Jorge estaba besando a su novia.
5. Arturo — Arturo estaba pensando en Raquel. También estaba haciendo los preparativos para un viaje.
6. Laura — Laura estaba comiendo—¡siempre tiene hambre!
7. Roberto — Roberto estaba trabajando en una excavación.
8. Ángela — Ángela estaba pensando en algo que le sorprendió mucho.
9. don Fernando — Don Fernando estaba pensando en sus «nuevos» nietos.
10. Ángela y Jorge — Ángela y Jorge estaban abrazándose.

Nota cultural: Los puertorriqueños en los Estados Unidos

In **Episodio 23** you learned about Puerto Ricans who live in the continental United States. Before you read this passage, refresh your memory about them by listening again to the narrator.

Ángela dice que su novio pasa mucho tiempo en Nueva York, pero muchos puertorriqueños no sólo trabajan en Nueva York sino que también viven allí. Como los puertorriqueños son ciudadanos de los Estados Unidos, no tienen restricciones para ir de San Juan a Nueva York ni de Nueva York a San Juan. Y muchos puertorriqueños tienen amigos y familiares en los dos lugares.

Pero los puertorriqueños no residen en Nueva York solamente. También hay grandes concentraciones de puertorriqueños en Nueva Jersey y en Pensilvania. El bilingüismo es común en las comunidades puertorriqueñas y no es extraño oír o ver el español y el inglés donde viven.

¿Por qué viven tantos puertorriqueños en Nueva York y en otras estados? La explicación se encuentra en la situación económica de Puerto Rico. Durante los años 40, muchas personas no podían encontrar trabajo en Puerto Rico. Empezó la emigración. Y, poco a poco, muchos se fueron de la isla con esperanzas de una vida mejor en los Estados Unidos. Se establecieron en el noreste de este país donde había empleo en la industria y los servicios de la región. Además de puertorriqueños, en Nueva York también se encuentran dominicanos, centroamericanos, en fin, mucha gente de habla española. Todos contribuyen a la gran variedad cultural de la región.

Más allá del episodio

Actividad A.   Ángela y el apartamento

Raquel no comprende por qué Ángela quiere dejar su apartamento en el Viejo San Juan. ¿Por qué quiere mudarse Ángela de este bonito e histórico apartamento de la calle del Sol? ¿Qué le está motivando para querer venderlo?

Después de la muerte de su padre, Ángela pasó por una larga depresión. Su hermano Roberto no lo pasó tan mal. Él se fue a México a estudiar dos semanas después de los servicios funerarios. Pero Ángela tenía que quedarse... y se encontró muy sola en el apartamento de la calle del Sol. Tenía el apoyo de su tía Olga, que la ayudaba mucho en aquel trance, pero siguió sintiendo una gran tristeza.

Ahora Ángela está mucho mejor. Ya no está tan triste como antes y además está muy contenta con su relación con Jorge, su novio. Jorge tiene varias ambiciones, y una de ellas es abrir un nuevo teatro. Pero no tiene mucho dinero. Se le ocurre a Ángela que podría ayudarlo. Si vende el apartamento y compra uno más barato, entonces puede darle a Jorge parte de su dinero. Si vende el apartamento, también puede dejar atrás el triste recuerdo de la muerte de sus padres y empezar otra vida.

¿Sabe todo esto Roberto? ¿Comprende la tristeza de su hermana? ¿su deseo de ayudar a su novio? ¿Y tú? ¿Crees que es buena idea que Ángela le dé dinero a Jorge?

Gramática

Section 66

Actividad A.   ¿Qué estaban haciendo?

Cuando Ángela, Raquel y Laura llegaron a San Germán...

1. doña Carmen estaba
    c.   doña Carmen estaba rezando en la iglesia.

2. Dolores no estaba con ella. Estaba
    a.   Estaba trabajando en la casa.

3. En ese momento Jorge y sus estudiantes estaban
    a.   Estaban aprendiendo un nuevo drama.

4. Al mismo tiempo Arturo estaba
    c.   Arturo estaba preparando su viaje a Puerto Rico.

5. Los tíos de Ángela estaban
    b.   Estaban hablando de la nueva situación.

Section 67

Actividad B.   ¿Qué dijeron?

Parte A

RAQUEL: Ángel... ya...
ARTURO: ¿Cuándo?
RAQUEL: Hace unos meses. Era un artista muy conocido en Puerto Rico. Y estaba casado.
ARTURO: ¿Has hablado con su esposa?
RAQUEL: No. Ella murió hace unos años.
ARTURO: Ángel murió solo, entonces.
RAQUEL: No. Sus hijos estaban con él.
ARTURO: ¿Sus hijos? Raquel...
RAQUEL: Sí. Ángel tenía dos hijos. Su hija Ángela es una mujer atractiva y simpática.

Parte B

ÁNGELA: Raquel, ¿puedes ir conmigo a la universidad? Quiero que conozcas a Jorge, mi novio. Acaba de llegar de Nueva York.

RAQUEL: ¿Jorge trabaja en la universidad?

ÁNGELA: Sí, él es profesor de teatro.

RAQUEL: ¿Y qué hacía en Nueva York?

ÁNGELA: Estaba trabajando en una película.

RAQUEL: ¿De verdad?

ÁNGELA: Sí. Jorge trabaja a menudo en Nueva York. Pasa mucho tiempo allá.

ÁNGELA: Hola, tío Jaime. ¿Cómo estás?

JAIME: Ángela, tengo a alguien que está muy interesado en comprar la casa. Le gustó mucho.

ÁNGELA: ¿El hombre del otro día?

JAIME: El mismo. Le impresionó mucho la casa.

Parte C

RAQUEL: Bueno. Hoy fui con Ángela al banco donde trabaja. ¿Por qué fuimos? Fuimos al banco porque Ángela tenía que hablar con la supervisora. Finalmente, vinimos aquí a la universidad. Ángela quería ver a una persona aquí, ¿recuerdan? Ángela quería ver a su novio, Jorge. Cuando llegamos aquí a la universidad, ¿qué hacía Jorge? ¿Hablaba con un estudiante o daba una clase? Cuando nosotras llegamos, Jorge daba una clase.

Section 68

Actividad A.   ¿Quién? Listen as the narrator makes a series of statements. Which of the characters listed would be most likely to make them? ¡OJO! Some characters are appropriate for more than one statement.

1. Acabo de saber que mi padre tenía un hermano en la Argentina.
2. ¡Arturo acaba de decirme que me quiere!
3. Acabo de hablar con mi nieta, quien me contó una historia de telenovela.
4. Acabamos de volver de San Germán. Yo me dormí mientras viajábamos.
5. Acabo de emplear a otra joven que va a hacer el trabajo de Ángela por dos semanas.
6. Acababa de llegar a San Juan cuando supe que Ángel ya murió.
7. Acababa de almorzar cuando recibí una llamada de una joven. Su carro se descompuso y estaba parado en la autopista.
8. Acababa de sentarme en la iglesia cuando mis nietas entraron con la abogada.
9. Acabábamos de decir que Ángela parecía menos triste que antes... y luego vino esta abogada con una historia imposible.
10. Acababa de convencerme de que Ángel todavía estaba vivo cuando Raquel me llamó con las tristes noticias.

LECCIÓN 23: SELF-TEST

I.   El episodio y los personajes

B. Listen to the short descriptions of the new characters and match the character with the description.

1. Es el novio de Ángela, profesor de teatro y a veces actor de cine.
2. Es ejecutiva en un banco grande de San Juan y la jefa de Ángela.
3. Una mujer que vende apartamentos le muestra uno a Ángela.

Preparación
Actividad A.

Al final de su estancia en San Germán, la abuela doña Carmen le da a Ángela un objeto muy especial... un regalo de su padre. Desde el hotel, Raquel hace una llamada a Buenos Aires. Le cuenta a Arturo que Ángel ya murió... y que Ángel tenía dos hijos.

Ángela y Raquel hablan con la supervisora del banco donde Ángela trabaja. Le pide dos semanas libres para ir a México a visitar a su abuelo, don Fernando. Don Fernando está muy enfermo y Ángela le explica a la supervisora que es urgente.

Raquel y Ángela hacen los preparativos para salir mañana para México. Luego van a la universidad para ver a Jorge, el novio de Ángela. En un patio de la universidad, Ángela y Jorge hablan de la copa.

Actividad B. Listen to the following conversation between Ángela, Raquel, and Jorge on the cassette tape. Then answer the question about it. A written version of the conversation is provided to help you understand it.

JORGE: ¿Por qué no nos vamos a vivir a Nueva York?
ÁNGELA: No, gracias. Me gusta visitar esa ciudad, pero ¿vivir? No. Además, ¿no vas a formar una compañía de teatro acá en San Juan?
JORGE: Hay en San Juan un cine que puede funcionar como teatro.
RAQUEL: Tiene que ser caro.
JORGE: Sí, lo es. Pero es el mejor sitio. Perdónenme. Voy a cambiarme.

¿Tienes buena memoria?
Actividad A.   Las preguntas de Raquel

Bueno. Tengo muchas cosas de qué hablar. Hoy fui con Ángela a la universidad y allí conocí a su novio, Jorge. ¡Y qué sorpresa para mí! Jorge en seguida quería tutearme. ¿Recuerdan? Bueno. Por sus acciones, yo pensé que Jorge era un mujeriego, o sea, un «don Juan». Y más tarde, cuando Ángela quería llevarme al museo, ¿quería acompañarnos Jorge o no? Jorge no quería acompañarnos. Dijo que un estudiante lo esperaba en su oficina. Para decir la verdad, yo creo que era una excusa—una excusa porque se sentía incómodo.

Bueno. Ángela y yo fuimos solas al museo. ¿Y quién nos esperaba cuando salimos de allí? Jorge nos esperaba. ¿Ven Uds.? Ningún estudiante lo esperaba en su oficina. Era sólo una excusa.

Por fin fuimos a unas tiendas cerca de la universidad porque yo quería comprar unos *cassettes*. Luego vinimos aquí al hotel porque yo había invitado a Jorge y a Ángela a nadar. Pero yo no nadé con ellos. ¿Qué hacía yo mientras ellos nadaban? Mientras ellos nadaban, yo hablaba por teléfono. Primero, llamé a mi madre. Yo le conté de mi opinión sobre Jorge y Ángela. ¿Y qué me dijo ella? Mi madre me dijo que yo no debía meterme en la vida personal de otros. Así es mi mamá. Y tenía razón. Cuando yo intenté hablar con Ángela sobre lo del teatro, ¿qué pasó? Se enfadó conmigo.

Bueno, tendré que hablar con ella más tarde. También tuve una conversación con Arturo. ¿Y qué creen Uds.? ¿Estaba Arturo contento durante la conversación? Yo creo que sí. Creo que Arturo estaba muy contento.

Y yo, en este momento, también estoy contenta. Arturo va a visitar México dentro de dos días. Bueno. Sólo hay un problema ahora. No podemos comunicarnos por teléfono con el hermano de Ángela. Nunca está en casa. ¿Dónde estará este Roberto Castillo?

Vocabulario del tema

Para describir la personalidad agresivo, alegre, cariñoso, confiado, chistoso, desagradable, desconfiado, egoísta, encantador, femenino, grosero, gruñón, ingenuo, inocente, macho, mujeriego, optimista, pesimista, sabio, simpático, terco, trabajador, triste

Actividad A.   ¿A quién se describe? (Parte 1)   Listen as the speaker on the cassette tape describes one quality of each of the following characters from *Destinos*. Identify the person referred to, following the model. You will hear a possible answer on the tape. ¡OJO! More than one person may be correct for some items.

> MODELO: (*you hear*) Esta persona es trabajadora.
> (*you say*)   Es Raquel.
> (*you hear*) Raquel es trabajadora.

Now begin.

1. Esta persona es trabajadora.
   Arturo es trabajador.
2. Esta persona es muy macho.
   Jorge es muy macho.
3. Esta persona es gruñona.
   Tía Olga es gruñona.
4. Esta persona es ingenua.
   Ángela es ingenua.
5. Esta persona es sabia.
   Doña Carmen es sabia.

6. Esta persona es agresiva.
   Jorge es agresivo.
7. Esta persona es encantadora.
   Arturo es encantador.
8. Esta persona es cariñosa.
   Doña Carmen es cariñosa.
9. Esta persona es chistosa.
   Laura es chistosa.
10. Esta persona es simpática.
   Raquel es simpática.

The following activity is not available in the Alternate Edition.

Actividad B.   ¿A quién se describe? (Parte 2)   You will hear some additional descriptions of characters from *Destinos,* but this time the descriptions will be longer. Identify the person you think is being described.

1. Esta persona es muy confiada y cariñosa con su novio. Parece muy femenina y optimista, pero también hay que admitir que es ingenua. Está muy enamorada y quiere ayudar a su novio tanto como pueda.

   Es Ángela.

2. Es cariñoso y chistoso cuando está con Raquel. También se puede decir que es trabajador y muy refinado. No le gustan las diversiones populares, como andar en mateo o navegar en barco, pero lo hace cuando está con Raquel. Es un poco terco; es decir, a veces insiste en ciertas cosas. Pero al mismo tiempo es una persona simpática... encantadora.

   Es Arturo.

3. Se ve que esta persona es muy sabia, y toda la familia lo reconoce. En otra época era una persona trabajadora; ahora tiene el lujo de no trabajar. Le gusta dedicarles tiempo a sus nietos, y es muy cariñosa con ellos.

   Es doña Carmen.

4. Esta persona también es sabia, pero al mismo tiempo es un poco desconfiada. Todavía trata a su hija como a una niña e insiste en meterse en los asuntos de su hija... aunque cree que las personas no deben meterse en la vida personal de otros.

   Es la madre de Raquel.

5. Parece que esta persona es agresiva y pesimista. Es una persona desconfiada que sospecha de la historia de Raquel. Según Ángela, tiene fama de ser la gruñona de la familia. En el fondo, es una buena persona... una persona que tiene poca confianza en sí misma.

   Es la tía Olga.

6. Es el hombre macho clásico, y a Raquel no le gusta nada. Raquel piensa que es mujeriego, y esto parece ser cierto. Sin embargo, no es nada grosero; es un hombre refinado. No sabemos si es trabajador o no, pero Ángela piensa darle parte del dinero que reciba cuando venda su casa.

   Es Jorge.

Conversaciones: Las reacciones

Actividad. ¡Ay de mí!

Paso 1. Of all of the *Destinos* characters you have met so far, Ángela is one of the most expressive. In particular, she uses **¡Ay!** with great frequency.

Listen again to two brief exchanges that feature Ángela and indicate the reaction you hear in each.

Here is the first exchange.

LAURA: ¿Qué tiene el carro, titi?
ÁNGELA: No tengo idea... ¡Caray! Esto es serio...

Here is the second exchange.

ÁNGELA: ¿Dónde está Jorge? Quiero nadar. ¡Jorge! ¡Vamos!
JORGE: Ya voy.
ÁNGELA: ¡Qué lentitud! ¡Dios mío!

Paso 2. Now listen to three additional brief exchanges. There is an expression with **qué** in each of them. Indicate the expression you hear.

Here is the first exchange.

RAQUEL: *¿El velorio?* ¿Es esto el velorio de un niño? Si parece una fiesta...
ÁNGELA: Están celebrando el hecho de que el niño va directamente al cielo, pues no ha pecado.
RAQUEL: ¡Qué interesante!

Here is the second exchange.

DOÑA CARMEN: ¿Por qué no vienes más a menudo a San Germán entonces?
ÁNGELA: Sabes que tengo mucho trabajo.
DOÑA CARMEN: ¿Trabajo? ¡Qué va! Yo sé que tu tiempo lo pasas con Jorge.
ÁNGELA: ¡Ay, abuela! ¿No vas a comenzar con eso ahora?

Here is the third exchange.

ÁNGELA: Abuela, quiero acompañar a Raquel a México. Así podré conocer a mi abuelo.
DOÑA CARMEN: ¿Y qué? ¿Quieres mi permiso?

Nota cultural: El arte y la música en Puerto Rico

Throughout the Puerto Rican video episodes of *Destinos* you have caught glimpses of various aspects of the island's culture: popular and serious music, Jorge's interest in the theater, and works by a famous painter. The following reading will tell you more about music and the arts in Puerto Rico. Before you begin reading, listen again to Ángela's description of *El velorio* by Francisco Oller, as you look at this reproduction of it.

Entonces Ángela lleva a Raquel a ver las obras de Francisco Oller, un pintor puertorriqueño de mucha importancia.

RAQUEL: *¿El velorio?* ¿Es esto el velorio de un niño? Si parece una fiesta...
ÁNGELA: Están celebrando el hecho de que el niño va directamente al cielo, pues no ha pecado.
RAQUEL: ¡Qué interesante!

LECCIÓN 24: WORKBOOK/STUDY GUIDE

Más allá del episodio

Actividad A. Jorge Alonso

Ángela conoció a Jorge a través de un amigo común, quien los presentó en una fiesta. Simpatizaron en seguida y comenzaron a salir juntos.

Desde el principio doña Carmen no vio con buenos ojos las relaciones de Jorge con su nieta. Piensa que Jorge es un hombre oportunista y cree que va a hacerle daño a Ángela. Doña Carmen estaba tan preocupada por esta situación que hasta llamó a México hace unas semanas para hablar con Roberto, el hermano de Ángela. Quería saber si Roberto sabía algo de Jorge. Roberto le dijo que, en la Universidad de Puerto Rico, Jorge tiene gran fama de ser mujeriego y que, en su opinión, no era el hombre para Ángela.

Doña Carmen le ha dicho varias veces a Ángela que se opone a sus relaciones con Jorge, pero su nieta no la escucha. «Abuela», le dice, «sólo has visto a Jorge un par de veces. No lo conoces bien.» Doña Carmen espera que, cuando Ángela se dé cuenta de la realidad, no sea demasiado tarde. Desgraciadamente, hasta ahora nadie se atreve a decirle a Ángela toda la verdad sobre su novio.

¿Y cuál es esta verdad? Para empezar, Jorge es muy vanidoso. Para él, la vida es un juego. Es actor y su papel favorito es el de seductor, papel que interpreta con frecuencia dentro y fuera de la escena. Ángela está muy enamorada de él y no está consciente de la situación. Le encanta cuando Jorge le declara su amor... pero no sabe que también les declara su amor a muchas otras mujeres.

Es cierto que Jorge siente una gran debilidad por las mujeres, a tal punto que flirtea con Raquel. En el fondo es un simple don Juan sin escrúpulos. Siempre tiene grandes proyectos que nunca realiza, como el teatro que quiere establecer.

Jorge va a menudo a Nueva York. Para sus salidas usa como pretexto el trabajo. En realidad pasa la mayor parte de su tiempo con sus conquistas o con gente no muy recomendable. En Nueva York hay una mujer en particular que está locamente enamorada de él. Es una mujer dulce, inocente, ingenua... como Ángela.

¿Debe decirle Raquel a Ángela cómo es Jorge? ¿Qué le va a decir Roberto cuando sepa del plan de Ángela? ¿Y tú? ¿Crees que Ángela debe ayudarle a Jorge, dándole dinero?

Gramática
Section 69

Actividad A. ¿Cuánto recuerdas?
How much do you remember about Jorge and the events that surround him? Indicate whether the statements you hear are **Cierto** or **Falso**.

1. Raquel conoció a Jorge en el teatro de la universidad.
2. Raquel quería saber muchos detalles de la vida y trabajo de Jorge.
3. Hubo un momento en que Raquel supo que Jorge era mujeriego.
4. Cuando Raquel y Ángela fueron al museo, Jorge quiso acompañarlas, pero ellas no lo permitieron.
5. Raquel quiso convencer a Ángela de que Jorge era distinto de lo que parecía.
6. Ángela no pudo comprender la opinión de Raquel sobre Jorge.
7. Efectivamente, nadie pudo convencer a Ángela de que había algo malo en Jorge.
8. Raquel no supo de la intención de Ángela de darle dinero a Jorge.

Section 70

Actividad A. ¿Cuánto tiempo hace?

1. Hace apenas unas horas que...
   Hace apenas unas horas que Raquel conoce a Jorge.
2. Hace más de cincuenta años que...
   Hace más de cincuenta años que don Fernando vive en México.
3. Hace casi dos semanas que...
   Hace casi dos semanas que Raquel conoce a Arturo.
4. Hace poco menos de un año que...
   Hace poco menos de un año que Ángela y Jorge son novios.
5. Hace casi quinientos años que...
   Hace casi quinientos años que hablan español en Puerto Rico.

Actividad B. ¿Qué ocurrió primero? Listen to the narrations on the cassette tape, then indicate whether the statements are **Cierto** or **Falso**.

1. Hace más de treinta años que Hawai es un estado. Hace más de setenta y cinco años que Arizona es un estado.
2. Hace casi cien años que Puerto Rico es territorio norteamericano. Hace casi ciento setenta y cinco años que México es una nación independiente.
3. Hace doscientos años que Nueva York es parte de los Estados Unidos. Hace ciento cincuenta años que California es parte de los Estados Unidos.
4. Hace menos de cien años que se puede cruzar los Estados Unidos en avión. Hace más de cien años que los trenes cruzan el continente.
5. Hace pocos años que podemos viajar por espacio. Hace muchísimos años que podemos viajar por mar.

LECCIÓN 24: SELF-TEST

II. El vocabulario

B. You will hear a series of descriptions. Listen, then complete these sentences with a word from the list.

1. Jorge nunca quiere revelar sus planes ni sus opiniones.
2. La madre de Raquel siempre cree que ella tiene la razón.
3. Jorge tiene interés en todas las mujeres que encuentra.
4. Ángela siempre piensa que toda la gente es buena.

LECCIÓN 25: TEXTBOOK

Preparación

Actividad.

En el episodio previo, Raquel habla con Jorge, el novio de Ángela, pero Jorge no le cae muy bien. Raquel no le dice nada a Ángela en el momento y los tres van al Paseo de Diego en Río Piedras, para hacer unas compras. Raquel invita a Ángela a descansar en el hotel y Jorge la acompaña. Mientras Jorge y Ángela nadan, Raquel habla con su mamá... y con Arturo. El día concluye con una discusión muy fuerte entre Raquel y Ángela. Al día siguiente, cuando están por salir para México, reciben malas noticias.

Respaso de los episodios 1–18
Actividad B.   La búsqueda en la Argentina

Después de conocer a Héctor en el Piccolo Navio, Raquel y Arturo lo acompañaron a su casa. En la calle le mostraron a Héctor una foto de Ángel y le preguntaron si conocía al hombre. «Ángel», respondió Héctor. «Claro que lo recuerdo bien. Era mi amigo.»

En el camino, empezaron a hablar de Ángel. Cuando llegaron a la casa de Héctor, los tres se quedaron fuera para hablar. Héctor les dijo que creía que Ángel consiguió trabajo en un barco. En ese momento, su esposa lo llamó y Héctor subió a su apartamento.

Arturo y Raquel ya se iban, pero Héctor volvió con un cuadro de Ángel que le dio a Arturo. Muy conmovido, Arturo le dio las gracias. Héctor también les dijo que creía que Ángel se quedó a vivir en el extranjero. No estaba seguro, pero creía que era en Puerto Rico. Luego recordó una carta que había recibido de Ángel. Ésta debería indicar la dirección de Ángel.

Entonces Raquel y Arturo se fueron. Esa noche, los dos estaban muy pensativos, especialmente Arturo.

LECCIÓN 26: TEXTBOOK

¿Tienes buena memoria?

Actividad.   ¿A quiénes conoció Raquel?

Raquel conoció a Ángela en el cementerio donde estaban enterrados Ángel y su esposa. Más tarde conoció a los cuñados de Ángel, incluyendo a la tía Olga. Ésta no reaccionó bien al oír que su sobrina tenía otro abuelo en México.

Raquel fue con Ángela y su prima Laura a San Germán a ver a su abuela, doña Carmen. Al volver a San Juan, Ángela le presentó a Raquel a su novio, Jorge, quien acababa de regresar de Nueva York.

Cuando estaban por salir para el aeropuerto Ángela y Raquel, el tío Jaime vino a darle a su sobrina unas malas noticias. Su hermano Roberto había tenido un accidente en México.

The following activity is not available in the Alternate Edition.

Repaso de los episodios 19–24

Actividad B.   ¿Y qué más?

1. f.   En San Juan, Raquel buscó una casa en la calle del Sol. Creía que Ángel Castillo vivía allí.
2. d.   Una vecina le dijo a Raquel: «Ángel Castillo murió hace poco.» También dijo que estaba enterrado en el cementerio del Viejo San Juan.»
3. i.   Raquel tomaba una foto de la tumba de Ángel cuando Ángela apareció. Raquel le contó la historia de su abuelo.
4. l.   Raquel conoció a los tíos de Ángela. Les contó la historia de Ángel Castillo.
5. m. Los tíos no sabían si Ángela debía hacer el viaje a México. Creían que Ángela debía consultar con la abuela.
6. g.   Raquel y Ángela tenían que ir a San Germán. Salieron en el carro de Ángela, con Laura, su prima.
7. k.   En San Germán, doña Carmen le dio a Ángela una idea. Debía ir al cuarto de su padre.
8. h.   ¿Por qué no revisaba lo que había entre las cosas de su padre? Fue al cuarto con Raquel y las dos encontraron un baúl.
9. e.   Allí Ángela encontró unas hojas de su padre. Las hojas tenían sus recuerdos de la Argentina y de su vida en Puerto Rico.
10. a.   Doña Carmen también le dio a Ángela algo muy especial. Era la copa de bodas de su abuela Rosario.
11. j.   De regreso en San Juan, Raquel conoció al novio de Ángela. No le gustó mucho.
12. c.   Raquel trató de aconsejar a Ángela sobre sus relaciones con Jorge. Pero Ángela se enfadó.
13. b.   Llegó el tío Jaime con unas malas noticias. Hubo un accidente en la excavación donde trabajaba Roberto.

LECCIÓN 26: WORKBOOK/STUDY GUIDE

Gramática

Actividad A.   Un cuento para una niña

El coquí y la princesa

A nuestra hija, Ángela, nuestra princesa

Érase una vez un coquí. Le gustaba pintar. Su padre y su madre querían mandarlo a la escuela. Pero el pequeño coquí no quería estudiar. Sólo quería pintar. Los padres regañaban al pequeño coquí. Le gritaban y gritaban.

Una noche, el pequeño coquí se embarcó... y nunca volvió a ver a sus padres ni a su hermanito. El coquí pasó muchos días y noches en un barco hasta llegar a una bella isla llamada Puerto Rico.

Al coquí le gustó mucho la vieja ciudad y allí se quedó y se dedicó a pintar.

Actividad B.   El resto del cuento

Un día una hermosa princesa pasó por el estudio del coquí y vio sus cuadros. Le gustaron tanto que los elogió con mucho entusiasmo. El pequeño coquí era tímido... y se puso rojo con los elogios de la princesa.

«Soy un pequeño coquí a quien le gusta pintar. ¿Por qué me dice Ud. esas cosas tan bonitas?»

«Porque», dice la princesa, «es evidente que Ud. es más que un coquí. Es un maestro, un artista de sueños, alguien que ilumina nuestra Isla con su arte maravilloso.»

Y entonces la princesa hizo algo inesperado. Se inclinó y le dio un beso al pequeño coquí. Y de repente el pequeño coquí se convirtió en un príncipe. La princesa y el nuevo príncipe estaban tan contentos que se casaron ese día.

Entonces el príncipe, que antes era un pequeño coquí, vivió feliz con su princesa para siempre en su hermosa Isla, Puerto Rico.

El verdadero príncipe y la verdadera princesa con su hija, Ángela.

Una leyenda: El coquí de Puerto Rico vive en los bosques tropicales. El coquí no puede salir nunca de la Isla. Si sale, se muere.

Un poco de todo

Actividad D.   En Ponce

Paso 3. On the cassette tape, you will hear the speaker give you directions for getting from *la Plaza* to one of the locations on the map. Listen carefully, then indicate what your destination would be if you followed the directions. Listen to the directions as many times as you need to.

Mire. Ud. está en este momento en la parte sur de la Plaza. Camine Ud. hacia el norte y salga de la Plaza en la calle Reina Isabel. En esa calle, vire a la derecha y siga dos cuadras. En esa esquina, es decir, en la esquina de Reina Isabel y la calle Mayor, vire a la izquierda. Siga derecho tres cuadras y, al cruzar la calle Victoria Estrella, va a ver el sitio que busca, a mano derecha.

LECCIÓN 27: TEXTBOOK

Preparación

Actividad B.

Paso 1. Vas a escuchar una conversación entre Raquel y Ángela mientras manejan un carro alquilado hacia el sitio de excavación. Puedes leer el diálogo al mismo tiempo que lo escuchas, si quieres. Después de escuchar, contesta la pregunta.

ÁNGELA: Roberto siempre quiso venir a México. Se pasaba los días y las noches estudiando las civilizaciones prehispánicas.

RAQUEL: Roberto y tú son muy unidos, ¿verdad? En Puerto Rico me decías siempre que tu hermano era un encanto.

ÁNGELA: La verdad es que... pues, desde que se vino para México, nos hemos alejado un poco.

RAQUEL: Comprendo... con la distancia.

ÁNGELA: No, no es por eso. Es que... Bueno, yo nunca le he dicho esto a nadie, Raquel. Pues, la verdad es que siempre le he tenido un poco de envidia a Roberto.

¿De quién habla Ángela en esta conversación?
a.   de su novio, Jorge
b.   de su hermano, Roberto
c.   de su padre, Ángel

La respuesta correcta es *b*. Ángela habla de su hermano, Roberto.

Now turn off your tape player and return to the Textbook.

¿Tienes buena memoria?

Actividad. El repaso de Raquel

¡Qué día tuvimos hoy! Primero Ángela y yo llegamos a la Ciudad de México. Estábamos cansadas. Pero también estábamos muy preocupadas. Aunque estábamos cansadas, teníamos que venir a este pueblo. Teníamos que buscar a Roberto, el hermano de Ángela.

Mientras manejábamos, hablamos de Roberto. Ángela me decía que ella y su hermano se llevaban muy bien. Pero también me confesó que le tenía un poco de envidia a Roberto. Ángela le tenía envidia a Roberto porque sentía que él era más inteligente y responsable que ella. Pobre Ángela. Ahora se siente un poco culpable.

Bueno, por fin llegamos al sitio de la excavación. ¿Y qué pasó? El camino estaba bloqueado y no podíamos pasar. Entonces, vinimos aquí, al hospital.

Le preguntamos a la recepcionista si estaba Roberto Castillo, y ella nos dijo que no. Entonces Ángela empezó a mirar la lista de nombres y ¿qué encontró? Encontró el nombre R. Castilla. Por un momento tuvimos esperanzas. Pensamos que era un error, que debía ser R. Castillo. Pronto supimos que no. R. Castilla era Rodrigo Castilla.

¡Qué lástima! La pobre Ángela está desesperada. Y ahora estamos aquí. Quiero hablar con Arturo porque estará esperándonos en el hotel y no sabe nada del accidente. Pero no he podido comunicarme con él.

Now turn off your tape player and return to the Textbook.

Lección 27: Workbook/Study Guide

Gramática
Section 75

Actividad A. ¿Y los otros miembros de la familia Castillo? En el libro de texto, ya hablaste de lo que crees que pasará con don Fernando, Roberto, Raquel y Arturo. Pero en la segunda mitad de *Destinos,* también vas a llegar a conocer mejor a los otros miembros de la familia Castillo, sobre todo a los cuatro hermanos: Mercedes, Ramón, Juan y Carlos. En la cinta, vas a escuchar una serie de afirmaciones sobre los otros miembros de la familia. Indica la consecuencia más lógica para cada una.

1. Pati, la esposa de Juan, volverá a Nueva York por su trabajo.
2. Los hermanos sabrán de unos serios problemas financieros que hay en la oficina de Miami.
3. Gloria, la esposa de Carlos, pasará mucho tiempo fuera de casa y nadie sabrá dónde está.
4. Una persona muy rica en los Estados Unidos hará una oferta para comprar La Gavia.
5. Mercedes les presentará a todos un plan para hacer algo con la hacienda.

Repaso
Actividad A. La investigación de Raquel: Primera parte

¿Dónde comenzó esta historia? ¿Con quién comenzó? Hace tiempo, este señor, Fernando Castillo Saavedra, recibió una carta de una mujer española, Teresa Suárez. En la carta Teresa Suárez le hablaba del pasado, un pasado del que don Fernando quería olvidarse. La familia Castillo contrató a Raquel como investigadora del caso. ¿Quién era esta Sra. Suárez? ¿Sería posible lo que decía ella en la carta?

La investigación de Raquel la llevó primero a España, a la ciudad de Sevilla. Mientras buscaba a Teresa Suárez, Raquel conoció a uno de sus hijos y a su familia. Ellos le dijeron que la Sra. Suárez ya no vivía en Sevilla, que vivía en Madrid, la capital de España. En Madrid, la Sra. Suárez recibió a Raquel en su casa y le contó todo lo que sabía de Rosario.

Con la nueva información sobre Rosario, Raquel se fue a Buenos Aires. Pero Rosario ya no vivía donde Teresa Suárez creía... y la búsqueda de Rosario llevó a Raquel a esta casa. ¿A quién conoció aquí?

Con la ayuda de Arturo, Raquel investigó el paradero de Ángel Castillo, hijo de don Fernando y Rosario. Por la carta que tenía un marinero, Raquel supo que Ángel vivía en Puerto Rico. Ahora Raquel tenía que hacer otro viaje.

Actividad B.   La investigación de Raquel: Segunda parte A continuación hay una descripción de la búsqueda de Raquel en Puerto Rico. Puedes escuchar en la cinta, si quieres. Al leer la descripción, subraya los verbos que están en el pretérito y pon un círculo en los verbos en el imperfecto. Luego piensa en los usos del pretérito y el imperfecto. ¿Entiendes el uso de los dos tiempos en están descripción?

Raquel llegó a San Juan con grandes esperanzas. Le prometió a Arturo que encontraría a Ángel. Y también quería terminar pronto la investigación para don Fernando. Pero cuando llegó a la casa de Ángel, no contestó nadie. Fue en el cementerio del Viejo San Juan donde Raquel conoció a Ángela. Raquel le explicó a Ángela por qué sacaba una foto de la tumba de su padre y por qué estaba en Puerto Rico. En la casa de Ángela, Raquel supo que Ángela tenía un hermano, Roberto.

Entonces, la investigación de Raquel ha revelado que aunque Rosario y su hijo Ángel habían muerto, don Fernando tenía dos nietos que no conocía. Pero Roberto no vive en San Juan. Es estudiante de arqueología y ahora está en México trabajando en una excavación.

Lección 28: Textbook

Preparación

Actividad A. Antes de mirar el **Episodio 28**, trata de recordar lo que pasó en los episodios previos y escucha el resumen del narrador al principio del episodio. Luego indica si los siguientes acontecimientos ocurrieron o no.

En el episodio previo, Raquel y Ángela llegaron a México y alquilaron un carro para ir a buscar a Roberto, el hermano de Ángela. Roberto es estudiante de arqueología y hubo un accidente en la excavación donde él trabajaba.

Mientras Raquel manejaba, Ángela hablaba de su hermano, de lo estudioso que era... y también de su relación con él. Cuando llegaron al sitio de la excavación, no pudieron pasar. El guardia les dijo que podían pedir información en el hospital del pueblo.

Mientras Raquel y Ángela buscaban a Roberto, Arturo llegó al hotel en la Ciudad de México. Allí preguntó por Raquel. Arturo estaba un poco perplejo. ¿Por qué no estaba Raquel en el hotel? Raquel intentó varias veces comunicarse con Arturo por teléfono. Pero no pudo.

Now turn off your tape player and return to the Textbook.

Actividad C.

Paso 1. En este episodio y a lo largo del resto de la serie, vas a ver con frecuencia a los miembros de la familia Castillo Saavedra. Los conociste a todos en los primeros episodios, pero ¿recuerdas ahora quiénes son? Escucha las siguientes descripciones de algunos de ellos e identifícalos.

1. Es uno de los hijos de don Fernando. Ya no vive en La Gavia, ni en México. Vive en los Estados Unidos, en Miami, y trabaja en la compañía Castillo Saavedra. Su esposa se llama Gloria y ellos tienen dos hijos.
2. Es el único hijo de don Fernando que vive en La Gavia. Esta persona llamó a sus hermanos al principio de la historia, cuando su papá quería hablar con toda la familia. Su esposa se llama Carmen y ellos tienen un hija, Maricarmen.
3. Esta persona es la hija de don Fernando y la hermana de Ramón y Carlos. También vive en La Gavia. No parece tener esposo, pero realmente no se sabe mucho de su vida en este momento. Lo que sí es aparente es que sufre mucho por la enfermedad de su padre.
4. Esta persona está casada con Juan, uno de los hijos de don Fernando. Ella y su esposo no viven en México. Los dos viven y trabajan en los Estados Unidos, en Nueva York. Todavía no tienen hijos.

5. Es el hermano de don Fernando. Al principio de la historia, se puso en contacto con Raquel, para que ella hiciera la investigación. El trabajo de Raquel es muy importante para él.

Now turn off your tape player and return to the Textbook.

Actividad D.

Paso 1. Vas a escuchar una conversación entre el médico de don Fernando y sus hijos. Puedes leer el diálogo al mismo tiempo que lo escuchas, si quieres. Después de escuchar, contesta las preguntas del Paso 2.

DOCTOR: Su estado es muy delicado. Es necesario consultar a un especialista.

PEDRO: ¿Y Ud. recomienda a alguien en particular?

DOCTOR: Conozco al mejor especialista en México, pero está de viaje. Está dando una serie de conferencias en Europa. No regresa hasta el fin de mes.

MERCEDES: ¿Y podemos esperar hasta entonces?

DOCTOR: No. Recomiendo que lo examine un especialista lo antes posible.

RAMÓN: ¿Y no hay otro, doctor? ¿Uno que sea de confianza?

DOCTOR: También conozco a otro muy bueno que radica en la ciudad de Guadalajara. Tiene una clínica muy bien equipada en la Universidad de Guadalajara.

MERCEDES: ¿En Guadalajara? ¿Y aceptará venir a México?

DOCTOR: Eso no lo sé.

Now turn off your tape player and return to the Textbook.

Vocabulario del tema

Algunas partes del cuerpo la boca, el brazo, la cabeza, el corazón, la espalda, el estómago, la mano, la nariz, los ojos, la oreja, el pecho, el pelo, el pie, la pierna

Now turn off your tape player and return to the Textbook.

Actividad A. Con el médico Escucha otra vez mientras el médico del pueblo examina en la clínica cerca de la excavación, a un niño. Indica en el dibujo las partes del cuerpo que examine.

DOCTOR: ¿Te han examinado antes?... Bueno, no tengas miedo. No es nada, ¿eh? Primero, los ojos. Ahora la nariz. Ahora las orejas. A ver. Dame la mano. La otra mano. A ver los brazos. Ahora vamos a examinar las piernas. Con las piernas es importante hacer este movimiento, Manolito. Bueno. Ahora voy a escuchar tu corazón. Voy a poner este aparato en tu pecho. Ahora quiero ver tu respiración. Voy a escuchar por tu espalda.

Now turn off your tape player and return to the Textbook.

Actividad B. Jugando con el Sr. Papa Escucha otra vez mientras Pati y Maricarmen hablan del juguete que su prima le ha dado. Completa las oraciones con las partes del cuerpo apropiadas.

PATI: ¿Qué tienes allí, Maricarmen?

MARICARMEN: Es un juguete que Juanita me trajo de los Estados Unidos. Se llama Sr. Papa.

PATI: Ah, sí.

MARICARMEN: Sí. Aquí está todo lo que necesitas, Pati. Dos ojos, una nariz, una boca, dos orejas, un brazo con una mano, otro brazo con otra mano y los pies.

PATI: Oye, Maricarmen, ¿y dónde están las piernas?

MARICARMEN: Pati, el Sr. Papa no necesita piernas, sólo pies.

PATI: ¿Y el resto del cuerpo? ¿No tiene espalda ni pecho?

MARICARMEN: No, Pati.

PATI: Y ¿por qué se llama el Sr. Papa?

MARICARMEN: Porque su cabeza es una papa.

PATI: ¿No tiene pelo?

MARICARMEN: No, Pati. Las papas no tienen pelo.

Now turn off your tape player and return to the Textbook.

Conversaciones: Para saber qué pasó

Actividad. ¿Qué pasa?

Paso 1. Escucha la siguiente conversación entre Pati y Juan. Luego indica la frase que oíste.

PATI: Hola. ¿Qué hay, Juan?
JUAN: Ah, papá sigue igual... y el doctor aún tiene dudas.

Now turn off your tape player and return to the Textbook.

Paso 2. En la conversación anterior, la pregunta de Pati probablemente es un saludo. Pero se puede usar las mismas preguntas, en el pasado, como saludos o para pedir detalles sobre algo que ocurrió. Escucha la siguiente conversación e indica las frases que oíste.

CARLOS: ¿Qué hubo? ¿Qué pasó?
JUAN: Era Ramón. Dice que hay que llamar a un especialista para papá.

Now turn off your tape player and return to the Textbook.

Nota cultural: México, a vista de pájaro

Antes de leer, escucha una vez más lo que dice el narrador sobre México y trata de completar este mapa. En la lectura, hay más detalles para que lo completes.

México es un país de grandes contrastes geográficos y climáticos. Está situado al sur de los Estados Unidos, con el Océano Pacífico al oeste y el Golfo de México al este. En la parte central hay tres cordilleras: la Sierra Madre Occidental, la Sierra Madre Oriental y la más pequeña, la Sierra Madre del Sur. Son montañas altas y rocosas, y en algunas partes hay volcanes activos. Al norte, en la alta meseta de las montañas, se encuentra una gran zona árida. Es el desierto de México. La península de Yucatán está situada al este. Aquí en Yucatán, el terreno es llano, no montañoso, y parte de la península está cubierta de una densa vegetación.

El centro-sur del país es una alta meseta. Y aquí se encuentra México, Distrito Federal y capital del país. Otras ciudades importantes son Veracruz, en la costa del Golfo de México, Monterrey, en el norte del país, y Guadalajara, al oeste de la Ciudad de México.

Pero el centro político y cultural del país es México. México no es solamente la ciudad más grande del país sino también la más grande del mundo.

Now turn off your tape player and return to the Textbook.

Lección 28: Workbook/Study Guide

Más allá del episodio

Actividad B. En la cinta, vas a escuchar una serie de oraciones sobre el Padre Rodrigo. Indica si son Probables o Improbables, según lo que sabes de él. Luego vas a escuchar las respuestas. Trata de captar algunos detalles más de la vida del Padre Rodrigo.

1. El Padre Rodrigo realmente quiere trabajar en la Ciudad de México. Está muy resentido porque tiene que vivir en un pueblo pequeño de Michoacán.
2. En su trabajo, el padre siempre trata a los niños huérfanos con un cariño muy especial.
3. El padre se pone muy triste cuando piensa en sus padres y en lo que era su vida antes de llegar al orfanato.
4. El padre cree que Ángela debe tener más paciencia.

Ahora escucha las respuestas y trata de captar algunos detalles más.

El número uno es improbable. El Padre Rodrigo no quiere trabajar en la capital. Al salir del seminario, quería ir a trabajar al estado donde nació. Lo querían mandar a trabajar a la capital, pero él no quiso ir... y pudo convencer al obispo de que no lo mandaran.

El número dos es probable. El Padre Rodrigo les tiene un cariño muy especial a los huérfanos. Él mismo era un niño huérfano y es natural que se identifique con ellos. Le gusta mucho visitar a los niños de un orfanato que hay en el pueblo donde ocurrió el accidente.

El número tres es probable. El padre se pone triste a veces pero no siempre al pensar en su pasado; esto es normal en las personas que han experimentado la pérdida de sus seres queridos. Además, todavía tiene parientes en el estado de Michoacán: su tía, es decir, la hermana de su madre, y los hijos de ella. Cuando los visita, el padre puede vivir en el momento presente... y olvidarse del pasado.

El número cuatro es probable. Para el Padre Rodrigo, todo depende del plan de Dios. Él acepta toda situación con paciencia... y con una fe absoluta. Ya que ellos no pueden hacer más para sacar a los hombres de la excavación, ¿por qué no tener paciencia y dejarlo todo en manos de Dios? ¿Crees que esta actitud le va a caer bien a Ángela?

Gramática
Section 76

Actividad A.   Otras consecuencias

Paso 1. En la cinta vas a escuchar una serie de oraciones sobre lo que puede pasar en los próximos episodios. Si esto ocurre, ¿cuál es la consecuencia más lógica? Escribe el número de la oración junto a la consecuencia apropiada.

1. Podrán sacar a Roberto y estará bien.
2. Habrá otro derrumbe.
3. El especialista no podrá venir a la Capital para ver a don Fernando.
4. Pedro podrá ponerse en contacto con Arturo.
5. Ángela se pondrá muy nerviosa.

Paso 2. Ahora, cuando escuches las oraciones otra vez, da tu respuesta. Vas a escuchar la respuesta correcta en la cinta.

1. Podrán sacar a Roberto y estará bien.
   e.   Ángela estará muy contenta.
2. Habrá otro derrumbe.
   d.   No podrán rescatar a Roberto tan pronto como quieran.
3. El especialista no podrá venir a la Capital para ver a don Fernando.
   b.   El patriarca tendrá que hacer un viaje.
4. Pedro podrá ponerse en contacto con Arturo.
   c.   Arturo conocerá a los miembros de la familia Castillo.
5. Ángela se pondrá muy nerviosa.
   a.   Ángela no podrá dormir.

Section 77

Actividad A.   ¡Los mejores del mundo! Según opinan muchos hispanos, los argentinos tienen fama de creer que lo mejor de todo se encuentra en la Argentina. Pero los estadounidenses también piensan así a veces de su propio país. Escucha otra vez una conversación entre Raquel y Arturo en la Argentina. Acaban de ver al malabarista en la calle Florida. Luego contesta las preguntas.

RAQUEL: ¡Qué gracioso! Ahora tengo ganas de comer una ensalada de fruta.
ARTURO: ¿Verdad que tenés hambre?
RAQUEL: No, no tengo. Pero las frutas me recuerdan a California. Sobre todo las naranjas. En Estados Unidos California tiene gran fama por sus frutas y sus verduras. ¡En el sur de California puedes encontrar las mejores naranjas del mundo!
ARTURO: ¿Oh, sí? Ya sé. También que en Estados Unidos el río Misisipí, el bulevar Wilshire, el Empire State...

Repaso
Actividad B. El repaso de Raquel

¡Ay, qué buenas noticias! Parece que Roberto está vivo. Pero no estábamos seguros de eso al comienzo.

En el hospital hice una llamada telefónica. Yo quería hablar con Arturo, y también con Pedro. Pero no pude comunicarme con ellos.

Mientras Ángela y yo hablábamos con el Padre Rodrigo, entró un hombre. Este hombre traía noticias muy importantes. El hombre dijo que estaban a punto de rescatar a las personas atrapadas. Bueno. Entonces, Ángela, el Padre Rodrigo y yo vinimos en seguida aquí, al lugar de la excavación, pero esta vez pudimos pasar sin problemas. Menos mal que el Padre Rodrigo estaba con nosotras.

Hace unos minutos vino el Padre Rodrigo con noticias. ¿Qué nos dijo? Sí, Roberto era una de las personas atrapadas. Pero también nos dijo que estaban vivos, que contestaban a los llamados.

LECCIONES 27 Y 28: SELF-TEST

III. La gramática

A. Answer the questions you hear by completing these sentences affirmatively or negatively in the future tense.

1. ¿Se va a poner contenta Ángela al ver a Roberto?
2. ¿Van a poder reunirse Arturo y Raquel?
3. ¿Va a salir Roberto de la excavación?
4. ¿Va a querer don Fernando viajar a Guadalajara?
5. ¿Van a tener problemas Juan y Pati?
6. ¿Vamos a saber qué pasó con Gloria?

LECCIÓN 29: TEXTBOOK

¿Tienes buena memoria?
Actividad A. En la excavación

Pues, el calmante ha hecho su efecto. Ángela está dormida. Pobre. Debe estar cansadísima... y con mucha razón. Han pasado tantas cosas. Cuando volvimos al sitio de la excavación, teníamos muchas esperanzas. Creíamos que sacaban a Roberto del túnel. ¿Y qué pasó? ¿Sacaron a Roberto? No sacaron a Roberto. Sacaron a un hombre y a una mujer.

Poco después, ocurrió algo inesperado. Ninguno de nosotros pensamos que eso ocurriría. ¿Recuerdan qué pasó? Bueno, hubo un segundo derrumbe y se derrumbó todo otra vez.

Pues, esto fue demasiado para Ángela y comenzó a llorar. Y tuvimos que traerla aquí. El doctor le dio un calmante. Poco después entró el padre Rodrigo con noticias.

Y aquí estamos. Ángela está dormida. Yo también tengo ganas de dormir, pero estoy muy preocupada. No he podido comunicarme con la familia de don Fernando. ¿Sabrán ellos que estamos aquí? ¿Y cómo estará don Fernando?

Hmmm. Bueno, ya no puedo hacer nada más que esperar. Estoy muy cansada. ¡Ay! ¡Me olvidé de Arturo! Debe estar preocupadísimo.

Vocabulario del tema

Los exámenes médicos

Las enfermedades la fiebre, la fractura, el resfriado

Los tratamientos la aspirina, la medicina, la pastilla, la receta, el termómetro

Las personas el doctor, la doctora; el médico, la médico; el enfermero, la enfermera; el paciente, la paciente

Verbos y expresiones útiles bajar, curar, examinar, guardar cama, ponerle a alguien una inyección, respirar, sacar la lengua, sacar rayos X, sentirse bien o mal, tomarle a alguien la temperatura

doler: Me duele la garganta.   Le duelen los pies.

tener: Tienes una fiebre alta.   Tienes la lengua blanca.   Tienes el brazo hinchado.

Actividad A.   Carlitos tiene un resfriado Escucha las oraciones de la cinta. ¿A qué foto o dibujo se refiere cada oración?

1. Pobre Carlitos. Está enfermo. Le duele la garganta.
2. Se toma la temperatura y tiene fiebre.
3. Saca la lengua y nota que tiene toda la lengua blanca.
4. Necesita tomar medicina. La medicina ayuda a bajar la fiebre.
5. Carlitos no quiere que venga el doctor a ponerle una inyección.
6. Entonces, Carlitos debe guardar cama y no jugar ni salir ni hacer nada. Pobrecito.

Actividad B. En la cinta, escucha otra vez el examen que les hace el médico a las dos personas rescatadas de la excavación donde está atrapado Roberto. Luego indica la información correcta para cada paciente.

Aquí está el primer paciente.

DOCTOR: A ver, voy a examinarle un poco. ¿Cómo se siente?
PACIENTE: Muy mal, doctor. Me duele mucho la espalda.
DOCTOR: Parece que tiene fiebre también. Voy a tomarle la temperatura. Respire. Respire una vez más. Sí, tiene fiebre, pero no muy alta. Voy a ponerle una inyección.
PACIENTE: ¿Para qué, doctor? ¿Para qué una inyección?
DOCTOR: Para ayudarle a combatir la fiebre.

Aquí está el segundo paciente.

DOCTOR: Voy a tomarle la temperatura. Tiene hinchado el brazo. ¿Le duele?
PACIENTE: Sí, doctor. Me duele mucho. Y también la pierna. Me duele muchísimo.
DOCTOR: Me parece que tiene varias fracturas. En México le sacarán unos rayos X. Su amigo tenía un poco de fiebre.... Nada de fiebre. Tiene suerte. A ver la respiración. Respire. Respire más fuerte, por favor. Bien. En México se ocuparán del brazo y de la pierna.
PACIENTE: Gracias, doctor.

Conversaciones: Cómo decir que otra persona tiene razón

Actividad.   Sí, eso es

Paso 1. Escucha la siguiente conversación entre Mercedes, Pedro y Pati. Luego indica las frases que escuchaste.

MERCEDES: Me pregunto cuándo llegará Raquel Rodríguez. ¿No debería haber llegado ya?
PEDRO: Seguramente nos llamará cuando llegue. Ah... quien sí llegó es el doctor Iglesias, el doctor Arturo Iglesias, de Buenos Aires.
MERCEDES: ¿Y hablaste con él?
PEDRO: Todavía no. Me dejó un mensaje, pero cuando lo recibí ya era muy tarde para llamarlo.
PATI: Arturo es el otro hijo de Rosario, la primera esposa de don Fernando, ¿no?
PEDRO: Sí, exacto.
PATI: ¿Viene a México para conocer a don Fernando?
MERCEDES: ¡Por supuesto! Va a ser una gran alegría para papá.

Paso 2. Ahora escucha dos conversaciones más y trata de escribir las frases con que se expresa que la otra persona tiene razón.

Aquí esta la primera conversación.

MERCEDES: Antes que nos vayamos, quiero hablar con Carlos. ¿Está acostando a los niños?
PATI: Sí, creo que sí.
CONSUELO: ¿Ha regresado Gloria?
PATI: Todavía no.

Aquí está la segunda conversación.

PADRE: Ángela, lo que temíamos es cierto. Tu hermano Roberto es una de las personas atrapadas... pero hay esperanzas. Contestan los llamados con golpes en las piedras.
ÁNGELA: Entonces, ¡están vivos!
PADRE: Sí, seguro.
RAQUEL: ¿Podemos hacer algo?
PADRE: No. Lo único que podemos hacer es esperar con fe.

*The following **paso** is not available in the Alternate Edition.*

Paso 3. En la cinta, vas a escuchar tres preguntas de un amigo. Contéstalas afirmativamente con una de estas frases.

¡Por supuesto! ¡Claro! ¡Absolutamente! Sí, exacto.

1. No tengo coche hoy. ¿Me puedes venir a buscar al centro esta tarde?
2. La capital de España es Madrid, ¿verdad?
3. ¿Te gustaría pasar las vacaciones en Puerto Rico?

Nota cultural: La Virgen de Guadalupe
Antes de leer, escucha una vez más lo que el narrador dice sobre la Virgen de Guadalupe. Hay más información sobre la Virgen en la lectura.

La Virgen de Guadalupe es el símbolo más importante de la religiosidad del pueblo mexicano. Es la santa patrona del país. El día 12 de diciembre es el día de la Virgen y hay grandes celebraciones en su honor. Los mexicanos devotos caminan... rezan... y le piden a la Virgen que los ayude y los proteja.

Lección 29: Workbook/Study Guide

Más allá del episodio
Actividad B. En la cinta vas a escuchar una serie de oraciones sobre Gloria. Indica si es probable o improbable que Mercedes esté de acuerdo, según lo que sabes de ella. Luego vas a escuchar las respuestas. Trata de captar algunos detalles más sobre las relaciones entre estas dos mujeres.

1. Gloria es una madre modelo, a pesar de todo.
2. Gloria nunca está donde debe estar.
3. La situación de don Fernando es lo más importante, claro, pero Gloria le preocupa mucho a Mercedes.
4. La situación va de mal en peor. Mercedes cree que es mejor que Gloria y Carlos se separen o que se divorcien.

Ahora escucha las respuestas y trata de captar algunos detalles más.

Es improbable que Mercedes esté de acuerdo con la primera oración. Critica mucho la manera en que Gloria cumple—o, mejor dicho, no cumple—su papel de madre. Mercedes tiene opiniones liberales y modernas sobre muchas cosas, pero, cree que, si una mujer es madre, debe dedicarse completamente a sus hijos y a su familia. Las ausencias de Gloria son para Mercedes inexplicables desde ese punto de vista.

Es probable que Mercedes esté de acuerdo con la segunda oración. Siempre nota las ausencias de Gloria y lo comenta con los otros miembros de la familia... y con Gloria, cuando ésta regresa. Generalmente Gloria no reacciona ante las críticas e indirectas de su cuñada, pero las oye y le molestan.

Es probable que Mercedes esté de acuerdo con la tercera oración. Está muy preocupada por su padre. Considera que su salud es, de momento, su mayor preocupación y que debe ser la primera preocupación de todos los miembros de la familia. Por eso le molestan mucho a Mercedes las ausencias de Gloria; cree que no está tratando de ayudar a los demás en esta crisis familiar. Pero al mismo tiempo Mercedes es una mujer comprensiva, que siente compasión por los otros. Critica a Gloria, eso sí, pero también se preocupa por ella.

Es improbable que Mercedes esté de acuerdo con la cuarta oración. Para ella, la unidad familiar es lo más importante. Es cierto que critica a Gloria, pero en el fondo lo que quiere es que Gloria llegue a ser, a sus ojos, una buena madre... una buena esposa. En general, las personas de la generación de Mercedes no ven el divorcio como una solución adecuada para los problemas matrimoniales.

Gramática
Section 79

Actividad A.   Les pido a las estrellas...

Paso 1. Escucha otra vez la conversación que Raquel y Arturo tuvieron en el **Episodio 17**. Al mismo tiempo, si quieres, la puedes leer.

ARTURO: ¿Alguna vez le pediste un deseo a una estrella?
RAQUEL: Sí, cuando era una niña pequeña en California.
ARTURO: Bien. Pedí vos primero.
RAQUEL: ¿Yo?
ARTURO: Por supuesto.
RAQUEL: Les pido a las primeras cien estrellas que veo esta noche que podamos encontrar a Ángel en Puerto Rico... que esté bien y que por fin esta familia pueda reunirse definitivamente.
ARTURO: Yo también les pido lo mismo. Que podamos encontrar a mi hermano y que él pueda conocer a su padre, don Fernando. Y que esta persona, esta mujer, sea parte importante de mi vida... y que yo sea parte importante de su vida también.

Repaso
Actividad.   En el episodio previo...

Paso 1. En el episodio previo, el doctor que atiende a Fernando Castillo completa su examen. Pensando en la recomendación del doctor, Mercedes y Pedro hablaron con la familia sobre las varias dificultades que enfrentan. Y nadie de la familia Castillo sabía del accidente que ocurrió en una excavación en un pequeño pueblo a unas horas de distancia de la ciudad. No saben que Raquel y Ángela esperaban con ansiedad saber algo de Roberto, el hermano de Ángela.

¿Y Arturo? ¿Qué pasó con Arturo, quien debía reunirse con Raquel y Ángela en el Gran Hotel de la Ciudad de México?

LECCIÓN 29: SELF-TEST

II. El vocabulario

You will hear some of a doctor's first impressions as he examines different patients. Match them with his probable plan. First, take a few seconds to scan the answers.

1. Parece que tiene fiebre.
2. Creo que tiene una fractura.
3. Creo que tiene un resfriado.

4. Parece que está muy nervioso.
5. Quiere unas pastillas para la garganta.
6. Dice que le duele la cabeza.

LECCIÓN 30: TEXTBOOK

Preparación

Actividad A.

En el episodio previo, cuando Raquel y Ángela llegaron al sitio de la excavación, ya sacaban a dos personas. Pero ninguna de las dos era el hermano de Ángela. Justo en ese momento, hubo otro derrumbe en la excavación. Roberto Castillo quedó atrapado de nuevo y no se sabía nada de él. Ángela estaba desesperada.

Al día siguiente, en la Ciudad de México, la familia Castillo desayunaba y hablaba de varios asuntos. Mientras la familia desayunaba, Carlos hablaba con su hijo, quien estaba enfermo la noche anterior.

Muy preocupado porque no tenía noticias de Raquel, Arturo bajó a la recepción del hotel y preguntó por ella. Solo y sin amigos en esta gran ciudad, Arturo salió a la calle.

Actividad B.

Paso 1. En este episodio, vas a ver otra vez a un personaje que apareció mucho antes, en uno de los primeros episodios de *Destinos*. Es Ofelia, la secretaria de Carlos en Miami.

Como muchas personas que viven en la Florida, Ofelia es cubana. Su dialecto del español y acento son diferentes de los de los otros personajes de la serie. Escucha parte de una conversación telefónica entre Carlos y Ofelia para familiarizarte con el acento de ella. Puedes escuchar la conversación varias veces, si quieres. Luego contesta la pregunta.

OFELIA: Industrias Castillo Saavedra.
CARLOS: Hola, Ofelia. Sí, aquí Carlos.
OFELIA: Ay, ¿qué tal, Sr. Castillo? ¿Cómo está? Lo echamos mucho de menos por aquí...
CARLOS: ¿Y cómo están los demás?
OFELIA: Todos bien por aquí, todos bien. Mire, por cierto, hoy fuimos a comer a un restaurantito que está por aquí cerca. Es nuevo.
CARLOS: ¿Ah sí? ¿cubano?
OFELIA: Cuando venga, tiene que ir para allá. Fuimos con una amiga a almorzar.

Paso 2. En este episodio, el Padre Rodrigo sigue muy preocupado por el bienestar de Ángela y Raquel. Les hace una sugerencia sobre algo que cree que ellas deben hacer. Escucha su conversación con ellas. Luego completa la oración.

ÁNGELA: ¿Podemos ir a la excavación?
RODRIGO: Mira, no vale la pena. ¿Por qué no se quedan aquí en el pueblo? Necesitan descansar.
RAQUEL: Tiene razón. ¿Hay un hotel?
RODRIGO: No. Pero se pueden quedar con la hermana María Teresa. Ella es muy buena y les puede dar donde bañarse y descansar.

¿Tienes buena memoria?

Actividad B.

Bueno. En unos minutos vamos a volver al lugar de la excavación. ¿Recuerdan cómo comenzó el día? Esta mañana Ángela y yo estábamos en la excavación. ¿Y qué hacía Ángela? ¿Esperaba noticias o dormía? Ángela dormía. Dormía porque anoche el doctor le dio un calmante.

Pronto Ángela se despertó. Me preguntó si yo sabía algo nuevo sobre Roberto. Pero no había noticias. Entonces Ángela pensó en algo muy importante. ¿Recuerdan? Ángela pensó en que si Roberto tenía suficiente aire.

Más tarde, intenté comunicarme con Pedro. ¿Y qué? ¿Lo conseguí o no? No lo conseguí porque como siempre la línea estaba ocupada.

En el momento en que Raquel llamó a Pedro, la línea sí estaba ocupada. Pati hablaba con alguien en Nueva York, y era una conversación importante.

Pero por lo menos Ángela pudo comunicarse con su tío en Puerto Rico. Y yo hablé con alguien del hotel. ¿Para qué hablé al hotel? ¿Para cancelar mi reservación? No, no quería cancelar mi reservación. Quería hablar con Arturo, pero no pude. Él no estaba en su habitación. Por fin le dejé un mensaje. Ojalá lo reciba.

Raquel no lo sabe, pero Arturo sí recibió su mensaje. Y ahora está muy preocupado.

Después de mis líos con el teléfono, Ángela y yo vinimos aquí. Y gracias a la hermana María Teresa pudimos descansar y bañarnos. Y así ha pasado otro día en México.

Vocabulario del tema

En una ciudad las afueras, el barrio, la zona, el centro, la colonia
el ayuntamiento, el cine, el edificio, la iglesia, la plaza
el almacén, la farmacia, el hotel, el mercado, el negocio, la oficina, el supermercado, la tienda, la tienda de ropa para hombres, la tienda de ropa para mujeres
la escuela, el jardín botánico, el jardín zoológico, el parque, el rascacielos, el teatro
el banco, el centro comercial, el restaurante

Actividad A.   El Distrito Federal

Paso 1. Escucha otra vez la descripción de la Ciudad de México. Mientras escuchas, indica en este dibujo con la letra **C** los diferentes lugares de la ciudad mencionados por el narrador.

Éste es un plano de la Ciudad de México o, como la llaman los mexicanos, México o el D.F. Como todas las ciudades grandes, la Ciudad de México consiste en tres partes principales: el centro, numerosos barrios y zonas, y las afueras.

En el centro, hay grandes edificios altos. En ellos se encuentran oficinas, hoteles grandes y otros negocios. En los barrios, se pueden encontrar varios negocios como mercados, supermercados, farmacias, tiendas pequeñas y grandes almacenes.

Paso 2. Ahora escucha otra vez la descripción de un pueblo típico. Mientras escuchas, indica en el mismo dibujo con la letra **P** los lugares de la capital que también se encuentran en los pueblos o que solamente se encuentran en ellos. Con la letra **N** indica los lugares que no se encuentran en los pueblos.

Los pueblos son diferentes de las grandes ciudades. Aunque cada pueblo tiene un centro, no hay edificios muy altos. Generalmente, el centro consiste en una plaza... y muchas veces en la plaza está el ayuntamiento, que es la sede del gobierno municipal. También hay una iglesia. Como en la gran ciudad, en los pueblos también hay negocios típicos: farmacias, tiendas y mercados. Pero a diferencia de las grandes ciudades, en los pueblos pequeños generalmente no hay supermercados y grandes almacenes.

Actividad B.   Lugares muy conocidos Vas a escuchar una descripción breve de una serie de lugares. Pon el número del lugar junto al nombre apropiado de la siguiente lista.

MODELO: (*oyes*) Número uno: Un parque es un sitio donde hay mucho espacio, muchos árboles, muchas flores...
(*escribes*) ___1___ el Rosedal
(*dices*) El Rosedal es un parque.
(*oyes*) El Rosedal es un parque.

Número uno: Un edificio muy alto tiene muchos pisos. Puede tener muchas oficinas o tiendas.
  La Torre Trump es un edificio muy alto.
Número dos: En un restaurante, la gente desayuna, almuerza o cena. Raquel y Arturo comieron en este restaurante.
  La Barca es un restaurante.

Número tres: En un almacén grande, los precios pueden ser muy altos.
    Macy's es un almacén grande.
Número cuatro: En un zoológico, hay muchos animales, de diferentes partes del mundo.
    The San Diego Zoo es un zoológico.
Número cinco: En las ciudades grandes, hay muchos barrios o zonas. A veces diferentes grupos
    étnicos viven en ellos.
Greenwich Village es un barrio o zona.
Número seis: En los Estados Unidos, mucha gente compra la comida solamente en los
    supermercados.
A & P es un supermercado.
Número siete: En un parque público, hay mucho espacio y a veces varias diversiones, como los
    botes de remo... diferentes clases de juegos... Raquel y Arturo anduvieron en mateo en este
    parque.
El Rosedal es un parque público.
Número ocho: Hay muchas tiendas que venden cosas diferentes en un centro comercial.
    Raquel visitó este centro en la Argentina.
    La Cuadra es un centro comercial.
Número nueve: Se presentan espectáculos en un teatro. Este teatro de Nueva York es muy
    famoso.
Radio City Music Hall es un teatro.

Conversaciones: Entre clientes y dependientes

Actividad.   En una agencia

Paso 1. Escucha otra vez el diálogo entre Arturo y el empleado. Luego complétalo con las frases que escuchaste. Estas frases necesarias son nuevas para ti; las otras ya te son conocidas.

A sus órdenes. Mande Ud.

ARTURO: Por favor, señor.
EMPLEADO: Mande Ud., señor.
ARTURO: Es la primera vez que vengo a esta ciudad y no conozco nada. Quiero ir a varios
    lugares. Mire. Quiero ir a una farmacia, a una tienda para hombres, a un almacén, a
    un mercado o un supermercado.
EMPLEADO: Muy bien, señor. Podrá encontrar todo eso aquí en esta colonia. Estamos aquí. En esta
    calle, hay una tienda de ropa para hombres muy buena. Y en esta calle hay un almacén
    donde se vende de todo. Hay un mercado pequeño aquí, también hay un
    supermercado. A ver... sí, aquí. Si sale y va a la izquierda, en la esquina hay una
    farmacia.
ARTURO: Muchas gracias.
EMPLEADO: A sus órdenes.

Lección 30: Workbook/Study Guide

Más allá del episodio

Actividad B. En la cinta vas a escuchar una serie de oraciones sobre Ofelia. Indica si son ciertas o falsas, según lo que sabes de ella. Luego vas a escuchar las respuestas. Trata de captar algunos detalles más sobre su vida y sobre la comunidad cubanoamericana en la Florida.

1. Le ha ido muy bien a Ofelia desde que llegó a la Florida.
2. Ofelia se fue de Cuba por razones económicas, es decir, para encontrar un trabajo mejor que el que tenía en Cuba.
3. El mayor obstáculo que Ofelia tuvo que superar en los Estados Unidos era aprender inglés.
4. Como toda la familia de Ofelia está con ella en la Florida, ya no piensa mucho en su país natal.

Ahora escucha las respuestas y trata de captar algunos detalles más.

1. Le ha ido muy bien a Ofelia desde que llegó a la Florida. Esta oración es falsa. Al principio tuvo problemas económicos y tardó unos años en establecerse. Lo pasó muy mal, especialmente al principio. Pero ahora está muy bien económica y personalmente.
2. Ofelia se fue de Cuba por razones económicas, es decir, para encontrar un trabajo mejor que el que tenía en Cuba. Esta oración es falsa. Ofelia se fue por razones políticas. Además, muchos de sus parientes también emigraron a los Estados Unidos por las mismas razones. Como muchos otros cubanos, a veces no llegaron directamente a los Estados Unidos sino que tuvieron que pasar primero por otro país, como España, por ejemplo, antes de llegar a la Florida.
3. El mayor obstáculo que Ofelia tuvo que superar en los Estados Unidos era aprender inglés. Esta oración es cierta. Pero ahora, como muchos cubanoamericanos, Ofelia habla y escribe muy bien el inglés y, claro, también habla y escribe bien el español. Como muchos hispanos que viven en los Estados Unidos, Ofelia es bilingüe y bicultural.
4. Como toda la familia de Ofelia está con ella en la Florida, ya no piensa mucho en su país natal. Esta oración es falsa. Ofelia está muy contenta de vivir en los Estados Unidos: contenta con su puesto, con su vida familiar, con su vida social. Sí le molesta mucho so saber nada de su esposo, pero en el fondo sabe que eso es un asunto que ella no puede resolver. El regresar a Cuba a vivir no solucionaría nada para Ofelia.

Gramática
Section 80

Actividad A.   Preocupaciones

Paso 2. Ahora escucha la cinta para verificar tus respuestas. Escucharás la primera parte de cada oración. Di tu respuesta y compárala con la respuesta de la cinta.

1. A Pati le preocupa que...
   A Pati le preocupa que haya problemas con la producción de su obra en Nueva York.
2. A Mercedes le preocupa que...
   A Mercedes le preocupa que su padre tenga que ver a un especialista.
3. Todos los miembros de la familia Castillo esperan que...
   Todos los miembros de la familia Castillo esperan que don Fernando se reponga pronto.
4. Carlos teme que...
   Carlos teme que haya problemas en su oficina en Miami.
5. Carlitos tiene miedo de que...
   Carlitos tiene miedo de que el doctor le ponga una inyección.
6. Ofelia siente que...
   Ofelia siente que Carlos esté preocupado.
7. Raquel siente que...
   Raquel siente que no pueda comunicarse con nadie.
8. Ángela tiene miedo de que...
   Ángela tiene miedo de que Roberto no tenga suficiente aire.
9. A Gloria le molesta que...
   A Gloria le molesta que Mercedes no la quiera mucho.

Repaso
Actividad.

El día empezó muy temprano en el pueblo, donde Ángela y Raquel se encontraban en una tienda en el sitio de la excavación. Anoche el doctor le dio a Ángela un calmante y por eso durmió muy bien. Cuando se despertó, estaba muy descansada. Ángela le preguntó a Raquel si había noticias de Roberto, pero no había nada nuevo. Mientras tanto, en la capital, Arturo salió a la calle porque tenía que hacer algunas compras.

Más tarde, Ángela y Raquel fueron al sitio donde los obreros estaban poniendo unos tubos para llevarles aire fresco a las personas atrapadas. Luego las dos mujeres fueron a una tienda pequeña del pueblo porque tenían que hacer unas llamadas telefónicas. Raquel no pudo comunicarse con nadie en casa de Pedro porque Pati estaba hablando por teléfono con su asistente en Nueva York. Raquel sí pudo hablar con el hotel en la capital, pero Arturo no estaba en su habitación. En casa de Pedro, Carlos llamó a su oficina en Miami porque quería saber cómo iban las cosas allí.

Por recomendación del Padre Rodrigo, Ángela y Raquel visitaron la hermana María Teresa, porque querían descansar y bañarse. Al final del episodio, un obrero descubrió a un hombre atrapado que parecía estar muerto.

LECCIÓN 30: SELF-TEST

III. La gramática

You will hear descriptions of situations from **Episodio 30**. Write a comment using the expressions provided.

1. Hay un lugar donde pueden descansar Raquel y Ángela.
2. Arturo va a visitar varias tiendas.
3. Roberto está bien según las personas rescatadas.
4. Raquel le deja un mensaje con el recepcionista.
5. Nadie sabe qué pasa con Roberto.

LECCIÓN 31: TEXTBOOK

Preparación
Actividad A.

En el episodio previo, Raquel intentó comunicarse con Pedro y con Arturo, porque ninguno de los dos sabía lo del accidente en la excavación. Por fin, le dejó un mensaje a Arturo. Por recomendación del Padre Rodrigo, Raquel y Ángela fueron a la iglesia y allí la hermana María Teresa les dio un lugar donde descansar y refrescarse. En la casa de Pedro, la familia Castillo también tenía sus preocupaciones. Pati supo que había problemas en el teatro en Nueva York. Y Carlos también supo lo que pasa en su oficina en Miami.

Actividad B.

Paso 1. Escucha parte de una conversación entre Juan y Pati. Es una discusión sobre algo. Después de escuchar, contesta la pregunta.

PATI: Ay, Juan, ¿cuántas veces tengo que decírtelo? Yo tengo una vida profesional, con compromisos... Hay cosas que requieren mi atención.

JUAN: Sí, sí. Ya me lo has dicho mil veces.

PATI: Sí, sí, pero parece que no lo comprendes.

JUAN: Lo que no comprendo es que tu vida profesional sea más importante que yo...

PATI: Mira, Juan. Voy a tratar de explicártelo una vez más. No es que mi vida profesional sea más importante que tú... pero la obra me necesita a mí en este momento. Yo soy la autora, soy la directora. Hay problemas y sólo puedo resolverlos yo.

JUAN: ¿Pero por qué tienes que ir a Nueva York? ¿No lo puedes hacer desde aquí, por teléfono?

PATI: ¡Juan! ¡Estamos hablando de una obra de teatro! Lo que tú dices es como... como... pedirle a un doctor que cure a un enfermo por teléfono.

Paso 3. Ahora escucha toda la conversación de nuevo. Puedes leer las últimas líneas al mismo tiempo, si quieres. Luego contesta las preguntas.

PATI: Ay, Juan, ¿cuántas veces tengo que decírtelo? Yo tengo una vida profesional, con compromisos... Hay cosas que requieren mi atención.

JUAN: Sí, sí. Ya me lo has dicho mil veces.

PATI: Sí, sí, pero parece que no lo comprendes.

JUAN: Lo que no comprendo es que tu vida profesional sea más importante que yo...

PATI: Mira, Juan. Voy a tratar de explicártelo una vez más. No es que mi vida profesional sea más importante que tú... pero la obra me necesita a mí en este momento. Yo soy la autora, soy la directora. Hay problemas y sólo puedo resolverlos yo.

JUAN: ¿Pero por qué tienes que ir a Nueva York? ¿No lo puedes hacer desde aquí, por teléfono?

PATI: ¡Juan! ¡Estamos hablando de una obra de teatro! Lo que tú dices es como... como... pedirle a un doctor que cure a un enfermo por teléfono.

¿Tienes buena memoria?

Actividad A.   En la excavación

Bueno, aquí estamos otra vez en el sitio de la excavación. Todavía no sabemos nada de Roberto. Realmente me preocupa Ángela. Cuando salimos de la iglesia para venir aquí, ¿qué dijo ella? Ángela dijo que se sentía muy bien, muy refrescada. Claro, el baño la ayudó mucho.

¿Y qué actitud tenía ella, una actitud optimista o una actitud pesimista? Ángela tenía una actitud optimista. Estaba segura de que íbamos a tener buenas noticias de Roberto.

Actividad B.   En la capital

¿Sabe Pedro del accidente en la excavación? ¿Sabe que Raquel y Ángela están en México? ¿Y sabe que Roberto está atrapado en la excavación? Sí, Pedro sabe del accidente. Arturo se lo contó todo, por teléfono.

¿Qué más ha ocurrido en la familia Castillo que Raquel y Ángela no saben? ¿Qué pasó entre Juan y Pati? Juan y Pati se pelearon. ¿Y con quiénes hablaron Ramón y Pedro? ¿Hablaron con unos médicos? ¿O hablaron con unos auditores? Ramón y Pedro hablaron con unos auditores. Tienen problemas en la oficina en Miami, y con las finanzas en general. ¿Y qué les recomendaron los auditores, medidas mínimas o medidas drásticas? Los auditores recomendaron medidas drásticas.

Y ahora, es Raquel quien no sabe ciertas cosas muy importantes.

Vocabulario del tema

Las tiendas y los comercios la carnicería, la confitería, la farmacia, la panadería, la pastelería, la pescadería, la zapatería

la barbería, la droguería, la ferretería, la frutería, la joyería, la lavandería, la librería, la papelería, la peluquería, la pollería, la taquería, la tortillería

Actividad A.   De compras con Lupe Escucha otra vez mientras el narrador describe un día de compras con Lupe. Escribe los nombres de las tiendas que visita con los dibujos apropiados.

Entonces, Lupe va de compras. Primero va a la carnicería. También va a la pescadería. También va a la panadería, a la tortillería, a la confitería y finalmente para en la zapatería.

Ahora escucha otra vez la lección de ortográfica que Carlos le da a Juanita y trata de corregir lo que tú escribiste. Carlos y Juanita van a hablar de dos tiendas cuyos nombres no escribiste en la primera parte de esta actividad. Escribe esos nombres cuando los oigas.

CARLOS: ¿Cómo se deletrea **pescadería**?

JUANITA: **P-e-s-c-a-d-e-r-í-a.**

CARLOS: Muy bien. Ahora, ¿cómo se deletrea **carnicería**?

JUANITA: **C-a-r-n-e-c-e-r-í-a.**

CARLOS: No, no. No es **carnecería**. Es **carnicería: c-a-r-n-i-c-e-r-í-a.** Está bien. Intentemos el próximo. **Zapatería.**

JUANITA: **S-a-p-a-t-e-r-í-a.**

CARLOS: Ay, no, mi hijita. Empieza con **z**, no con **s**: **z-a-p-a-t-e-r-í-a.** Veamos, el próximo. **Pastelería.**

JUANITA: **P-a-s-t-e-l-e-r-í-a.**

CARLOS: ¿Ves? Perfecto. Otro. **Confitería.**

JUANITA: **C-o-n-f-i-t-e-r-í-a.**

CARLOS: Muy bien. Ahora, **panadería.**

JUANITA: **P-a-n-a-d-e-r-í-a.**

CARLOS: ¡Qué bien! Falta uno más. **Farmacia.**

JUANITA: **F-a-r-m-a-s-í-a.**

CARLOS: Ah, no se escribe con **s** sino con **c.** Y la **i** no lleva allí el acento: **f-a-r-m-a-c-i-a.** Debes practicar un poco más.

Actividad B. ¿Adónde irás? En la cinta vas a oír los nombres de una serie de productos. Indica a qué tienda irás para comprarlas.

MODELO: (*oyes*) las bananas
(*dices*) Iré a una frutería.
(*oyes*) Debes ir a una frutería.

1. el salmón   Debes ir a una pescadería.
2. las aspirinas   Debes ir a una farmacia... o a una droguería.
3. unas chuletas de cerdo   Debes ir a una carnicería.
4. un diccionario   Debes ir a una librería.
5. un par de zapatos para correr   Debes ir a una zapatería.
6. unos tacos para el almuerzo de hoy   Debes ir a una taquería.
7. pan para la cena   Debes ir a una panadería.
8. un pollo fresco   Debes ir a una pollería.
9. un pastel de cerezas   Debes ir a una pastelería.
10. un kilo de naranjas   Debes ir a una frutería.
11. unos caramelos   Debes ir a una confitería.
12. tortillas de maíz, también para la cena   Debes ir a una tortillería.

Lección 31: Workbook/Study Guide

Más allá del episodio
Actividad A.   Lupe

Lupe es uno de los empleados más fieles que tiene la familia Castillo. Nació en una familia de campesinos, de origen indígena y muy pobre. Su padre dejó a la familia, siendo ella muy joven y, por la pobreza de la familia, no pudo asistir a la escuela. Como consecuencia, ahora apenas sabe leer y escribir. Pero como mucha gente del campo, Lupe tiene mucho sentido común y una manera muy realista de ver el mundo.

Estrella, la madre de Lupe, trabajó para los Castillo durante varios años. Cuando llegó a la casa de los Castillo, había dejado en el campo a sus otros hijos. Vino acompañada solamente de Lupe, su hija. Lupe solía venir a ayudar a su madre en la hacienda de vez en cuando.

Cuando Estrella murió, Lupe tenía quince años y de repente se encontró muy sola, desamparada. No quería volver a su pueblo natal. El ama de casa de don Fernando le ofreció la oportunidad de reemplazar a su madre, Estrella, en la casa. Desde aquel entonces, Lupe le quedó muy agradecida.

Lupe les dedicaba mucho tiempo a los hijos de don Fernando. En aquella época don Fernando y su segunda esposa Carmen llevaban una vida social muy activa. Lupe se ocupaba de los niños con mucho cariño. Su preferido era Juan, el menor. Se puede decir que fue y—hasta cierto punto—sigue siendo como una segunda madre para él.

Años más tarde, después de la muerte de doña Carmen, todos los miembros de la familia empezaron a hablar con Lupe de los problemas de su vida. Le pedían consejo cuando no sabían qué hacer; a veces sencillamente querían oír su opinión.

Actividad B.

El número uno es falso. Fue la madre de Lupe quien trabajó en La Gavia. Su padre nunca tuvo trabajo permanente en ningún sitio.

El número dos es falso. Lupe no asistió nunca a la escuela. Realmente no tiene ninguna formación profesional, y no sabe leer ni escribir muy bien. Lo poco que sabe lo aprendió cuando los hijos de don Fernando eran pequeños, mientas los acompañaba cuando estudiaban.

El número tres es cierto. Lupe no quería regresar al pueblo al morir su madre, y efectivamente la reemplazó en la hacienda. Aun ahora, sigue haciendo el mismo su trabajo que hacía su madre.

El número cuatro es cierto. Todos la quieren mucho y les gusta tratar con ella. Y ahora goza sobre todo de unas relaciones muy cariñosas con los nietos de don Fernando, sobre todo con Maricarmen, que pasa mucho tiempo en la hacienda.

El número cinco es falso. Si alguien le hace una pregunta, Lupe contesta lo que realmente piensa. Tiene una manera muy buena de decirle a la gente lo que piensa o de dar consejos sin ofender.

Ahora escucha las oraciones completas.

6. El niño favorito de Lupe es Juan, el menor.
7. Entre los miembros de la familia Castillo, a quien Lupe le tiene más respeto es a don Fernando.
8. Lupe les da consejos a todos.

Gramática
Section 82

Actividad A.   ¿Qué pasará?   Escucha las siguientes oraciones en la cinta. Luego indica si son probables o improbables.

1. Cuando Ángela por fin conozca a don Fernando, éste le pedirá pruebas de su identidad.
2. En cuanto Arturo sepa del accidente, irá en seguida al pueblo.
3. Don Fernando se morirá antes de que Raquel le pueda contar la historia de su investigación.
4. Juan no volverá a Nueva York hasta que don Fernando regrese a La Gavia.
5. Carlos no le va a contar a su familia las malas noticias de la oficina en Miami hasta que sea necesario.
6. Después de que saquen a Roberto de la excavación—¡si es que lo sacan!—, Ángela se peleará con él.

Repaso
Actividad A.   La presencia mexicana

Por razones históricas, la presencia mexicana es fuerte en el suroeste de los Estados Unidos. California, Arizona, Nuevo México, Texas y otros estados fueron parte del territorio español por muchos años. Cuando México ganó su independencia de España en 1821, ya este territorio formaba parte de México. Cuando este territorio pasó a manos norteamericanas, muchos mexicanos continuaron viviendo allí.

También había inmigración de mexicanos a los Estados Unidos. Durante la Revolución Mexicana de 1910, muchos mexicanos dejaron su país y se establecieron en los Estados Unidos. Los abuelos de Raquel, por ejemplo, llegaron a California en 1912.

Lección 31: Self-Test

II. El vocabulario

A. Answer the questions you hear by completing the corresponding sentences with the appropriate word from this list. Take a few seconds to scan the list.

1. Quiero comprar una novela para leer esta noche.
2. Quiero un bistec para la cena.
3. Tengo el pelo muy largo.
4. Necesito comprar atún para mañana.
5. Me gustan los limones y las toronjas.
6. Tengo una receta para una medicina para el ojo.

Lección 32: Textbook

¿Tienes buena memoria?
Actividad A. ¿Qué pasó?

Paso 2. Ahora, escucha otra vez el repaso que hacen Raquel y el narrador del fin de este episodio y corrige tus respuestas.

¡Qué emoción!, ¿no? Están a punto de sacar a Roberto del túnel. ¿Recuerdan lo que hacía Roberto en el momento del accidente? Exploraba una tumba, una tumba indígena.

En el centro de México, existían varias culturas indígenas. ¿Cuál es la más conocida? ¿La civilización azteca o la maya? Bueno, de todas las civilizaciones del centro de México, la azteca es la más conocida. Pero, según las leyendas, los aztecas no eran originarios del centro de México. ¿De dónde vinieron entonces? ¿Del norte, del sur, del este o del oeste? Según las leyendas, los aztecas eran originarios del norte, de un lugar llamado Aztlán.

Los aztecas se establecieron en el lago de Texcoco y fundaron la ciudad de Tenochtitlán. ¿Saben Uds. cómo eran estos indígenas? ¿Eran pacíficos? ¿O eran guerreros? Los aztecas eran guerreros y lograron conquistar todo el centro de México.

Bueno, no sé si la tumba que excavaba Roberto era de los aztecas... o si era de una de las tribus que los aztecas conquistaron. Bueno, pero lo más importante en este momento es que saquen a Roberto de allí.

Mientras Raquel y Ángela han estado esperando noticias de Roberto, ¿qué ha pasado en la familia Castillo? ¿Saben del accidente o no? Sí, saben algo porque Pedro se lo dijo a Mercedes y Ramón en el hospital. ¿Y le dijeron algo a don Fernando o no le dijeron nada del accidente? A don Fernando no le dijeron nada acerca del accidente en la excavación. Mercedes no quería preocuparle.

¿Y se comunicó Arturo con Pedro o no? Sí, y Pedro fue a visitarlo en su hotel. Allí Arturo le contó todo lo de la búsqueda de Ángel en Buenos Aires. Pero Arturo no es la única persona que tuvo una visita hoy. ¿Quién más tuvo una visita? También tuvo una visita la mamá de Raquel. ¿Quién la visitó? Luis, el antiguo novio de Raquel, visitó a la mamá de Raquel. Y hablaron de ir a México, para ver a Raquel.

Vocabulario del tema

El mundo y su forma el continente, el mundo, la tierra
   el árbol, el arbusto, el bosque, la flor, la hierba
   el campo, el cañón, el cerro, la cordillera, la costa, el desierto, la isla, la llanura, la meseta, la
      montaña, el paisaje, la pampa, la península, la piedra, la roca, la selva, el valle
   el arroyo, el golfo, el lago, el mar, el océano, el río

Los puntos cardinales: el norte, el sur, el este, el oeste

Actividad A. La geografía de algunos países hispánicos En la cinta vas a escuchar la descripción de cuatro países hispánicos, pero no se da su nombre. ¿Puedes identificar el país que se describe?

Aquí está la primera descripción.

La Argentina está situada en Sudamérica. Los países vecinos son Chile, al oeste, Bolivia y el Paraguay, al norte, el Brasil y el Uruguay, al este.

La Argentina es un país grande. De todos los países de Latinoamérica, sólo el Brasil es más grande que *la Argentina*... y *la Argentina* es el país más grande de todos los países donde se habla español.

Al oeste hay montañas altas, la famosa cordillera de los Andes. En el centro, la región que se llama la Pampa, una gran extensión llana. Al norte, el Chaco, una región semiárida. En el noreste está la Mesopotamia, una región de mucha vegetación. Y al sur, está la Patagonia, una región con zonas frías.

Ahora, ¿cuál es el nombre del país que acaba de describirse? Sí, es la Argentina.

Aquí está la segunda descripción.

Puerto Rico es una de las islas de las Antillas Mayores. Es la más pequeña de todas. Mide 35 millas de norte a sur, y 110 millas de este al oeste. Al norte está el Océano Atlántico, y al sur, el Mar Caribe.

Aunque la isla es pequeña, su geografía es muy variada y parece que la isla tiene de todo: playas, bosques, cerros, montañas, ríos abundantes, cascadas, desiertos... La Cordillera Central, que se cruza en una carretera muy moderna, es espectacular. En el centro de la isla hay un desierto, y en el oeste está El Yunque, el único bosque tropical en territorio estadounidense.

Ahora, ¿cuál es el nombre del país que acaba de describirse? Sí, es Puerto Rico.

Aquí está la tercera descripción.

España... un país europeo. Al norte está Francia y el Mar Cantábrico. Al oeste está Portugal y el Océano Atlántico. Al sur está África. Y al este, el Mar Mediterráneo.

Ahora, ¿cuál es el nombre del país que acaba de describirse? Sí, es España.

Aquí está la cuarta descripción.

México es un país de grandes contrastes geográficos y climáticos. Está situado al sur de los Estados Unidos, con el Océano Pacífico al oeste y el golfo de *México* al este. En la parte central hay tres cordilleras: la Sierra Madre Occidental, la Sierra Madre Oriental y la más pequeña, la Sierra Madre del Sur. Son montañas altas y rocosas, y en algunas partes hay volcanes activos.

Al norte, en la alta meseta de las montañas se encuentra una gran zona árida. Es el desierto de *México.*

La península de Yucatán está situada al este. Aquí en Yucatán, el terreno es llano, no montañoso, y parte de la península está cubierta de una densa vegetación.

El centro-sur del país es una alta meseta... y aquí se encuentra *México,* Distrito Federal y capital del país. Otras ciudades importantes son Veracruz, en la costa del Golfo de *México,* Monterrey, en el norte del país, y Guadalajara, al oeste de la Ciudad de *México.*

Ahora, ¿cuál es el nombre del país que acaba de describirse? Sí, es México.

Actividad B. Hablando del paisaje Vas a escuchar uno de los sustantivos de la primera columna. Di un nombre de la segunda columna que lo ejemplifica.

MODELO: (*oyes*) una cordillera
(*dices*) los Andes
(*oyes*) Los Andes son una cordillera.

1. una cordillera   Los Andes son una cordillera.
2. un desierto   El Sahara es un desierto.
3. una montaña   Pike's Peak es una montaña.
4. una isla   Inglaterra es una isla.

5. un valle   Napa es un valle.
6. un río   El Nilo es un río.
7. un continente   Sudamérica es un continente.
8. un lago   El Titicaca es un lago.
9. un océano   El Atlántico es un océano.
10. un mar   El Mediterráneo es un mar.
11. un golfo   El Pérsico es un golfo.
12. una península   Yucatán es una península.

Lección 32: Workbook/Study Guide

Más allá del episodio

Actividad B. Escucha otra vez lo que Ángela le dijo a Raquel sobre su hermano Roberto. Luego contesta las preguntas.

ÁNGELA: Roberto siempre quiso venir a México. Se pasaba los días y las noches estudiando las civilizaciones prehispánicas.

RAQUEL: Roberto y tú son muy unidos, ¿verdad? En Puerto Rico me decías siempre que tu hermano era un encanto.

ÁNGELA: La verdad es que... pues, desde que se vino para México, nos hemos alejado un poco.

RAQUEL: Comprendo... con la distancia...

ÁNGELA: No, no es por eso. Es que... Bueno... Yo nunca le he dicho esto a nadie, Raquel. Pues, la verdad es que siempre le he tenido un poco de envidia a Roberto.

RAQUEL: ¿Envidia? Pero si hablas maravillas de él...

ÁNGELA: Lo sé, pero desde que éramos pequeños, Roberto siempre ha sido más inteligente que yo, más estudioso, más responsable. Mis padres siempre decían que yo era impetuosa. Roberto era un hijo modelo.

Gramática

Section 84

Actividad B.   La calle Sol

EL TAXISTA: Mire. ¿Ve la esquina?

RAQUEL: Sí.

EL TAXISTA: Tome a la izquierda.

RAQUEL: A la izquierda.

EL TAXISTA: En el próximo bloque, vire a la derecha.

RAQUEL: A la derecha.

EL TAXISTA: Camine derecho hasta que encuentre unas escaleras a la izquierda.

RAQUEL: A la izquierda.

EL TAXISTA: Baje las escaleras y cuando encuentre la calle Sol... ¿cuál es el número que busca?

RAQUEL: El cuatro de la calle Sol.

EL TAXISTA: Entonces, creo que está a mano derecha. Cuando encuentra la calle Sol, si se pierde, pregunte. Todo el mundo conoce esa calle.

Section 85

Actividad A.   ¿Cierto o falso?

1. a.   Hay dos puertorriqueños que son nietos de don Fernando.
2. b.   Hay varias civilizaciones indígenas que le interesan a Roberto.
3. a.   En la familia Castillo no hay nadie que sea tan feliz como Ramón y Consuelo.
4. a.   Hay alguien que piensa visitar a Raquel en México... de sorpresa.
5. b.   Hay varias personas que tienen noticias del antiguo novio de Raquel.

Repaso

Actividad A. La civilización azteca

En el centro de México, los aztecas gobernaron un vasto imperio de más de 15.000.000 de personas. El lugar de origen de los aztecas fue Aztlán. De Aztlán, los aztecas migraron al sur, en busca de una señal. Encontraron la señal en el lago de Texcoco y se establecieron allí.

Por doscientos años los aztecas vivieron en esa zona. Poco a poco conquistaron las otras tribus de México. Luego, el 22 de abril de 1519, llegó a la costa de México un hombre con once barcos. Cortés comenzó una de las más sangrientas conquistas de la historia mundial. En dos años conquistó a los aztecas. El emperador azteca, Moctezuma, fue asesinado. Y el gran imperio azteca pasó a ser una colonia española.

Lección 32: Self-Test

III. La gramática

A. Indicate which character gave or could have given the commands you hear.

1. Bueno, espere Ud. allí, doctor. Paso por su hotel en seguida.
2. No dejen que papá oiga nada del accidente.
3. Padre Rodrigo, dígame qué pasa.
4. Cuénteme, señora. ¿Querrá verme Raquel?

Lección 33: Textbook

Preparación

Actividad A.

En el episodio previo, Raquel y Ángela todavía esperaban saber algo de Roberto... y conversaron sobre su interés en la arqueología. Mientras tanto, la familia Castillo recibió noticias del accidente.

Por fin Arturo y Pedro se conocieron. Arturo le contó a Pedro lo de la búsqueda de Ángel Castillo en Buenos Aires.

En Los Ángeles, María, la mamá de Raquel, recibió una visita de Luis, el antiguo novio de Raquel. Era evidente que Luis tenía interés en ver a Raquel. Entonces María le sugirió que fuera a Mexico para visitarla.

Y Raquel, quien espera ver a Arturo, no sabe nada de lo que su mamá acaba de hacer.

Actividad B.

Paso 1. Escucha parte de una conversación entre Juan y Pati. Otra vez, discuten sobre algo. Debes leer la conversación al escuchar. Luego, contesta la pregunta.

JUAN: Pati, ya te lo dije. ¡No puedes irte justo ahora!
PATI: ¡No me grites así, Juan! Ya traté de explicarte los problemas de la producción en Nueva York. No entiendo por qué actúas como un niño mimado.
JUAN: ¿Cómo puedes hacerme esto?
PATI: ¿Ves? Todo te lo hacen a ti. Tus problemas son los más graves. A veces dudo que a ti te importen los demás.
JUAN: Me importa mi papá.
PATI: ¿Sí? Entonces, ¿por qué no estás más tiempo con él en el hospital? Te lo pasas aquí peleándote conmigo cuando él te necesita.

¿Tienes buena memoria?

Actividad A. En la excavación

Bueno, por fin sabemos algo. Y Roberto parece estar bien. Pero al principio, no sabíamos nada. Roberto estaba atrapado en la excavación y los obreros gritaban. Cuando llegamos, ¿Ángela y yo entendíamos lo que pasaba? ¿Podíamos ver lo que ocurría? No podíamos ver nada de lo que ocurría.

Para no estorbar a los trabajadores, Ángela y yo fuimos a sentarnos. Ángela comenzó a hablar de su hermano y dijo algo sobre su profesión. ¿Recuerdan? Ángela dijo que Roberto había escogido una profesión peligrosa.

Luego, Ángela y yo empezamos a hablar de diferentes profesiones. Yo le dije a Ángela que de niña había pensado en varias profesiones. ¿Recuerdan cuáles eran? Yo pensé en ser profesora... y también en ser veterinaria. Ángela se rió al oír eso. Entonces ella me habló de profesiones en que ella pensaba de niña. ¿Recuerdan cuáles eran? Pues, Ángela pensó en ser profesora también. Y también en ser actriz.

¡Qué curioso! De niños pensamos en una profesión y de grandes nos dedicamos a una profesión totalmente diferente, ¿no es así?

Ojalá Roberto esté bien. Ángela y él tienen mucho de que hablar. Y también tienen mucho que hablar con su tío Arturo.

Actividad C. En la capital

¿Y qué pasó con Arturo durante este episodio? ¿Con quién hablaba Arturo mientras Raquel y Ángela esperaban que rescataran a Roberto? Arturo hablaba con Pedro.

En la casa de Pedro, Juan y Pati seguían conversando. ¿Qué problema tienen? ¿Qué conflicto hay entre los dos? Pati quiere regresar a Nueva York pero Juan quiere que se quede en México. Hay problemas en la producción teatral de Pati en Nueva York y se necesita su presencia. Juan cree que la familia es más importante y no quiere que Pati se vaya. Es un conflicto difícil de resolver. ¿Qué piensan Uds. de este problema?

Vocabulario del tema

Profesiones y oficios el abogado, el actor, la actriz; el ama de casa; la dentista; el enfermero, el hombre de negocios, la mujer de negocios; el ingeniero; la maestra; el médico, la médica; el periodista; la profesora; el programador de computadoras; el veterinario

el arquitecto; la artista; la azafata; el camarero; el carpintero; la dependiente; el electricista; la escritora; el hermano; la marinera; el músico, la música; el piloto; la pintora; el plomero; la psiquiatra; el reportero; el sacerdote, el padre; el secretario

Actividad A. Hablando de carreras

Paso 1. Escucha otra vez mientras Raquel y Ángela hablan de las profesiones. Mientras escuchas, indica en la siguiente tabla las profesiones que las dos mencionan, en las categorías indicadas.

ÁNGELA: Sólo Roberto podía escoger una profesión tan peligrosa. ¿Por qué no estudia para ser médico, ingeniero o abogado como tú?

RAQUEL: Es curioso. Ahora que lo dices, recuerdo que de niña yo quería ser profesora.

ÁNGELA: Sí. Yo también. Después pensé en ser actriz. Quería ser rica y famosa.

RAQUEL: Si supieras las carreras y profesiones en las que pensé yo.

ÁNGELA: A ver...

RAQUEL: Bueno, una vez pensé en ser profesora... de historia. Y luego pensé en ser veterinaria.

ÁNGELA: ¿Tú? ¿Veterinaria? ¡Ja!

RAQUEL: No te burles. Es en serio. Me gustan mucho los perros y se me ocurrió que ser veterinaria podría ser interesante.

ÁNGELA: Pues, yo nunca pensé en eso. Como sabes, finalmente estudié computación y ahora soy programadora. Mi papá esperaba que yo fuera abogada o mujer de negocios.

RAQUEL: ¿Mujer de negocios? ¿Tú? Ja. Mi mamá quería que yo estudiara para ser abogada. «Raquel» me decía, «estudia para abogada. Es una buena profesión.»

ÁNGELA: Parece que seguiste los consejos de tu mamá. Mi papá nunca le dijo nada a Roberto. Aunque yo sé que él prefería que estudiara para ser médico o para ingeniero. Ahora comprendo por qué...

Actividad B.   Comentarios del narrador

Escucha otra vez mientras el narrador habla de las profesiones. Escribe el nombre de las profesiones que escuchas. Luego escribe el número de cuatro de las profesiones mencionadas con el dibujo apropiado.

Aquí, en la excavación, hay ejemplos de varias de las profesiones de que hablaban Raquel y Ángela. Claro, está presente una abogada. También hay una programadora de computadoras. Hay un médico, una enfermera, un ingeniero y una profesora de arqueología.

En la familia Castillo, hay ejemplos de un hombre de negocios, de profesores y también de un ama de casa.

The following activity is not available in the Alternate Edition.

Actividad C.   Hablando de los personajes

¿Tienes una memoria muy buena? Vas a escuchar el nombre de un personaje de *Destinos*. Contesta con el nombre de la profesión que tiene.

MODELO: (*oyes*)   Carlos
(*dices*)   Carlos es hombre de negocios.
(*oyes*)   Es hombre de negocios.

Estos personajes son de España. A ver si recuerdas quiénes son.

1. el señor Díaz   Es maestro.
2. Miguel Ruiz, padre   Es guía turístico.

3. Alfredo Sánchez   Es reportero.

Estos personajes son de la Argentina.

4. Arturo Iglesias   Es psiquiatra.

5. Ángel Castillo   Era marinero y pintor.

Estos personajes o son de México, o son de la familia Castillo o tienen algo que ver con ella.

6. Pedro   Es abogado.
7. Ofelia   Es secretaria.

8. el padre Rodrigo   Es sacerdote.

LECCIÓN 33: WORKBOOK/STUDY GUIDE

Más allá del episodio

Actividad A.   Más sobre Raquel

«Si supieras las carreras y profesiones en las que pensé yo.» Eso es lo que Raquel le dice a Ángela cuando las dos empiezan a hablar de sus decisiones con respecto a su profesión. Muchas personas podrían decir lo mismo. De niños, es natural que pensemos en muchas profesiones, y a veces el concepto que tenemos de esas profesiones no es muy realista. Luego, cuando somos mayores, nos decidimos por una profesión basados más bien en nuestras habilidades e inclinaciones y en el conocimiento que tenemos sobre lo que realmente hace una persona que ejerce esa profesión.

Cuando era niña, Raquel quería ser profesora de historia y también veterinaria. ¿Por qué pensaba en ser profesora de historia? La razón es muy sencilla. Le gustaba mucho su maestra de historia del séptimo grado. Quería ser como la señorita McConnell. Ya que la señorita McConnell enseñaba historia, esta profesión le parecía a Raquel que era la más indicada para ella. No era una razón lógica, pero es una manera de pensar muy típica de los niños.

Y el deseo de ser veterinaria, ¿de dónde surgió? Es que a Raquel siempre le gustaron los animales. Se veía en una pequeña clínica, rodeada de perros y gatos... ayudando a los niños del barrio con sus animales.

Pero a su madre eso de los animales no le gustaba mucho. «Veterinaria... Ésa no es profesión para una mujer», le repetía su madre constantemente. Tampoco le entusiasmaba que fuera profesora. «Estudia para abogada o médico. Ésas son profesiones buenas. Si te haces abogada o médico, tendrás un futuro seguro. No tendrás nunca preocupaciones por el dinero.»

A Raquel no le gustaba nada que su madre se metiera en su vida y tratara de imponer sus ideas. Pero la mayoría de las veces prefería no contestarle, para no pelear.

Raquel siempre ha sido una persona paciente y tranquila. No hace nada precipitadamente y no le gusta correr riesgos. Necesita estar segura de lo que está haciendo antes de actuar. Cuando por fin decidió estudiar para abogada, no lo hizo por darle gusto a su madre. Tomó esa decisión porque lo pensó bien, porque había pensado en sus habilidades y en lo que quería hacer de su vida. Necesitaba encontrar una profesión en que pudiera ayudar a los demás y que también fuera interesante desde el punto de vista intelectual. A Raquel le fascinaba investigar los hechos, buscar la verdad, desenredar situaciones... Además, tenía ese don de gentes, esa manera tan suave de tratar a la gente y de hacerla sentirse cómoda... En fin, Raquel era ideal para abogada.

Y la madre de Raquel, ¿cómo vio la decisión de su hija de ser abogada? ¿La vio como un gesto de obediencia de Raquel?

Gramática
Section 86

Actividad A.   Mandatos del episodio

1. ¡No me grites así, Juan! Ya traté de explicarte los problemas de la producción en Nueva York.
2. Mira, y éste es un maestro, y éste... ¿sabes qué es? Es un veterinario.
3. Vayan a sentarse. Raquel, llévala, por favor.
4. No te burles. Es en serio. Me gustan mucho los perros y se me ocurrió que ser veterinaria podría ser interesante.
5. ¿Mujer de negocios? ¿Tú? ¡Ja! Mi mamá quería que yo estudiara para ser abogada. «Raquel», me decía, «estudia para abogada. Es una buena profesión.»

Actividad B.   Carlitos tiene un poco de fiebre

Paso 1. Vas a escuchar otra vez dos escenas del **Episodio 29**, cuando Carlitos estaba enfermo. Después de escuchar, completa las siguientes oraciones, que describen lo que quieren—o *no* quieren—los personajes.

Primera escena

CARLOS: Carlitos, ¿qué te pasa? ¿No te sientes bien?
CARLITOS: No, me duele la garganta.
CARLOS: ¿Te duele mucho?
CARLITOS: Sí, mucho.
CARLOS: A ver. Saca la lengua. Ah. Tienes toda la lengua blanca. Creo que tienes fiebre también. Voy por un termómetro.
JUANITA: Carlitos, ¿estás enfermo?
CARLITOS: Sí, me duele la garganta y... tengo fiebre.
JUANITA: Pues, entonces quédate en tu lado del cuarto. No quiero que me vayas a pasar tu resfriado...
CONSUELO: Carlitos, tu papá dice que estás enfermo y que te duele la garganta. ¿Mucho?
CARLITOS: Sí, mucho.
CONSUELO: A ver, saca la lengua. Carlos, tienes razón. Tiene toda la lengua blanca... Ah, ahorita vamos a poner el termómetro para ver si tienes fiebre.
JUANITA: Papá, cuando yo era más chiquita, la enfermera no me tomó la temperatura por la boca. Ella...
CARLOS: Shhh, ¡no seas escandalosa, Juanita!
CONSUELO: Carlos, hay que esperar un momentito para que nos diga cuánta fiebre tiene.
CARLOS: Tienes una fiebre muy alta, mi hijito.

CONSUELO: Trajimos una medicina. Vamos a darte una dosis...
CARLITOS: No, no, no, por favor. ¡No me gusta, no quiero!
CARLOS: Ay, no seas miedoso. La medicina es buena. Es para bajarte la fiebre. Si no te baja la fiebre, mañana vendrá el doctor y te pondrá una inyección. Vamos a hacer una cosa. ¿Por qué no te tomas la medicina con un poco de chocolate, eh?
JUANITA: Papá, papá. Yo también estoy enferma. Tengo fiebre.
CARLOS: No te preocupes, Juanita. A ti también te voy a dar un poco de chocolate.

Segunda escena

CARLOS: ¿Cómo te sientes? ¿Mejor?
CARLITOS: Todavía me duele la garganta.
CARLOS: Todavía tienes un poco de fiebre. Saca la lengua.
CARLITOS: Ay, papá.
CARLOS: Anda, no seas nene. Saca la lengua.
CARLOS: Uhmm. No está tan blanca como anoche, pero todavía no se ve muy bien. Tómate estas aspirinas. Creo que voy a tener que llamar al doctor.
CARLITOS: No, papá, no llames al doctor. Te prometo guardar cama. No voy a salir a ninguna parte.
CARLOS: ¿Qué te pasa? No me digas que le tienes miedo.
CARLITOS: No quiero que venga el doctor, papá.

Repaso
Actividad A.   La civilización maya

Los mayas habitaban la parte de México que se llama Yucatán. También vivían en las regiones de Chiapas, Tabasco y Campeche, y en parte de Centroamérica. En su sociedad existía una serie de estados autónomos, con sus propias ciudades centrales.

Comparados con los aztecas, los mayas tenían más aptitud para las matemáticas y la astronomía. Conocían los ciclos de los eclipses solares y lunares.

Lección 33: Self-Test

II. El vocabulario

A. Write the professions of the pairs of speakers you will hear. You will hear each pair twice. Be sure to indicate gender. First, take a few seconds to scan this list.

1. Con mis notas hago una composición para leer.
   Y con mis notas hago una composición para oír.
2. Yo sirvo la comida en un restaurante.
   Yo la sirvo en un avión.
3. Yo trato de curar los problemas mentales.
   Y yo los problemas dentales.

Lección 34: Textbook

Preparación
Actividad A.

En el episodio previo, finalmente rescataron a Roberto de la excavación. Mientras tanto, en la casa de Ramón, Juan y Pati seguían discutiendo. Como ya sabemos, Pati debe regresar a Nueva York. Pero Juan quiere que se quede con él. Pedro y Arturo terminaban su visita y decidieron averiguar algo sobre el accidente en la excavación.

Actividad B.

Paso 1. Escucha parte de una conversación entre Juan y Ramón. Después de escuchar, contesta la pregunta.

JUAN: Presiento que es el fin, que todo ha terminado. No nos entendemos. Nuestro matrimonio es un fracaso. Yo la quiero mucho, Ramón, pero así no podemos seguir.

RAMÓN: Juan, estás exagerando, ¿no crees? Lo único que ocurre es que Pati quiere atender su trabajo.

JUAN: Precisamente por eso. Creo que a Pati le importa más su trabajo que yo.

RAMÓN: Juan, quisiera decirte algo...

JUAN: ¿Qué es?

RAMÓN: ¿Acaso no es posible que... ?

JUAN: Dilo, Ramón, ¿que qué? Somos hermanos.

RAMÓN: Bueno, yo en tu lugar me sentiría celoso.

JUAN: ¿Celoso? ¿De quién?

RAMÓN: No es de quién... sino de qué. Mejor debo decir tendría envidia.

JUAN: Yo sé que Pati es muy inteligente... que tiene mucho talento. Es escritora, productora y directora y también profesora de teatro. Ramón, ¿crees que tengo envidia del éxito de mi esposa?

Paso 2.

Ahora escucha la conversación de nuevo. Puedes leer las últimas líneas al mismo tiempo, si quieres. Recuerda el significado de la palabra **éxito**, el título de este episodio, y ten en cuenta que **celoso** significa *jealous*. Luego contesta las preguntas.

JUAN: Presiento que es el fin, que todo ha terminado. No nos entendemos. Nuestro matrimonio es un fracaso. Yo la quiero mucho, Ramón, pero así no podemos seguir.

RAMÓN: Juan, estás exagerando, ¿no crees? Lo único que ocurre es que Pati quiere atender su trabajo.

JUAN: Precisamente por eso. Creo que a Pati le importa más su trabajo que yo.

RAMÓN: Juan, quisiera decirte algo...

JUAN: ¿Qué es?

RAMÓN: ¿Acaso no es posible que... ?

JUAN: Dilo, Ramón, ¿que qué? Somos hermanos.

RAMÓN: Bueno, yo en tu lugar me sentiría celoso.

JUAN: ¿Celoso? ¿De quién?

RAMÓN: No es de quién... sino de qué. Mejor debo decir tendría envidia.

JUAN: Yo sé que Pati es muy inteligente... que tiene mucho talento. Es escritora, productora y directora y también profesora de teatro. Ramón, ¿crees que tengo envidia del éxito de mi esposa?

¿Tienes buena memoria?
Actividad B. Camino al Distrito Federal

Paso 2.

Ay, no aguanto estar tanto tiempo sentada en un carro. Bueno, aquí estamos. Otra vez en camino. Pero esta vez, vamos a la Ciudad de México. ¿Por qué vamos a México ahora? Vamos a la Ciudad de México porque llevaron a Roberto a un hospital de allí. ¡Sí! Por fin rescataron a Roberto. ¿Y cómo lo llevaron a la ciudad, en helicóptero o en ambulancia? Lo llevaron en helicóptero.

Inmediatamente Ángela y yo salimos para allá también. En el auto, Ángela estaba muy pensativa. ¿En qué, o en quién pensaba Ángela ? ¿En su novio Jorge? No. Ángela pensaba en su hermano, Roberto. Y ella me dijo algo muy importante de Roberto. ¿Qué me dijo Ángela? Ángela me dijo que lo admiraba mucho.

Durante esta conversación en el carro, las dos hablamos de cosas muy interesantes. Primero, yo supe algo sobre las relaciones entre Ángela y Jorge. ¿Qué recuerdan Uds. de ellos? Bueno, primero sabemos que Ángela conoció a Jorge en una fiesta que daban unos amigos. Jorge era amigo de un amigo de Roberto. También sabemos que después de esa fiesta, empezaron a verse... y pronto se hicieron novios.

Finalmente sabemos que cuando Ángela le mostró a Jorge la copa de bodas de su abuela Rosario, él mencionó algo sobre matrimonio. Todavía tengo mis dudas sobre Jorge. ¿Recuerdan lo que pasó en Puerto Rico? Pero no le voy a decir a Ángela nada más.

Bueno, yo también le conté a Ángela algunas cosas sobre mi antiguo novio. Pero Uds. ya saben eso, ¿no?

Bueno, Ángela está dormida. Está bien. Sólo necesita descansar. Pronto vamos a llegar a la Ciudad de México y veremos cómo está Roberto.

Vocabulario del tema

Relaciones sociales la amistad, el cariño, el afecto, el amor, el amor a primera vista, la primera cita, el noviazgo, la boda, el matrimonio, la luna de miel, el odio, el divorcio
el amigo, la amiga; el compañero, la compañera; el novio, la novia
la pareja, el esposo, la esposa; el marido, la mujer; el matrimonio
llevarse bien o mal con alguien, tener envidia o celos de alguien, tomarle cariño a alguien
enamorarse de alguien, estar enamorado de alguien, casarse con alguien, odiar, divorciarse de
    alguien

Actividad A. Las relaciones: ¿Cómo se desarrollan? Escucha mientras el narrador define por medio de una serie de características las siguientes relaciones. Indica en la siguiente tabla la característica o características mencionadas que definen cada relación.

Aquí vemos a Juan y Pati. Ahora son esposos: marido y mujer. ¿Cómo comenzó su relación? Por lo general, ¿cómo se desarrollan las relaciones? Bueno. No todas las relaciones son iguales. Hay variación y mucho depende de la sociedad. Pero podemos describir cómo ocurren comúnmente.

Para empezar, dos personas pueden ser amigas. Entre los amigos, puede haber cariño, un afecto especial. El cariño también puede existir entre los miembros de una familia.

Además de las relaciones entre amigos y familiares, también existen las relaciones entre novios. Los novios son dos personas que tienen una relación amorosa... romántica... algo muy especial.

Entre los novios puede haber cariño, pero también puede haber algo más: el amor. Si los novios deciden unirse en el matrimonio, entran en otro período de sus relaciones... el noviazgo. Durante el noviazgo, los novios siguen viéndose. Su amor crece y también hacen planes para su boda. La boda es la ceremonia en que los dos novios finalmente llegan a ser esposos. Si tienen dinero y tiempo, después de la boda, la nueva pareja se va de luna de miel.

Para muchos la luna de miel es el período más romántico de su vida. Van a lugares exóticos y la luna de miel se convierte en un tipo de vacaciones especiales.

Para algunos matrimonios, la luna de miel dura mucho tiempo. Después de veinte años, están tan felices como el día de su boda. Para otros, la luna de miel es algo del pasado... y el matrimonio cambia poco a poco.

Actividad C.

Paso 1. ¿Qué opinas de las relaciones entre Raquel y Arturo? Vas a escuchar las siguientes oraciones. Indica las oraciones que crees que mejor describen sus relaciones.

1. Se han tomado mucho cariño.
2. Ya son novios.
3. Se enamoraron a primera vista.
4. Realmente no han tenido una «primera cita» todavía.
5. Se van a casar algún día.

6. Les gusta estar juntos.
7. Se llevan muy, muy bien.
8. Raquel tiene celos de la ex esposa de Arturo.

Paso 2. Ahora vas a escuchar estas oraciones. Indica solamente las oraciones que, para ti, describen las relaciones entre Raquel y Ángela.

1. Raquel le tiene mucho cariño a Ángela.
2. Le tiene un poco de envidia a Ángela porque ésta tiene novio.
3. Se llevan muy bien, aunque a veces se pelean.
4. Les gusta estar juntas.
5. Comparten confidencias, esperanzas, consejos...
6. Ángela tiene celos de Raquel porque sabe que Jorge trató de ligar con ella.
7. Sus relaciones van a durar mucho tiempo.
8. Raquel cree que Ángela no debe casarse con Jorge.

Lección 34: Workbook/Study Guide

Más allá del episodio
Actividad A.   Ángela y Jorge

Ángela conoció a Jorge, en una fiesta en el Viejo San Juan. Jorge era amigo de un amigo de Roberto, y este amigo le presentó a Ángela al joven actor y también profesor de arte dramático en la universidad. La personalidad de Jorge cautivó a Ángela en seguida. Lo encontró muy guapo y simpático, y cuando a los pocos días él la llamó para ir al teatro, Ángela aceptó sin dudarlo. No sólo le gustaba Jorge. Tenía confianza en él, ya que era amigo de un amigo de su hermano.

Para ella, fue amor a primera vista. Jorge ayudó a Ángela a llenar un poco el gran vacío que sentía. A Ángela se le habían muerto sus padres... y ahora su hermano estaba lejos, en México. Ángela necesitaba a alguien en quien apoyarse un poco. Sus relaciones con Jorge le dieron la seguridad y la confianza que necesitaba para poner su vida en orden.

Pero hay que ver la otra cara de la moneda. Jorge tiene fama de ser un tipo frívolo y, lo peor, de tratar mal a la gente, especialmente a las mujeres. Hasta dicen que Jorge es un don Juan... un mujeriego. ¿Cómo puede Ángela ignorar todo esto? Ángela sólo acepta lo que ve de Jorge. Él la trata con mucho cariño y dulzura. Para Ángela, es el hombre más romántico del mundo. Consciente o inconscientemente, Ángela no quiere ver la otra parte de la personalidad de Jorge, de la que todos le hablan. *Su* Jorge es diferente.

¿Cambiará Ángela de actitud? ¿Se casará con Jorge? ¿Qué piensa Roberto del novio de su hermana?

Gramática
Section 88

Actividad B.   ¿Qué has hecho hoy?

Paso 2. Ahora escucha la cinta para saber lo que ha hecho Laura, una colombiana que estudia en una universidad de los Estados Unidos. Indica en la tercera columna del Paso 1 las cosas que Laura ha hecho o no ha hecho.

1. Hoy por la mañana llamé a un amigo que vive en San Francisco. Hace mucho tiempo que no he hablado con él y me gustó mucho la conversación que tuvimos.
2. Hoy no fui al supermercado, pero sí he ido al centro, a un mercado pequeño. Me he comprado varias cosas: una bolsa nueva... una camiseta...
3. Hoy, como siempre, me he bañado por la mañana. Siempre me baño tan pronto como me levanto, es decir, después de tomar un café.

4. Almorcé en casa hoy. No he almorzado en un restaurante. Casi siempre almuerzo en casa o en la cafetería de la universidad.

5. He tomado muchísimo café hoy... como diez tazas. Sé que no debo tomar tanto café, pero... es uno de mis vicios.

6. Esta noche he visto una película muy buena en la televisión. Iba a ir al cine con una amiga, pero tuve que cambiar mis planes.

7. Efectivamente, me he enojado hoy con esa amiga. Me dijo que me iba a acompañar al cine, pero luego me llamó para excusarse, diciéndome que tenía que estudiar.

8. No me he enterado de nada que sea fascinante hoy. Sólo hablé con mi amigo en San Francisco, pero no ha ocurrido nada extraordinario en su vida.

9. Hoy no he tomado ninguna decisión importante. De momento, nada es urgente en mi vida; es una época muy tranquila.

10. Hoy he leído el periódico, y también he leído varias revistas: *Time... People...*

Section 89

Actividad A.   Hablando de la familia Castillo

1. El Sr. Papa es un juguete que
   c.   El Sr. Papa es un juguete que le gusta mucho a Maricarmen.

2. Juan y Pati son los miembros de la familia que
   h.   Juan y Pati son los miembros de la familia que tienen muchos problemas matrimoniales en este momento.

3. Carlitos, quien es el hijo de Carlos y Gloria,
   d.   Carlitos, quien es el hijo de Carlos y Gloria, está enfermo y tiene que guardar cama.

4. Mercedes y Ramón son los hijos que
   a.   Mercedes y Ramón son los hijos que viven en La Gavia con don Fernando.

5. Ramón es la persona que
   g.   Ramón es la persona que trata de darle consejos a Juan sobre sus problemas con Pati.

6. Roberto y Ángela son los nietos a quienes
   f.   Roberto y Ángela son los nietos a quienes don Fernando nunca ha conocido.

7. Ángela no comprende qué es lo que
   b.   Ángela no comprende qué es lo que les molesta a todos del comportamiento de Jorge.

8. Don Fernando no sabe todavía lo que
   e.   Don Fernando no sabe todavía lo que le ha pasado a su nieto, Roberto.

Lección 34: Self-Test

V. El vocabulario

A. You will hear a series of words and phrases on the cassette tape. Write the one that doesn't fit the group.

1. luna de miel, cariño, odio
2. divorcio, afecto, amistad
3. marido, compañero, esposo
4. la primera cita, la boda, el matrimonio
5. odiar, tener envidia, tomarle cariño

Preparación

Actividad A.

En el episodio previo, llevaron a Roberto Castillo al hospital. Raquel y Ángela también salieron, y la familia Castillo espera tener noticias de ellas. Pero todo no va bien con los diferentes miembros de la familia. Como ya sabemos, Juan y Pati están pasando por dificultades en su relación. Y Arturo, que no ha vuelto a tener más noticias de Raquel, trataba de averiguar algo más sobre el accidente.

Camino a la Ciudad de México, Raquel y Ángela se contaban historias de sus novios. Por fin, Ángela se durmió. Raquel paró en un café y es aquí donde la encontramos en este episodio.

Actividad B.

Paso 1. En este episodio, Carlos llama de nuevo a Miami. Al hablar con Ofelia, recibe noticias de cómo van las cosas en la oficina. Escucha la conversación entre Carlos y Ofelia y luego contesta la pregunta.

CARLOS: ¿Ofelia? Habla Carlos. Mira, ¿no sabes algo más?
OFELIA: Sí, el gerente del banco que ha estado llamando muchas veces. Quiere hablar con Ud.
CARLOS: ¿No ha dicho para qué?
OFELIA: No, pero que quiere hablar con Ud. Yo le dije que andaba de viaje para México.
CARLOS: ¿Qué más?
OFELIA: Tengo una copia de los reportes de los auditores. No son muy buenos...
CARLOS: ¿Qué dicen?
OFELIA: Dicen que el balance general arroja fuertes pérdidas, que ponen en peligro las otras inversiones de la familia. Y pues... recomiendan cerrar la oficina.

Paso 2. Ahora escucha la conversación de nuevo. Puedes leerla al mismo tiempo, si quieres. La palabra **gerente** es sinónimo de **jefe**. Trata de no fijarte en las palabras que no entiendes. Luego contesta las preguntas.

CARLOS: ¿Ofelia? Habla Carlos. Mira, ¿no sabes algo más?
OFELIA: Sí, el gerente del banco que ha estado llamando muchas veces. Quiere hablar con Ud.
CARLOS: ¿No ha dicho para qué?
OFELIA: No, pero que quiere hablar con Ud. Yo le dije que andaba de viaje para México.
CARLOS: ¿Qué más?
OFELIA: Tengo una copia de los reportes de los auditores. No son muy buenos...
CARLOS: ¿Qué dicen?
OFELIA: Dicen que el balance general arroja fuertes pérdidas, que ponen en peligro las otras inversiones de la familia. Y pues... recomiendan cerrar la oficina.

¿Tienes buena memoria?

Ah, no lo puedo creer. Bueno, pero después de varios días en la excavación, ¿qué es un poco de tequila en el vestido? Uf, ¡qué día tuvimos hoy, ¿no? ¿Recuerdan Uds. lo que pasó esta mañana en el camino? Yo manejaba el carro. ¿Y qué? Bueno, cuando yo manejaba el carro, de repente apareció un camión. ¡Qué susto! Por poco tuvimos un accidente. Y Ángela, quien estaba dormida, se despertó.

Cuando por fin llegamos al hospital, tuvimos allí otra sorpresa. ¿Quiénes estaban con Roberto? ¿Arturo y Pedro? ¿o Pedro y Mercedes? Cuando llegamos, Pedro y Arturo estaban allí. Ellos estaban en el corredor, hablando. ¿Se dio cuenta Ángela de que estaban allí? No, no se dio cuenta. Ella entró directamente al cuarto para ver a Roberto. Pero yo sí los vi. ¿Y cuál fue la reacción de Arturo cuando me vio? Cuando me vio, Arturo gritó mi nombre y me dio un beso. Pues, yo estaba un poco avergonzada porque allí estaba presente Pedro. No le he preguntado esto a Arturo, pero ¿cómo supo él que habían llevado a Roberto a ese hospital?

Raquel no sabe cómo supo Arturo dónde estaba Roberto. Pero Uds. lo saben, ¿no? Arturo supo dónde estaba Roberto porque alguien se lo dijo en la universidad.

Bueno, después de saludar a Pedro, yo entré al cuarto de Roberto. ¿Y cómo estaba? ¿Estaba despierto y quería hablar? ¿O estaba dormido? Roberto estaba dormido. Le habían dado un calmante.

Actividad B.   Idas y venidas

Paso 1. En la cinta, escucha la segunda parte del repaso de Raquel.

Después Ángela y yo salimos del cuarto y yo se la presenté a Arturo... y también a Pedro. Entonces decidimos ir al hotel. Claro, estábamos cansadas pero Ángela también quería hacer una llamada. ¿A quién llamó? Ángela llamó a sus familiares en Puerto Rico para decirles que Roberto estaba bien. Y yo también hice una llamada. Llamé a mi mamá y me dio unas noticias interesantes. ¿Recuerdan? Mi mamá me dijo que ella y mi papá venían a México.

Habíamos pensado en venir todos aquí a la casa de Pedro. Pedro quería que Arturo y Ángela conocieran a la familia. Pero no vinimos todos a la casa de Pedro. ¿Quién no vino? Ángela no vino. ¿Recuerdan por qué? Ángela no vino porque Roberto estaba dormido y quería estar con él cuando se despertara.

Entonces Arturo y yo vinimos solos. Yo lo dejé con la familia porque tenía que venir aquí a limpiar mi vestido. Creo que todo va bien. Arturo es una buena persona y no hay razón para que no le guste a la familia. Bueno, creo que debo regresar. Deben estar preguntándose qué me pasa.

Vocabulario del tema

Consejos y sugerencias el consejo, aconsejar, insistir en, el mandato, mandar, la recomendación, recomendar, el requisito, requerir, rogar, la sugerencia, sugerir

Actividad B.

1. Pedro sugiere que Carlos y Gloria le den las noticias sobre Roberto al resto de la familia. No sugiere que Pati no se vaya a Nueva York. Tampoco sugiere que Arturo despierte a Roberto.
2. La madre de Raquel insiste en que Luis vaya a México. Pero no insiste en que Raquel regrese a los Estados Unidos. Tampoco insiste en que Raquel la presente a la familia Castillo.
3. Los auditores recomiendan que se cierre la oficina en Miami y que se venda La Gavia. No recomiendan que Ramón sea nombrado director de la compañía.
4. La médico requiere que le den un calmante a Roberto y que lo dejen descansar hasta mañana. No requiere que le saquen más rayos X.
5. Arturo sugiere que la familia prepare a don Fernando para conocer a sus nuevos parientes y que todos regresen al hotel. No sugiere que Ángela no los acompañe a la casa de Pedro. Es Ángela quien no los quiere acompañar.

LECCIÓN 35: WORKBOOK/STUDY GUIDE

Gramática
Section 90

Actividad A.   Opciones

1. No es sorprendente que Juan y Pati
   b.   No es sorprendente que Juan y Pati se hayan peleado otra vez.

2. Pedro Castillo se alegra de que
   a.   Pedro Castillo se alegra de que hayan internado a Roberto en el hospital.

3. Ángela no podrá hablar con su hermano
   c.   Ángela no podrá hablar con su hermano hasta que él se haya despertado.

4. Al conocer a Ángela, Arturo piensa para sí mismo: «Ojalá que... »
    a. «Ojalá que hayas perdonado a tu papá.»

Section 91

Actividad B.   ¿Qué pasa?

1. PEDRO: ¡Escuchen! ¡Roberto ha sido rescatado!
    CARLOS: ¡Gracias a Dios! ¿Te lo han dicho en la universidad?
2. ARTURO: Busco al Sr. Roberto Castillo Soto. Me dijeron que está internado aquí.
    RECEPIONISTA: Un momento. Roberto Castillo Soto... Sí, señor. Aquí está.
3. PEDRO: Bienvenida a nuestra familia, hijita.
    ÁNGELA: Gracias. Tengo muchos deseos de conocerlos a todos.
4. RAQUEL: ¡Qué susto! Por poco tuvimos un accidente. Y Ángela, quien estaba dormida, se despertó.
5. RAQUEL: Cuando me vio, Arturo gritó mi nombre y me dio un beso. Pues, yo estaba un poco avergonzada porque allí estaba presente Pedro. No le he preguntado esto a Arturo, pero ¿cómo supo él que habían llevado a Roberto a ese hospital?

Repaso

Actividad B.   Raquel y Luis (Segunda parte)

ÁNGELA: Entonces, ¿no fuiste con Luis a Nueva York?
RAQUEL: Lo pensé. Pero si me hubiera ido, no habría terminado mis estudios. En esa época, yo estudiaba derecho.
ÁNGELA: Comprendo. Tuviste que elegir entre él y tus estudios.
RAQUEL: Algo así. Pensé reunirme con él después, cuando me graduara. Pero...
ÁNGELA: ¿Pero qué?
RAQUEL: Es que... Tú dices que yo tenía que decidir entre mis estudios y él. Y Luis también tenía que decidir. Y se decidió por su profesión.
ÁNGELA: Ay, Raquel...
RAQUEL: Al principio me sentí mal. Luis quería que yo lo acompañara a Nueva York. Pero nunca se le ocurrió a él quedarse en Los Ángeles y esperarme a mí. Bueno, pero eso ya pasó. Todavía tengo buenos recuerdos de Luis.
ÁNGELA: ¿No se volvieron a ver?
RAQUEL: No. Al principio nos escribíamos. Luego las cartas fueron cada vez menos frecuentes.

LECCIÓN 35: SELF-TEST

III. La gramática

Respond to the statements or questions you hear, beginning each answer with the phrase provided.

1. ¿Carlos ha engañado a la familia?
2. ¿Están divorciados Juan y Pati?
3. Don Fernando ha salido del hospital.
4. ¿Quién ha conocido a Roberto en México?

LECCIÓN 36: TEXTBOOK

Repaso de los episodios 27–35

Actividad A.   Lo que le pasó a Raquel

1. c.   Raquel y Ángela fueron manejando de la Ciudad de México a un pueblo.
2. b.   Al llegar al pueblo, no pudieron pasar al sitio de la excavación.

3. f. En un hospital conocieron a un cura que las ayudó mucho.
4. g. Al regresar al sitio de la excavación, supieron que Roberto estaba vivo.
5. e. Estaban a punto de rescatar a Roberto cuando hubo otro derrumbe.
6. d. Por fin sacaron a Roberto y lo llevaron a la capital.
7. a. Raquel y Ángela fueron manejando del pueblo a la capital.

Lección 36: Workbook/Study Guide

Gramática
Section 94

Actividad B.   Juan y Pati: Dos conversaciones

Paso 1.

PATI: Mira, Juan, aunque no lo entiendas, yo voy a ir a Nueva York. Voy a resolver este problema. Y en cuanto lo haya hecho, regreso a México.

JUAN: ¿Y si papá muere mientras tú estás allá?

PATI: Mira, Juan, yo no soy responsable de esto. Yo no tengo la culpa de la enfermedad de nadie ni de su curación. Yo no quiero que tu papá se muera, pero tampoco puedo hacer nada para curarlo. Mira, sí yo voy a Nueva York. Voy a resolver mi problema. Y en cuanto lo haya hecho, regreso a México. Pero si tú no quieres tener una mujer profesionista en tu vida, eso es otro asunto.

Paso 2.

PATI: Juan no entiende... Yo tengo que ir a Nueva York.

MERCEDES: Bueno, Juan siempre ha sido un poco...

PATI: Egocéntrico.

MERCEDES: Pues, para decirlo francamente, sí.

PATI: Por fin, alguien comprende.

MERCEDES: Mira, Pati. Yo creo que tú tienes toda la razón en querer regresar a Nueva York si tu trabajo lo requiere.

PATI: ¿Y Juan?

MERCEDES: Ya se repondrá. La enfermedad de papá lo está afectando mucho, claro. Pero hay que ser optimista.

Actividad C.   Hablando de novios...

ÁNGELA: Raquel... te debo pedir disculpas. Actué muy mal contigo, allá en Puerto Rico, la última vez que hablamos de Jorge.

RAQUEL: Ángela, la verdad es que yo no tengo derecho a meterme en tus asuntos. Si lo prefieres, no hablamos más de Jorge.

ÁNGELA: No, al contrario, tú eres una buena amiga. Tal vez me haga bien hablar de él contigo... si no te aburres.

RAQUEL: Tenemos un largo camino por delante. ¿Por qué no me cuentas cómo lo conociste?

ÁNGELA: Jorge era amigo de un amigo de mi hermano.

RAQUEL: ¿Sí?

ÁNGELA: Nos conocimos en una fiesta que dieron unos amigos de la universidad. Me parecía que era muy simpático. Y esa misma semana salí con él. Fuimos al teatro. Y luego seguimos viéndonos. Pronto nos hicimos novios.

RAQUEL: Parece que fue muy rápido.

ÁNGELA: Sí, en cierto sentido, sí. Pero ahora no podría imaginar mi vida sin Jorge.

RAQUEL: ¿Ya han hablado de casarse?

ÁNGELA: Bueno, cuando le enseñé la copa de bodas de la abuela Rosario, ¿sabes lo que me dijo? Me dijo: «Cuando nos casemos, vamos a brindar con esta copa.»

RAQUEL: ¡Qué romántico!

ÁNGELA: Sí, así es Jorge. Por eso lo quiero tanto. Es una persona muy romántica.

Preparación

Actividad B. Un poco de historia

Paso 1.

MERCEDES: El 16 de septiembre se dio el grito de independencia. En ese día en el pueblo de Dolores, el padre Miguel Hidalgo supo que los españoles habían descubierto los planes de independencia del grupo de patriotas. El padre Miguel Hidalgo era uno de estos patriotas. Entonces, en la madrugada de ese día, el padre tocó las campanas de la iglesia, llamando a todos los habitantes del pueblo. Cuando llegaron, Hidalgo les habló otra vez de la igualdad entre los hombres. Les habló de cómo los indígenas, mestizos y criollos deberían tener los mismos derechos que los españoles que gobernaban las colonias. Dijo que era el momento de ser una nación independiente. Y así empezó la lucha por la independencia. Por ese motivo, cada 16 de septiembre hay grandes celebraciones en todo el país.

Paso 2. Ahora escucha lo que Mercedes le dice a Arturo sobre el Cinco de Mayo. Luego contesta las preguntas.

MERCEDES: Como ya sabrás, Arturo, en 1861, los franceses invadieron México. Napoleón III siempre había soñado con poseer territorios en América. En esa época, Benito Juárez era presidente de México. Pero nuestro país estaba dividido. Había un gran conflicto entre los conservadores y los liberales. Llegaron las tropas francesas, y con la ayuda de los conservadores, Napoleón pudo instalar a Maximiliano de Austria como emperador de México. Pero el imperio de Maximiliano no duró mucho. Pues, las batallas con Juárez continuaban. En 1867, Maximiliano fue capturado y fusilado. Benito Juárez asumió su autoridad una vez más. Una de las batallas más importantes occurió el 5 de mayo de 1862 en la ciudad de Puebla. Allí, el general Zaragoza venció a las tropas francesas. Aunque la lucha contra los franceses duró varios años más, la batalla de Puebla representa el espíritu y la valentía con que los mexicanos luchaban. Cada año celebramos el 5 de mayo como un acontecimiento muy importante.

Nota cultural: El español de María Rodríguez

The use of certain phrases by María, Raquel's mother, is in some ways typical of Mexican Americans and of Mexicans as well. Listen again as María begins to work on the family's bills.

MARÍA: Anda, viejo. Vete a sentar allí. Tengo que terminar de pagar estas cuentas.... Bueno, la última cuenta. ¡Híjole! Todo está tan caro. Caramba. Pagué cinco cuentas y ya no me queda nada en la cuenta corriente...

Vocabulario del tema

El dinero los ahorros, la cuenta, los gastos, los ingresos, la cuenta corriente, la cuenta de ahorros, el cheque, el efectivo, el recibo, la tarjeta de crédito

ahorrar, cargar, ganar, gastar, manejar bien o mal, pagar, sacar

Actividad A. **María lleva cuentas** Escucha otra vez la descripción de la situación económica de los mayores. Indica con el número de la oración la foto o el dibujo a que corresponde cada oración.

1. Como muchas personas mayores de la clase trabajadora, María Rodríguez se preocupa por el dinero.
2. Como todo el mundo, los mayores tienen sus gastos: la casa, el teléfono, el agua y el gas.
3. Pero a diferencia de los jóvenes, sus ingresos son fijos.
4. Los ingresos son el dinero que entra en una casa. Es lo que gana una familia.

5. Los gastos son el dinero que sale. Hay gastos para mantener la casa, la salud y comprar la comida. En fin, hay muchos gastos en la vida diaria.

6. Los ingresos de los mayores son fijos porque ya no trabajan: dependen de la seguridad social o de otro sistema.

7. Pero las cuentas y los precios no son fijos a causa de la inflación. Y mientras los ingresos de otras personas suben, los ingresos de los jubilados no cambian.

Actividad B.   Hablando de dinero   Escucha otra vez mientras algunos personajes hablan de dinero. Luego indica si las oraciones son ciertas o falsas para los personajes. ¿Puedes corregir las oraciones falsas?

Aquí está la primera conversación.

ÁNGELA: Hablando de dinero, tengo que ver cómo está mi dinero. En mi cuenta de ahorros en San Juan, no tengo casi nada. ¿Cómo es posible que mi cuenta de ahorros tenga solamente $10.00? ¿En qué he gastado todo mi dinero? El banco también me ha mandado esta cuenta. Ah, ahora recuerdo. Saqué $300 con mi tarjeta de crédito. ¿Cómo voy a pagar esta cuenta si no tengo dinero en mi cuenta de ahorros? Tengo que admitirlo. Manejo muy mal el dinero.

Aquí está la segunda conversación.

RAQUEL: Y aquí está la lista entera de gastos.
PEDRO: Muy bien. ¿Y los recibos?
RAQUEL: Están en este sobre. Tuve que cargar mucho a mi tarjeta de crédito para no gastar todo mi efectivo.
PEDRO: Muy bien. Mañana le daré tus recibos a mi secretaria y le diré que te haga un cheque.
RAQUEL: Eso sería muy conveniente. Tengo que hacer cuentas en mi oficina en Los Ángeles. Si puedo regresar con un cheque, tanto mejor. Tenemos una secretaria que siempre grita «¡Hay muchos gastos y pocos ingresos! ¿Cómo me van a pagar a mí?»
PEDRO: Tu secretaria no tiene de qué preocuparse. Ni tú tampoco. Mañana tendrás tu cheque también.

The following activity is not available in the Alternate Edition.

Un poco de gramática
Actividad.   El resumen de Raquel

1. La familia le pidió a Arturo que hablara de alguien. ¿De quién querían que hablara?
Querían que Arturo hablara... de Rosario / de Ángel / de Ángela y Roberto.

   La respuesta correcta es *a.* La familia quería que Arturo hablara de Rosario.

2. Después seguimos conversando y la familia le dijo a Arturo que debería regresar a México. ¿Por qué le decían que regresara a México?
Querían que Arturo regresara a México... para conocer a don Fernando / para conocer más el país / para vivir con ellos.

   La respuesta correcta es *b.* Querían que Arturo regresara para conocer más el país.

3. Después revisé las cuentas con Pedro. Le di los recibos de todos los gastos de mi viaje. Él prometió darme un cheque por los gastos y otro por mis servicios. Entonces, Pedro me pidió algo. Él quería que yo le diera algo importante. ¿Qué quería Pedro que yo le diera?
Pedro quería que yo le diera... una foto de Rosario / información sobre Ángela y Roberto / los papeles de Rosario y Ángel.

   La respuesta correcta es *c.* Pedro quería que yo le diera unos papeles muy importantes de Rosario y Ángel.

Lección 37: Workbook/Study Guide

Gramática
Section 95

Actividad B.   La llamada de Pedro
Paso 1.

1. Es probable que Pedro le dijera a Raquel que no se preocupara por el dinero, porque no le importaban los gastos.
2. Es probable que le dijera que hiciera la investigación de una manera discreta.
3. Es improbable que le dijera eso. Pedro quería que Raquel se pusiera en contacto con Teresa Suárez tan pronto como fuera posible.
4. Es probable que le dijera que lo llamara con frecuencia para darle información sobre la investigación.
5. Es improbable que le dijera eso. Pedro sabía que don Fernando estaba muy enfermo. Era importante que Raquel concluyera la investigación tan pronto como fuera posible.
6. Es probable que le dijera que disfrutara de su estancia en España, visitando lugares turísticos cuando pudiera.
7. Es probable que le dijera que sacara fotos de personas y lugares que pudieran interesarle a don Fernando.
8. Es improbable que le dijera eso. Como abogado, Pedro quería tener pruebas de los resultados, y es probable que don Fernando los quisiera tener también.
9. Es probable que le dijera que fuera luego a otro país si era necesario.
10. Es improbable que le dijera eso. Pedro no tenía idea de dónde la podría llevar la investigación. Además no había ninguna razón para que no fuera a Sudamérica en particular.

Lección 37: Self-Test

I.   El episodio y los personajes

You will hear some statements about the characters. Indicate to which character each statement refers. Not all characters listed may be used, and some may be used more than once. First, take a few seconds to scan the list.

1. Quiere ir a México, pero no tiene mucho dinero.
2. No sabe por qué se pierde dinero en las operaciones de Miami.
3. Ha tenido muchos gastos y quiere que le paguen.
4. Está muy enfermo todavía.
5. Su mujer ha vuelto a la ciudad donde ella vive.
6. Tiene que decidir qué hacer con la oficina de Miami.
7. Admite que es una persona algo impráctica.
8. Quiere saber si una persona amada lo ama también.
9. No ha conocido todavía a ningún pariente nuevo.
10. Está preocupado por los problemas que hay en su oficina.

Lección 38: Textbook

Preparación
Actividad A.

En el episodio previo, la familia Castillo conversaba con Arturo. Como no sabían mucho de Rosario, le pidieron a Arturo que les hablara de ella. Lo pasaron muy bien, y Arturo escuchó a Mercedes hablar de las fiestas nacionales de México. Finalmente, Raquel y Arturo regresaron al hotel.

Mientras tanto, Ángela se había ido al hospital. Quería estar cerca de su hermano. Mientras él dormía, Ángela revisaba sus cuentas y pensaba en su situación económica.

Al llegar al hotel, Arturo le pidió a Raquel que esperara un momento. Dentro de unos pocos minutos, él regresó con un regalo muy especial para Raquel. Pero la alegría del momento fue interrumpida por un mensaje.

Actividad B. Ya sabes que la familia Castillo tiene problemas económicos. En este episodio, Ramón y Pedro le van a hablar de esos problemas a Mercedes. Luego van a hablar de posibles soluciones. Escucha una parte de su conversación y contesta las preguntas. Al escuchar, recuerda que **engañar** significa *to deceive*.

PEDRO: Cuando compararon cuentas, descubrieron que Carlos llevaba los libros mal.

MERCEDES: Carlos nunca ha manejado bien el dinero. Bueno, él nunca ha manejado bien muchas cosas.

RAMÓN: Mercedes... no es cosa de que Carlos no sepa manejar el dinero. Carlos sí sabe manejar asuntos financieros.

MERCEDES: ¿Quieren decir que Carlos nos engañaba? ¿Que engañaba a su propia familia?

PEDRO: Cálmate, Mercedes. No hemos dicho eso.

MERCEDES: Pues, ¿qué están diciendo entonces?

PEDRO: Mercedes, sólo queremos saber lo que pasó... y estamos buscando el momento oportuno para hablar con Carlos.

MERCEDES: Hay que tener cuidado. Es un asunto muy delicado. Si acusan a Carlos de...

RAMÓN: No, no vamos a acusar a Carlos de nada. Ya es tarde para eso. Lo importante es buscar soluciones.

MERCEDES: ¿Y qué se puede hacer?

RAMÓN: Tal vez tengamos que cerrar la sucursal. O al menos poner otra persona a cargo.

¿Tienes buena memoria?

Actividad A. Lo que sabe Raquel

¡Qué bonita salió la foto!, ¿verdad? ¡Y qué lindo marco le ha puesto Arturo! Siempre lo paso bien con Arturo. Es una persona muy amable y me hace sentir muy bien.

Bueno, esta noche cuando regresamos al hotel, había un mensaje para mí. Era de Pedro. ¿Qué quería Pedro? Pedro quería que yo lo llamara a su casa. Otra vez olvidé la cartera. Estaba en su casa y él estaba preocupado. ¡Qué susto! ¿Recuerdan lo que Arturo y yo pensamos? Como era tan tarde, y el mensaje decía que era urgente, pensamos que se trataba de don Fernando. Menos mal que fue sólo mi cartera.

Luego Arturo y yo fuimos a tomar algo. Tan pronto como nos sentamos, ¿de qué se puso a hablar Arturo? Como estábamos solos, Arturo se puso a hablar de nosotros, de nuestras relaciones. Arturo me preguntó que si había pensado en él. Y yo le dije que sí, que había pensado mucho en él en estos días. Pero hay otra persona en quien no he pensado. ¿En quién? No había pensado en mí. Creo que Arturo esperaba que yo me pasara todo el tiempo pensando en él. Después de unos minutos, nuestra conversación fue interrumpida. ¿Recuerdan por qué? Nuestra conversación fue interrumpida porque me buscaban para una llamada telefónica. Era mi mamá. Ella quería decirme que ella y mi papá sí vienen a México. Tengo muchas ganas de que conozcan a Arturo. Además, ellos necesitan salir de Los Ángeles de vez en cuando. Bueno, eso es todo. Voy a llamar a la recepción. Quiero ver si Ángela ya ha regresado. Me gustaría saber cómo está Roberto.

Ángela no ha regresado todavía. Ojalá Roberto esté bien. ¿Saben? Me gusta la familia Castillo. Son buena gente... y creo que Arturo les cayó muy bien a ellos.

Vocabulario del tema

El dinero y los negocios el auditor, la dueña, el empleado, la jefa

El presupuesto la compañía, la empresa, la oficina, la sucursal, S.A.: Sociedad Anónima
andar bien o mal, despedir, dirigir, economizar, poner a alguien a cargo de algo

Actividad A.   Preocupaciones financieras Escucha otra vez mientras Pedro, Ramón y Mercedes hablan de los problemas económicos de Castillo Saavedra, S.A. Luego indica si las siguientes oraciones son ciertas o falsas.

PEDRO: Los auditores nos mostraron los libros con el presupuesto.

MERCEDES: ¿Qué presupuesto? ¿El de la oficina de Miami?

PEDRO: Ese mismo, Mercedes. El presupuesto... muestra irregularidades. Los ingresos son buenos, pero hay gastos que no entendemos. Y los gastos son mucho mayores que los ingresos.

MERCEDES: Pero, ¿cómo puede ser si económicamente todo anda bien en los Estados Unidos?

PEDRO: Pues, allí están las irregularidades. Un ejemplo: han encontrado que Carlos ha sacado en esa fecha $10.000,00 de la cuenta. Y en otra ocasión, sacó $5.000,00. Y en otra ocasión, sacó $5.000,00 de nuevo. En total, Carlos ha sacado unos $100.000,00 el año pasado.

MERCEDES: Si todo eso estaba en el presupuesto, ¿por qué no se supo antes?

RAMÓN: No estaba en los libros. Por lo menos, no en los libros que Carlos manejaba.

PEDRO: Así es. Los auditores hicieron sus propias cuentas. Cuando compararon cuentas, descubireron que Carlos llevaba los libros mal.

Actividad B.   «Voy a cambiar.»

Bueno. Cuando regresemos a Puerto Rico voy a hacer un presupuesto. No sé por qué manejo tan mal el dinero. Pero voy a cambiar. Quizás eso lo heredé de papá. Mamá decía que papá tampoco sabía manejar el dinero. Me acuerdo que una vez me dijo: «No sé lo que haría tu padre sin mí. Sabe ganar el dinero, pero no sabe manejarlo.» Mamá sí tenía cabeza para el dinero. Ella sabía economizar cuando los ingresos no alcanzaban para cubrir los gastos.

Lección 38: Workbook/Study Guide

Más allá del episodio
Actividad B.

Paso 1. En la cinta vas a escuchar dos veces una serie de oraciones sobre Carlos y Gloria. No son ciertas algunas de las oraciones. Hasta es posible que ninguna sea cierta. Pero escríbelas aquí de todas formas.

1. Gloria tiene problema con las drogas y el alcohol.
2. Gloria no quería tener niños... y ahora no quiere ser responsable de ellos.
3. Todos los problemas de Gloria empezaron cuando la familia mandó a Carlos a Miami.

Gramática
Section 96

Actividad A.   ¿Qué dudas tenían?

1. Al saber que había problemas en la sucursal en Miami, Mercedes no creyó que
    a. Mercedes no creyó que los problemas pudieran ser muy graves si económicamente todo andaba bien en los Estados Unidos.

2. Mercedes dudó que Carlos
    b. Mercedes dudó que Carlos supiera manejar bien el dinero.

3. Mercedes tampoco creyó que Carlos
    a. Mercedes tampoco creyó que Carlos engañara a la familia.

4. En cuanto a Juan, a Pedro no le parecía que los hermanos
    b. A Pedro no le parecía que los hermanos debieran entrometerse en su vida.

5. Carlos dudaba que Gloria
    a. Carlos dudaba que Gloria le hablara sinceramente cuando le preguntó si tenía otra mujer.

Lección 38: Self-Test

III. La gramática

B. You will hear a series of sentences on the cassette tape. Restate the idea, beginning with the phrase provided.

1. A María le gustó la idea cuando Luis dijo que iba a México.
2. Carlos sacó dinero de la cuenta de la compañía, pero Mercedes no lo quería creer.
3. Arturo quería saber lo que pensaba Raquel, pero Raquel no se lo quería decir.

Lección 39: Textbook

Preparación
Actividad.

En el episodio previo, Raquel y Arturo regresaron al hotel después de una reunión en la casa de Pedro. Había un mensaje para Raquel. Ellos, alarmados, llamaron en seguida a Pedro.

En el bar, Arturo le preguntó a Raquel si había pensado en ellos... en su futuro.

Mientras tanto, Pedro, Ramón y Mercedes hablaban de los problemas económicos de la oficina en Miami. Pedro y los demás no sabían que Carlos los escuchaba.

En casa de Ramón, Carlos habló seriamente con Gloria. Más tarde, Carlos descubrió que Gloria había desaparecido.

¿Tienes buena memoria?
Actividad A.   ¿Qué hicieron?

En la siguiente tabla se encuentran los nombres de los personajes principales de este episodio. Vas a escuchar una serie de oraciones. Escribe el número de cada oración junto a los nombres apropiados.

1. Esta persona busca a la otra persona, que ha desaparecido.
2. Esta persona tiene mucha hambre, y la otra persona le busca otro desayuno.
3. Estas personas van al hospital para conocer a alguien.
4. Estas personas van a La Gavia esta mañana.
5. Esta persona llama a un país extranjero por un pariente de la otra persona.
6. Esta persona pide boletos para un espectáculo que quiere ver con la otra persona y unos parientes.
7. Dos de estas personas hablan de vender La Gavia, con un pariente.
8. Una de estas personas les habla a unos parientes de un pariente «perdido», mientras la otra persona escucha.

The following activity is not available in the Alternate Edition.

Actividad B.   Encuentros

Paso 2. Antes de conocer a sus sobrinos, Arturo quería hablar con Raquel. ¿Te acuerdas de su breve conversación fuera del cuarto de Roberto? Escúchala una vez más, luego contesta las preguntas.

ARTURO: Ven, que te quiero decir algo.... Raquel te quiero agradecer lo que has hecho.
RAQUEL: ¿Cómo?
ARTURO: Encontrar a Ángela... y a Roberto. Por fin podré resolver el conflicto... no con Ángel,... pero sí con sus hijos.
RAQUEL: Vamos. Te estarán esperando.

Vocabulario del tema

Los bienes raíces el apartamento, la propiedad
el alquiler, la oferta, el precio, el préstamo, la venta

El agente de bienes raíces alquilar, estar interesado en, interesarse en
hacer una oferta, aceptar la oferta, rechazar la oferta
se alquila, se vende, en venta

Actividad A.   En venta En este episodio, se habla de vender dos propiedades. Escucha las conversaciones otra vez y luego contesta las preguntas.

Aquí está la primera conversación.

RAMÓN: Era la agente de bienes raíces. Un empresario de los Estados Unidos está interesado en comprar La Gavia.

MERCEDES: Pero... todavía no está en venta, ¿verdad?

PEDRO: No, y no sabemos cómo saben que es posible que la vendamos. Pero es bueno saber que hay alguien interesado en comprar la propiedad.

MERCEDES: Creí que habíamos decidido esperar a que papá estuviera mejor.

PEDRO: Sí, Mercedes, por supuesto. Pero esta agente quiere ver la propiedad, y me parece bien saber cuál puede ser el precio.

RAMÓN: Es verdad, Mercedes. Eso nos ayudará a la hora de decidir.

Aquí está la segunda conversación

TÍO JAIME: ¡Ah! Y hay algo muy importante. El hombre interesado en el apartamento ha hecho una oferta.

RAQUEL: ¿Para comprarlo?

JAIME: Sí. Es una buena oferta. Ángela debe decidir. Pídale que se comunique conmigo.

RAQUEL: Por supuesto, yo se lo digo.

TÍO JAIME: Ah, y también hay que recordarle que lo hable con Roberto.

RAQUEL: Sí, por supuesto.

TÍO JAIME: Ángela, a veces, es un poco apresurada.

RAQUEL: Comprendo.

LECCIÓN 39: WORKBOOK/STUDY GUIDE

Más allá del episodio

Actividad A.   Juan

Juan siempre fue el preferido de la familia Castillo. Por ser el pequeño de la casa, era el niño mimado de todos. Además, Juan realmente era un niño encantador. Era guapo, despierto y simpático... y muy pronto se dio cuenta del poder de su seducción. Siendo todavía muy pequeño, aprendió a conseguir todo lo que quería. Lupe fue siempre su gran aliada. Aunque estaba consciente de las maniobras del pequeño, no podía evitar mimarlo.

Debido a estas circunstancias, no es de sorprender que, ahora que es mayor, Juan sea algo egocéntrico. Es decir, piensa más en sí mismo que en las otras personas. Lograr lo que él quiere es lo primero. El éxito de los demás no le interesa mucho.

Además de egocéntrico, Juan es muy cabezón. Cuando una idea se le mete en la cabeza, es muy difícil hacerle cambiar de modo de pensar. Cuando murió Carmen, su madre, es decir, la segunda esposa de don Fernando, Juan tuvo la idea de que la enterraran en La Gavia. No le importaba que Carmen hubiera dicho en su testamento que quería ser enterrada en su pueblo natal. Los otros hijos querían respetar los deseos de su madre, pero Juan no podía comprender por qué todos se oponían a los deseos de él.

A Juan le resulta muy difícil la situación que está viviendo con Pati. Ella tiene su propia carrera y, con el paso del tiempo, el teatro se ha convertido en una verdadera pasión para ella. A Juan le duele mucho no ser el centro de su vida. Además, es evidente que Juan no ha tenido el mismo éxito que ella. Ramón le insinúa a Juan que tal vez tenga envidia del éxito profesional de Pati. Si esto es verdad, ¿es posible que la envidia destruya su matrimonio?

Gramática
Section 97

Actividad B.   ¿Cierto o falso?

1. Es cierto. Ángela quería estar con él hasta que se despertara.
2. Es cierto. Don Fernando tiene muchas ganas de conocerlos.
3. Es falso. Luis se iba a la Capital sin hablar primero con Raquel.
4. Es falso. Arturo tenía muchas ganas de conocer a Roberto. En ningún momento dijo que sería buena idea esperar hasta que los conociera don Fernando.
5. Es cierto. Carlos salió precipitadamente, diciendo que primero tenía que encontrar a Gloria.
6. Es falso. No han tomado ninguna decisión todavía.
7. Es cierto. Arturo entró en el cuarto de Roberto antes de que Ángela llegara.

Lección 39: Self-Test

II. El vocabulario

You will hear a paragraph on the cassette tape. Listen, then indicate whether each of the following statements is **Cierto** or **Falso** according to the paragraph.

Ramón habló con una agente de bienes raíces que dice que quiere ver La Gavia porque un cliente norteamericano está interesado en hacer una oferta por la propiedad. Ramón le dice a Mercedes que no está en venta todavía, pero que le interesa oír la oferta. Si deciden después ponerla en venta, tendrán una idea del precio. Probablemente por ahora, rechazarán la oferta.

Lección 40: Textbook

Preparación
Actividad B.

Paso 1. Escucha una parte de su conversación y luego contesta la pregunta.

PRODUCTOR: Pati, veo que has regresado.
PATI: Hola, Manuel. Sí, regresé hace poco.
PRODUCTOR: Me alegro porque quiero hablar contigo sobre algunas cosas.
PATI: ¿Qué querías?
PRODUCTOR: ¿Sabes que esta obra me parece un poco controversial?
PATI: Si mal no acuerdo me has dicho que es muy controversial.
PRODUCTOR: Pues, sí. Y hasta creo que ni siquiera la vamos a poder estrenar.
PATI: ¡¿Cómo?!
PRODUCTOR: No te enojes. Los patrocinadores me han dicho que no están, que no están dispuestos a seguir apoyando la obra a menos que cambies unas de las escenas más controversiales.
PATI: Manuel, no entiendo. Hemos discutido esto diez veces y te he dicho que no, que no pienso cambiar absolutamente nada.
PRODUCTOR: Pati, mira. O cambias las escenas, o cancelamos la producción. Así es.
PATI: ¿Cómo es posible que la opinión de unos cuantos señores sea causa para la cancelación de la obra?

PRODUCTOR: Bien sabes que «la opinión de unos cuantos señores» cuenta siempre. Cuenta en la televisión, cuenta en el cine, cuenta aquí en el teatro universitario. Y no solamente aquí en este teatro sino en todos los teatros universitarios en este país. Y la verdad es que esta obra tiene partes que son ofensivas para ciertas personas.

Paso 2. Escucha la conversación por lo menos una vez más y luego contesta las preguntas. Al escuchar, ten en cuenta que **patrocinadores** significa *sponsors*.

PRODUCTOR: Pati, veo que has regresado.
PATI: Hola, Manuel. Sí, regresé hace poco.
PRODUCTOR: Me alegro porque quiero hablar contigo sobre algunas cosas.
PATI: ¿Qué querías?
PRODUCTOR: ¿Sabes que esta obra me parece un poco controversial?
PATI: Si mal no acuerdo me has dicho que es muy controversial.
PRODUCTOR: Pues, sí. Y hasta creo que ni siquiera la vamos a poder estrenar.
PATI: ¡¿Cómo?!
PRODUCTOR: No te enojes. Los patrocinadores me han dicho que no están, que no están dispuestos a seguir apoyando la obra a menos que cambies unas de las escenas más controversiales.
PATI: Manuel, no entiendo. Hemos discutido esto diez veces y te he dicho que no, que no pienso cambiar absolutamente nada.
PRODUCTOR: Pati, mira. O cambias las escenas, o cancelamos la producción. Así es.
PATI: ¿Cómo es posible que la opinión de unos cuantos señores sea causa para la cancelación de la obra?
PRODUCTOR: Bien, sabes que «la opinión de unos cuantos señores» cuenta siempre. Cuenta en la televisión, cuenta en el cine, cuenta aquí en el teatro universitario. Y no solamente aquí en este teatro sino en todos los teatros universitarios en este país. Y la verdad es que esta obra tiene partes que son ofensivas para ciertas personas.

Vocabulario del tema

Para los turistas cambiar, enviar, mandar
el banco, el cheque de viajero, el correo, el correo aéreo, el giro, el paquete, el recibo, el sobre, la tarjeta postal
la estampilla, el sello, el timbre
Quisiera cambiar... ¿A cuánto está el dólar? ¿A cuánto está el peso? Está a.... ¿Cuánto es mandar... ? ¿Cuánto cuesta mandar... ?

Actividad A.   Con Ángela y Raquel Vas a escuchar otra vez tres breves conversaciones del episodio. Pon el número de la conversación con la foto a la que corresponde.

Aquí está la primera conversación.

ÁNGELA: Mira. Aquí hay tarjetas postales. Ay, es muy linda. Es de unas ruinas indígenas.
RAQUEL: A mí me gustan las postales que tienen vistas panorámicas. Mira, como ésta.

Aquí está la segunda conversación.

RAQUEL: Yo también quisiera cambiar unos dólares.
EMPLEADO: Cómo no. ¿Cuántos?
RAQUEL: Bueno... unos doscientos.
EMPLEADO: Muy bien.... Tome, señorita. 580.000 pesos. Y su recibo.

Aquí está la tercera conversación.

ÁNGELA: Necesito enviar unas postales a Puerto Rico. ¿Cuánto cuesta cada timbre?
EMPLEADO: 1.500 pesos.
ÁNGELA: Déme seis, per favor. ¿Y cuánto cuesta mandar una carta a Puerto Rico?
EMPLEADO: ¿Por correo aéreo?
ÁNGELA: Sí, señor.
EMPLEADO: 1.500 pesos también.
ÁNGELA: Déme también timbres para dos cartas, por favor.

Actividad B.   Más necesidades turísticas

Aquí está la primera conversación.

> ÁNGELA: Quisiera cambiar unos dólares, por favor.
> DEPENDIENTE: Cómo no. ¿Cuántos?
> ÁNGELA: ¿A cuánto está el dólar?
> DEPENDIENTE: A 2.900 pesos.
> ÁNGELA: Bueno. Quiero cambiar cien dólares entonces.
> DEPENDIENTE: Muy bien. Aquí tiene su recibo, señorita.
> ÁNGELA: Gracias.

Aquí está la segunda conversación.

> ÁNGELA: Necesito comprar sellos.
> RAQUEL: Ángela, aquí no se dice *sellos*. Se dice *timbres*. Yo guardé unos de antes. Mira.
> ÁNGELA: Gracias, Raquel. Pero yo tengo que mandar muchas postales a mi familia. ¿Venden sellos, digo, timbres aquí?
> DEPENDIENTE: Normalmente, sí, señorita, pero ahora no tenemos. Tendrá que ir al correo.
> ÁNGELA: ¿Y está muy lejos el correo?
> DEPENDIENTE: No, está aquí, cerquita. A la vuelta nada más.

Lección 40: Workbook/Study Guide

Más allá del episodio
Actividad B.

Paso 2. Escucha en la cinta la descripción de una obra teatral. La segunda vez que la escuchas, escribe la descripción. ¡OJO! **la víspera** = *the night before.*

Aquí está la descripción.

> *Fuenteovejuna* es una obra de Lope de Vega. Se basa en un acontecimiento histórico. El protagonista principal es todo el pueblo de Fuenteovejuna, en Andalucía. El pueblo entero se levanta contra la tiranía del Comendador. Éste había cometido muchos abusos, incluyendo la violación de una joven la víspera de su boda. El pueblo asesina al tirano. Al final de la obra, los Reyes aprueban la decisión popular. Es un drama rural de gran valor universal.

Ahora escucha la descripción otra vez y escríbela.

> *Fuenteovejuna* es... una obra de Lope de Vega.... Se basa en... un acontecimiento histórico.... El protagonista principal... es todo el pueblo de Fuenteovejuna,... en Andalucía.... El pueblo entero... se levanta contra... la tiranía del Comendador.... Éste había cometido... muchos abusos,... incluyendo la violación de una joven... la víspera de su boda.... El pueblo... asesina al tirano.... Al final de la obra,... los Reyes aprueban... la decisión popular.... Es un drama rural... de gran valor universal.

Gramática
Section 98

Actividad B.   ¿Quién lo dijo?
Paso 1.

Fáciles

1. ¿Quién dijo que nunca volvería a la Argentina?
    b. Ángel lo dijo.

2. ¿Quién dijo que tendría que aprender a manejar mejor su dinero?
   c. Ángela lo dijo.

3. ¿Quién dijo que no seguiría ocultando la verdad?
   b. Carlos lo dijo.

Difíciles

4. ¿Quién prometió que regresaría a México tan pronto como pudiera?
   a. Pati lo prometió.

5. ¿Quién dijo que sería buena idea que alguien hiciera un viaje?
   b. María lo dijo.

6. ¿Quién dijo que alguien no debería hacer un viaje?
   a. Titi Olga lo dijo.

7. ¿Quiénes decidieron que pasarían una tarde en un parque (aunque a uno de ellos no le gustaba mucho la idea)?
   c. Arturo y Raquel lo decidieron.

Más difíciles

8. ¿Quién dijo que no podría revelar información sobre un señor mexicano?
   b. Raquel lo dijo.

9. ¿Quién dijo que Raquel y Arturo tendrían que hablar con Héctor si querían saber algo de Ángel?
   c. José lo dijo.

10. ¿Quiénes dijeron que se encontrarían en una torre?
    b. Raquel y Elena lo dijeron.

Lección 40: Self-Test

II. El vocabulario

Complete the following responses to the statements or questions you hear.

1. Tengo dólares, pero aquí sólo aceptan pesos.
2. Voy de viaje, pero no quiero llevar mucho efectivo.
3. Necesito mandar estas tarjetas postales.
4. Quiero enviar dinero a mi sobrino en España.
5. No sé cuántos pesos me dan por un dólar.

Lección 41: Textbook

Preparación

Actividad A.

En el episodio previo, le dejaron a Roberto salir del hospital. Como quería verse bien para el encuentro con don Fernando, todos decidieron ir de compras. Mientras Roberto y los demás se ocupaban de su apariencia física, en Nueva York Pati tenía problemas graves con Manuel Domínguez, el productor del teatro universitario. Manuel quería que Pati hiciera unos cambios porque la obra es muy controvertida, pero Pati dijo que no. Más tarde, Pati le contaba a su amigo de sus problemas matrimoniales.

En México, la familia Castillo recibió las noticias de que don Fernando tendría que ir en seguida a Guadalajara para ver al especialista.

Actividad B.

Paso 1. Escucha la conversación y trata de captar los puntos más importantes. Luego contesta las preguntas.

ROBERTO: Pero, ¿qué necesidad hay de vender el apartamento? Nos criamos en ese apartamento. Está lleno de recuerdos.

ÁNGELA: Precisamente. A mí me dan tristeza los recuerdos.

ROBERTO: ¿Quieres decir que no tienes otros motivos?

ÁNGELA: ¿Qué otros motivos podría tener?

ROBERTO: Sabes bien a que me refiero.

ÁNGELA: ¡Pues no! ¡No lo sé! Dímelo tú... A ver, dímelo.

ROBERTO: Esto ya lo hablamos hace una semana. Ángela quiere darle parte del dinero a su novio Jorge.

ARTURO: ¿Y acaso no es legítimo el motivo de Ángela?

ROBERTO: ¿Legítimo?

ARTURO: Que pienses distinto a tu hermana, no quiere decir que ella esté equivocada. Ambos tienen el mismo derecho, ¿no es cierto? Miren. Todos hemos pasado por momentos difíciles. Ahora debemos contentarnos con que estemos sanos y vivos. ¿Entienden? Esto del apartamento lo pueden discutir más tarde, cuando estén más tranquilos. Además, no dejen que una sola oferta los tiente.

Paso 2. Escucha la conversación otra vez y contesta las siguientes preguntas.

ROBERTO: Pero, ¿qué necesidad hay de vender el apartamento? Nos criamos en ese apartamento. Está lleno de recuerdos.

ÁNGELA: Precisamente. A mí me dan tristeza los recuerdos.

ROBERTO: ¿Quieres decir que no tienes otros motivos?

ÁNGELA: ¿Qué otros motivos podría tener?

ROBERTO: Sabes bien a que me refiero.

ÁNGELA: ¡Pues no! ¡No lo sé! Dímelo tú... A ver, dímelo.

ROBERTO: Esto ya lo hablamos hace una semana. Ángela quiere darle parte del dinero a su novio Jorge.

ARTURO: ¿Y acaso no es legítimo el motivo de Ángela?

ROBERTO: ¿Legítimo?

ARTURO: Que pienses distinto a tu hermana, no quiere decir que ella esté equivocada. Ambos tienen el mismo derecho, ¿no es cierto? Miren. Todos hemos pasado por momentos difíciles. Ahora debemos contentarnos con que estemos sanos y vivos. ¿Entienden? Esto del apartamento lo pueden discutir más tarde, cuando estén más tranquilos. Además, no dejen que una sola oferta los tiente.

¿Tienes buena memoria?

Actividad A.   El repaso de Raquel Al final de cada episodio de *Destinos,* has escuchado el repaso de Raquel. En esta actividad, vas a escuchar el repaso del **Episodio 41** otra vez, pero ¡ahora tú tienes que dar las respuestas!

Escucha las preguntas de Raquel con cuidado y contéstalas. Luego, como siempre, vas a oír la respuesta de ella. Tu respuesta no tiene que ser idéntica a la de Raquel, pero sí debe contener la misma información.

En unos minutos voy a salir con Arturo a cenar. Me gustaría estar a solas con él... tranquilos... sin que nadie nos moleste.

Hoy fuimos al hospital para ver a don Fernando. Yo entré sola. ¿Recuerdan por qué?

Arturo pensó que sería mejor que yo entrara primero. Me pareció una buena idea. Así yo podría hablar con don Fernando... prepararlo. Todos creíamos que la visita le causaría una gran emoción.

Bueno, yo entré al cuarto de don Fernando, pero, ¿qué pasó en este momento? ¿Qué encontré al entrar?

Cuando entré, vi que don Fernando no estaba. Luego una enfermera nos dijo que lo habían llevado a Guadalajara.

¡Qué desilusión! Habíamos pasado por tantas cosas para que don Fernando se reuniera con Ángela y Roberto no estaba. Bueno, más tarde, mientras caminábamos, recordé que Ángela tenía que hacer algo. Tenía que llamar a alguien. ¿A quién tenía que llamar?

Ángela tenía que llamar a su tío Jaime. Jaime había recibido una oferta para vender el apartamento en San Juan. ¿Cómo reaccionó Roberto al oír esto?

A Roberto no le gustó. A Roberto no le gustó la idea de vender el apartamento. Pero Ángela le explicó que ella pensaba que sería mejor. Más tarde, en el café, Ángela y Roberto siguieron hablando del apartamento. Roberto sabía que si vendían el apartamento, Ángela le daría a Jorge, su novio, parte del dinero de ella.

Bueno. Ya estoy lista. Como les dije, tengo muchas ganas de estar a solas con Arturo. Tenemos mucho de que hablar y quiero pasar una noche tranquila. No quiero más problemas hoy.

Vocabulario del tema

Hablando de los viajes la aduana, la agencia de viajes, el billete, el boleto, el boleto de ida, el boleto de ida y vuelta, la primera clase, la clase turística, el equipaje, la gira, la maleta, el mapa, el pasaje, el pasaporte, el plano, la reserva, la reservación, la sección de no fumar, el vuelo

el agente de viajes, la guía

hacer o cancelar una reservación, hacer la maleta, hacer una gira; tomar un autobús, avión, barco, taxi o tren

Actividad A.   Juan se va, Luis ha llegado... En *Destinos,* los personajes viajan mucho. Vas a escuchar una serie de descripciones de varios aspectos de los viajes. Pon el número de la descripción con la foto o el dibujo apropiado.

1. Mientras Juan escuchaba la revelación de Carlos, decidió volver a Nueva York para hablar con Pati. Llamó a un taxi, que vino a recogerlo para llevarlo al aeropuerto.
2. Al llegar al aeropuerto, Juan tenía que comprar el pasaje. ¿Sería un billete de ida y vuelta o simplemente de ida? Problablemente un viaje de ida y vuelta, ya que don Fernando está muy enfermo y Juan querría volver al lado de su padre.
3. En el avión, es probable que Juan se siente en la sección de no fumar. Fumaba hace años, pero Pati insistió en que dejara el vicio.
4. No es probable que los padres de Raquel compren un mapa de todo el país de México. No van a tener coche, así que no es necesario que sepan exactamente cómo se va de una ciudad a otra. Si tuvieran coche, entonces un mapa del país sería una necesidad.
5. Mañana llegarán a México los padres de Raquel. Tendrán necesidad de un buen plano de la ciudad porque no la conocen y hay muchos lugares de interés turístico que quieren visitar.

Lección 41: Workbook/Study Guide

Más allá del episodio

Actividad B.

Paso 1. En la cinta vas a escuchar dos veces una serie de oraciones sobre Gloria. Escribe las oraciones aquí. Luego indica si crees que las oraciones son ciertas o falsas.

1. Es improbable... que Gloria busque ayuda... para resolver su problema.
2. Gloria diría que ella... realmente no tiene ningún problema serio... con el juego.
3. El problema de Gloria... ha tenido consecuencias económicas... eso sí... pero no ha afectado a sus hijos.

Gramática

Section 99

Actividad C. ¿Quién lo dijo?

Paso 1.

1. ¿Quién dijo que no haría los cambios que otra persona quería que hiciera?
   Pati dijo que no haría unos cambios.
2. ¿Quién dijo que otra persona regresaría en unos días?
   Carlos dijo que otra persona regresaría.
3. ¿Quién dijo que sería mejor hablar después de una decisión importante?
   Arturo dijo que sería mejor hablar de algo después.
4. ¿Quién dijo que pensaba que podría devolver algo antes de que se descubriera?
   Carlos dijo que pensaba que podría devolver algo.
5. ¿Quién dijo que saldría pronto para otro país?
   Juan dijo que saldría pronto para otro país.
6. ¿Quién dijo que haría cualquier cosa por ayudar a otra persona?
   Carlos dijo que haría cualquier cosa por alguien.
7. ¿Quién dijo que se encontraría con otra persona en quince minutos para cenar?
   Arturo dijo que se encontraría con otra persona para cenar.

LECCIÓN 41: SELF-TEST

II. El vocabulario

A. You will hear a paragraph on the cassette tape. Listen, then complete the following sentences based on what you heard.

Buenos días, señores. Soy de la agencia de viajes «Viajes Elena». Nos especializamos en viajes a Europa. Tenemos vuelos de ida y vuelta por sólo $800 el pasaje. Si quieren hacer una gira, la tenemos por el precio bajo de $2000 por 15 días. También podemos ayudarles con los problemas de pasaportes, equipaje y reservaciones en los hoteles. Vengan a vernos cuando piensen viajar.

LECCIÓN 42: TEXTBOOK

Preparación

Actividad A.

Paso 1. Escucha el repaso que va a presentar el narrador al principio del **Episodio 42**.

En el episodio previo, Ángela y Roberto iban a conocer a su abuelo, don Fernando. Estaban un poco nerviosos. Al entrar Raquel en el cuarto de don Fernando, descubrió que no estaba. Una enfermera les explicó que habían llevado a don Fernando a Guadalajara.

Mientras tanto, en la casa de Pedro, Carlos empezó a contarle a su familia el secreto que ocultaban.

Más tarde, Ángela y Roberto hablaban de la venta del apartamento en San Juan, y Roberto acusó a Ángela de tener motivos personales.

Al final, Raquel y Arturo decidieron ir a cenar. Raquel no sabía que le esperaba una sorpresa.

Actividad B.

Paso 1. Luis les va a hablar a Raquel y Arturo de su vida profesional. Escucha una parte de lo que les dice y luego contesta la pregunta.

RAQUEL: Y tú, Luis, ¿qué has hecho durante todos estos años? ¿Sigues trabajando en la misma compañía?

LUIS: No. Al poco tiempo de estar en Nueva York, encontré una mejor oferta de trabajo. Así que renuncié a mi antiguo puesto y me fui a esta nueva compañía. Me ha ido muy bien; no me puedo quejar. Soy ahora vicepresidente de la compañía.

Paso 2. Escucha la conversación una vez más. Puedes leerla al mismo tiempo, si quieres. Luego completa las oraciones.

RAQUEL: Y tú, Luis, ¿qué has hecho durante todos estos años? ¿Sigues trabajando en la misma compañía?

LUIS: No. Al poco tiempo de estar en Nueva York, encontré una mejor oferta de trabajo. Así que renuncié a mi antiguo puesto y me fui a esta nueva compañía. Me ha ido muy bien; no me puedo quejar. Soy ahora vicepresidente de la compañía.

¿Tienes buena memoria?

Actividad B. Momentos importantes ¿Recuerdas estas escenas? Escúchalas en la cinta y escribe la letra de la foto a que corresponde.

1. LUIS: Hola, Raquel.
   RAQUEL: ¿¿¿Luis???
   LUIS: Sí, Raquel, soy yo.
   RAQUEL: ¡Vaya sorpresa! ¿Y qué haces aquí?
   LUIS: Acabo de llegar a México.
   RAQUEL: ¿Estás alojado aquí en este hotel?
   LUIS: Sí.
   RAQUEL: Disculpen. Arturo, él es Luis Villarreal. Es un... viejo amigo mío. El doctor Arturo Iglesias es un buen amigo de Argentina.

2. LUIS: ¿En qué trabaja Ud., Arturo?
   ARTURO: Soy psiquiatra. Y también doy clases en la universidad.
   LUIS: No sé si creo en la terapia psicológica. ¿No cree Ud. que las personas deben resolver sus problemas por su propia cuenta?
   ARTURO: Bueno. Eso depende del problema, ¿no? Si Ud. sufriera una enfermedad física grave, ¿no consultaría con un médico?

3. GUILLERMO: ¿Vamos a tomar algo?
   PATI: Bueno. Me alegro de tener tu compañía.
   GUILLERMO: ¿Sí? Pues entonces tú puedes invitar. Toma tu chaqueta.

4. LUIS: Y Uds., ¿dónde se conocieron?
   ARTURO: En Buenos Aires.
   LUIS: Vaya. ¿Y qué hacías tú en Buenos Aires?
   RAQUEL: Ah, asuntos de trabajo. Hacía una investigación. Es una larga historia...

5. RAQUEL: Luis, Arturo y yo íbamos a cenar. ¿Quieres cenar con nosotros?
   LUIS: No, gracias. No quisiera ser una molestia. Yo...
   ARTURO: Por favor, no hay ninguna molestia.
   RAQUEL: Anda, ven...
   LUIS: Bueno, si insisten. Pero yo invito.
   ARTURO: ¡Faltaba más! Invito yo.
   LUIS: No, señor. ¡Yo los invito!

Vocabulario del tema

En un restaurante el camarero, la mesera, el mozo, la cliente
   la cuenta, la orden, la propina
   el antojito, el aperitivo, el plato principal, el postre
   la copa, el pimentero, el plato, el salero, la servilleta, la taza, el vaso
   los cubiertos, la cuchara, el cuchillo, el tenedor
   invitar, ordenar, pedir, tomar
   ¿Me pasa el salero, por favor? ¿Me trae la cuenta, por favor?

Actividad A.

Paso 2.

¿En qué consiste una cena? ¿Qué se dice en un restaurante? Primero, viene el camarero a preguntarles a los clientes qué van a tomar. Después el camarero les pregunta si quieren un plato para comenzar. También les toma la orden para el plato principal.

Un buen camarero siempre les pregunta a sus clientes cómo está todo, si necesitan algo más. La última parte de la cena es el postre y el café.

Cuando ya han terminado, los clientes piden la cuenta. Como es costumbre aquí, la propina está incluida en la cuenta. Si el servicio ha sido muy bueno, se debe dejar una propina adicional.

Lección 42: Workbook/Study Guide

Más allá del episodio

Actividad A.   Luis

Para muchas personas, la felicidad consiste en triunfar económicamente. Quieren subir la escalera socioeconómica. Al mismo tiempo con frecuencia buscan ascender en su profesión. El tener una posición importante en una empresa trae consigo no sólo dinero sino también poder. Para lograr esto, a veces es necesario sacrificar algo de la vida personal.

Algunos dirían que Luis Villarreal es una de estas personas. Pero para Luis, el éxito en la profesión es algo más. Porque, para él, una persona vale solamente por lo que tiene. Es decir, el valor de una persona se basa no en quién es sino en los bienes materiales que posee.

Desde muy joven Luis pensó que la medida del éxito era tener un auto deportivo (rojo, de ser posible), trajes italianos, vacaciones en lugares exóticos, frecuentar los restaurantes y bares más caros y de moda y, cómo no, tener también a su lado a una bella mujer.

Como la familia de Luis no era muy rica, siempre concentró toda su energía en sus estudios. Pensaba que una buena educación sería la llave perfecta para tener mucho éxito en su profesión. Nunca le molestó sacrificarse para realizar sus ambiciones. Cuando, al terminar sus estudios, tenía que elegir entre su carrera y su amor, no vaciló ni lo dudó por un instante. Prefirió su carrera.

Luis quería a Raquel; de eso no hay duda. Pero al mismo tiempo hay que admitir que siempre la veía como un objeto. Apreciaba sus cualidades como quien valora los detalles de un auto clásico. Ahora Raquel se ha convertido en algo más especial. Como él, tiene mucho éxito en su profesión. Al regresar a Los Ángeles, decidió recuperarla. Ni siquiera pensó por un instante que Raquel no pudiera tener ya ningún interés en él.

Su plan comenzó con una llamada a la casa de los padres de Raquel. Y ahora lo ha llevado a México. ¿Podrá Luis recuperar a Raquel? ¿Sentirá ella por él lo que sentía antes?

Gramática

Section 100

Actividad B.   ¿Qué harías tú?

Paso 1. Escucha las siguientes suposiciones en la cinta y escribe la solución que escuchas.

1. Si tú fueras Pati, ¿qué harías con la obra de teatro?
    Trataría de hablar con Manuel y los demás... para llegar a un acuerdo.
2. Si tú fueras Gloria, ¿qué harías?
    Hablaría sinceramente con Carlos,... pidiéndole su ayuda.
3. Si tú fueras Arturo, ¿qué pensarías de la situación con Luis?
    Estaría muy preocupado,... pues Luis es el antiguo novio de Raquel
4. Si tú fueras Juan, ¿en qué pensarías mientras esperabas a Pati?
    Tendría miedo de que estuviera con otro hombre.
5. Si tú fueras don Fernando, ¿cómo te sentirías mientras esperabas al especialista?
    Pensaría en los nietos que no conocía todavía.

Lección 42: Self-Test

I.   El episodio y los personajes

Indicate whether the statements you hear describe correctly the events of **Episodio 42**.

1. Luis y Raquel se conocieron en el hotel.
2. Luis, Arturo y Raquel fueron a cenar en casa de Pedro.
3. Luis es mexicoamericano, como Raquel.
4. Luis acaba de mudarse de Nueva York a Los Ángeles.
5. Luis dice que no cree en la terapia sicológica.
6. Ángela y Roberto resolvieron por fin el problema del apartamento.
7. Luis y Arturo comparten la cuenta de la cena.
8. Raquel se preguntó cómo sería su vida si ahora viviera con Arturo en Buenos Aires.

Lección 43: Textbook

Preparación

Actividad A.

Paso 2.

En el episodio previo, Raquel recibió una sorpresa... una sorpresa relacionada con su pasado. Durante la cena Arturo observaba a Luis... y Luis también observaba a Arturo. Raquel se encontraba en una situación difícil.

Mientras tanto, Juan regresó a Nueva York para buscar a Pati, pero no la encontró en el apartamento. Pati estaba trabajando.

Finalmente, Raquel, Arturo y Luis salieron del restaurante y regresaron al hotel. Fue entonces cuando Raquel por fin comprendió por qué Luis hizo el viaje a México.

Vocabulario del tema

En un hotel el baño privado o con ducha, la cabaña, la habitación individual o doble, el hotel de cinco estrellas, el plan económico o de lujo, la tarifa

el buceo, la cancha de tenis, la piscina, la playa privada

alojarse, confirmar, hacer una reservación para el próximo fin de semana

Actividad A.

Paso 2. Aquí está la conversación de Arturo.

ARTURO: Buenos días.
AGENTE: Buenos días, señor. ¿Qué se le ofrece?
ARTURO: Estoy pensando en pasar unos días en la playa.
AGENTE: Muy bien. Ud. es argentino, ¿no?
ARTURO: Sí, soy de Buenos Aires. Estoy aquí por un rato y quería aprovechar un fin de semana para conocer una playa.
AGENTE: Bueno, sabrá que aquí en México hay muchas playas y lugares de vacaciones.
ARTURO: Cozumel está en el Caribe, ¿no?
AGENTE: Sí, señor. Es una pequeña isla, muy linda, y el buceo es algo que hay que ver. ¿Cuántos irán?
ARTURO: Seremos dos. No, no. Seremos cuatro.
AGENTE: ¿Necesitarán una habitación para cuatro?
ARTURO: No. Necesitaremos... tres habitaciones... una para dos personas y dos individuales.
AGENTE: ¿Le interesa Cozumel?
ARTURO: Sí.
AGENTE: Tenemos diferentes planes. ¿Quiere Ud. un plan económico? Aquí ofrecemos...
ARTURO: Perdone, pero me gustaría un plan que incluya los mejores hoteles.

AGENTE: Perfectamente, señor. Aquí tenemos un plan que incluye el hotel Sol Caribe, es un hotel de cinco estrellas. En cada habitación tiene baño privado con ducha. Todas las habitaciones tiene vista al mar. El hotel tiene canchas de tenis, una piscina muy grande, jardines y playa privada.

ARTURO: Muy bien. Me gustaría hacer reservaciones para cuatro personas.

AGENTE: ...¿Cuánto tiempo piensan quedarse en Cozumel?

ARTURO: El fin de semana, nada más. ¿El plan incluye el vuelo en avión?

AGENTE: Sí. El precio incluye viaje de ida y vuelta en avión más tarifas, más impuestos, y tres días y tres noches en el hotel. ¿Entonces le hacemos su reservación?

ARTURO: Sí, pero tengo que consultarlo con una amiga. Ella no sabe nada de todo esto.

AGENTE: Está bien. Puede hacer ahora una reservación sin compromiso. Pero nos la tiene que confirmar mañana a más tardar.

ARTURO: Muy bien. Hablaré con mi amiga esta noche y mañana vengo a confirmar... y pagar.

Aquí está la conversación de Luis.

LUIS: Buenos días.

AGENTE: Buenos días, señor. ¿Se le ofrece algo?

LUIS: Sí, por favor. Quiero hacer reservaciones para dos... para ir a Zihuatanejo.

AGENTE: ¿Para cuándo, señor?

LUIS: Para este fin de semana. No, digo, para el próximo.

AGENTE: ¿Cuánto tiempo piensan quedarse?

LUIS: Unos dos o tres días, nada más.

AGENTE: Pues, le podemos ofrecer un plan que incluye el hotel las Palmas que...

LUIS: ¿No hay unas cabañas? Un amigo me habló de unas cabañas en Zihuatanejo.

LUIS: Ah, sí. Las Urracas. Son ideales para la gente que quiere pasarse unas vacaciones románticas.

LUIS: Pues eso es lo que yo quiero, ¿eh? Mi amiga no sabe nada de esto... Será una sorpresa.

AGENTE: Cuidado con las sorpresas, ¿eh? Ayer estuvo aquí un hombre que tuvo que cancelar su fin de semana en Acapulco por no haberlo consultado con su esposa.

LUIS: Pero en este caso no habrá ese problema.

AGENTE: Bueno. Entonces le hago unas reservaciones para dos personas el próximo fin de semana. Las cabañas incluyen un baño privado...

Actividad B. Lo que planea Raquel Escucha otra vez la conversación entre Raquel y el mismo agente de viajes. Luego contesta las preguntas.

RAQUEL: Buenos días.

AGENTE: Buenos días, señorita.

RAQUEL: Quisiera informarme sobre un viaje.

AGENTE: ¿Adónde?

RAQUEL: A Guadalajara. Somos tres... posiblemente cuatro.

AGENTE: ¿Y cómo prefieren viajar?

RAQUEL: En avión.

AGENTE: ¿Y cuándo es el viaje?

RAQUEL: Para el próximo fin de semana. Prefiero salir el viernes por la mañana.

AGENTE: En la mañana hay varios vuelos. Hay uno a las nueve treinta de la mañana que tal vez le convenga. Hay muchos asientos disponibles todavía. ¿Y cuándo volverán?

RAQUEL: No estoy segura todavía.

AGENTE: En ese caso se le puede ofrecer un viaje barato.

RAQUEL: ¿Y si regresamos a México el lunes?

AGENTE: En ese caso se le podría dar un viaje más barato.

RAQUEL: Está bien. Tengo parientes en Guadalajara pero quisiera saber qué hoteles me recomienda. Quiero uno de los mejores.

AGENTE: El Hotel Camino Real es uno de los mejores. ¿Qué tipo de habitación prefieren?

RAQUEL: Pues, querríamos tres habitaciones: una habitación doble y dos individuales.

AGENTE: Está bien. Pero para confirmar hay que pagar el cincuenta por ciento de anticipo.

RAQUEL: Está bien. Creo que es todo. ¿Será muy tarde mañana para confirmar la reservación?

AGENTE: En este caso, no lo creo. El turismo para Guadalajara en este momento está un poco flojo. Pero...

Lección 43: Workbook/Study Guide

Más allá del episodio
Actividad B.

Paso 1. En la cinta vas a escuchar una serie de oraciones sobre Raquel. Algunas de ellas no son ciertas. De hecho, es posible que ninguna sea cierto. Pero escríbelas aquí de todas formas.

1. Es probable que Raquel quiera... que todo empiece de nuevo con Luis,... ya que todavía lo quiere.
2. Raquel ha cambiado tanto... que es imposible que tenga con Luis... las mismas relaciones que antes.
3. Raquel no ha tomado ninguna decisión todavía,... pero está claro que Arturo le interesa mucho más... que su antiguo novio.

Gramática
Section 101

Actividad B.   ¿Y Luis?

Paso 2. Ahora escucha la cinta para saber un poco más sobre las oraciones del **Paso 1.**

Luis no es el tipo de persona que toma decisiones con la ayuda de otros. Muchas veces actúa sin pensar en los demás y, lo que es más, tiende a actuar y tomar decisiones muy rápidamente. Así fue como tomó la decisión de irse a Nueva York.

Lo mismo pasó cuando Luis pensó en regresar a Los Ángeles. Lo decidió muy rápido. Pero en este caso hay que admitir que él siempre había pensado en Raquel. Es posible que eso influyera en la rapidez de su decisión.

Pero Luis no habló con Raquel ni con su familia mientras tomaba esa decisión. En su interior, «sabía» que Raquel iba a estar allí esperándolo. «Sabía» que Raquel no se había casado. ¿Entonces, para qué llamar y hacer preguntas con anticipación?

Claro, todo esto demuestra que, para Luis, lo que había pasado entre él y Raquel ya era cosa del pasado... Y, además, algo de que él no tenía la culpa. Nadie tiene la culpa cuando se le presenta una gran oportunidad y se aprovecha de ella. Por lo menos, así pensó Luis.

Lección 43: Self-Test

I.   El episodio y los personajes

You will hear descriptions of the actions of certain characters in **Episodio 43**. Write the name of the character described.

1. Una persona llamó a Raquel para hacer una cita para más tarde.
2. Un persona hizo reservaciones para cuatro personas en un hotel en la playa de Cozumel.
3. Una persona hizo reservaciones para dos en Zihuatanejo.
4. Una persona hizo reservaciones para tres o cuatro personas en Guadalajara.
5. Una persona llamó a Puerto Rico dos veces.
6. Dos personas deciden esperar para vender un apartamento.

Lección 44: Textbook

Preparación
Actividad.

En el episodio previo, Luis quería ver a Raquel. Pero Raquel no quiso verlo en ese momento. Entonces, le prometió a Luis que lo vería al día siguiente.

Pero al día siguiente, Raquel recordó una conversación muy importante... una conversación que tuvo con Luis hace unos años.

Mientras tanto, Arturo fue a una agencia de viajes para pedir información sobre un viaje para cuatro personas. También Luis fue a la agencia e hizo reservaciones para dos personas. Sin saber que Arturo y Luis habían estado en la agencia, Raquel también fue a pedir información sobre un viaje a Guadalajara para cuatro personas.

Vocabulario del tema

Hablando de los deportes el baloncesto, el básquetbol, el béisbol, el buceo, el esquí acuático, alpino o nórdico, el fútbol, el fútbol americano, el golf, la natación, la navegación, la pesca, el tenis, el vólibol

el atleta, la campeona, el entrenador, la jugadora

el barco, la cancha, la caña de pescar, el equipo, el estadio, el gimnasio, la pelota, la piscina, la pista

correr, esquiar, hacer ejercicio aeróbico, jugar, montar a caballo, nadar, practicar un deporte

Actividad A.   ¿Practicabas algún deporte?

Paso 1. Escucha otra vez la conversación entre Carlos y Juanita. Luego contesta las preguntas en el **Paso 2.**

JUANITA: ¿Papá?
CARLOS: Sí, hijita.
JUANITA: Cuando tenías mi edad, ¿practicabas algún deporte?
CARLOS: Pues no.
JUANITA: ¿No jugabas al béisbol ni al fútbol?
CARLOS: Al fútbol, sí. Dime tú. ¿A qué juegan Uds. en la escuela?
JUANITA: Pues, a todo. Al fútbol... baloncesto... béisbol... Pero mi preferido es el baloncesto.
CARLOS: Pero Uds. también hacen ejercicio, ¿no? Corren, nadan.
JUANITA: Pues, sí, pero no me gusta correr... y nadar es aburrido. ¿Sabes? Cuando regresemos a Miami, quiero tomar lecciones de tenis.
CARLOS: ¿Tenis?
JUANITA: Sí. Quiero hacerme famosa y rica jugando tenis.

The following activity is not available in the Alternate Edition.

Un poco de gramática
Actividad.   El repaso de Raquel

Bueno, parece que Ángela, Roberto y Arturo lo pasaron muy bien en su excursión. Según Ángela, vieron unos murales impresionantes. ¿Recuerdan quiénes son los pintores que los pintaron? Los pintores son Diego Rivera, David Alfaro Siqueiros y José Clemente Orozco. Son pintores de fama mundial y de mucha importancia en la historia de México.

Pero antes de ver los murales, ¿adónde fueron primero Arturo y sus sobrinos? ¿Al Museo de Antropología o al Museo de Historia Mexicana? Antes de ver los murales, habían ido al Museo de Antropología. También dijo Ángela que habían pasado por un estadio. ¿Qué tipo de estadio era? ¿Un estadio de béisbol, un estadio de fútbol o un estadio olímpico? Exacto. Habían pasado por el Estadio Olímpico.

Mientras tanto, Luis me llamó. Yo le había prometido algo anoche, ¿recuerdan? ¿Qué le había prometido yo? Durante esa conversación por teléfono, yo le había prometido que hablaría hoy con él. Por fin bajé a la cafetería y almorcé con él.

Al final del almuerzo me dijo que me tenía una sorpresa. Luis sacó un sobre y me mostró unos boletos. ¿Qué había hecho Luis? Él había comprado dos boletos para ir a Zihuatanejo y también había conseguido información sobre un hotel.

Pues, mi reacción fue bastante negativa. Luis nunca debió haber comprado esos boletos sin consultarme. Yo creo que eso muestra una falta de respeto hacia la otra persona, ¿no creen? Bueno, mañana hablaré mas sobre eso con Luis.

Más allá del episodio
Actividad A.   La Gavia

Al terminar su conversación con la agente de bienes raíces, Ramón tiene muchas dudas. ¿Qué deben hacer los hermanos con La Gavia? No hay respuestas fáciles. Por una parte, Ramón piensa en los problemas financieros de la compañía Castillo Saavedra. Por otra parte La Gavia ha sido un elemento muy importante en la vida de la familia. Esta tarde, sentado en la biblioteca, Ramón contempla esas cuestiones al mismo tiempo que mira unas fotos de la hacienda... fotos que le recuerdan el pasado de La Gavia.

Al principio del siglo XX, La Gavia era una gran hacienda. Porfirio Díaz era entonces el presidente de México y gobernó el país por más de treinta años. Durante su gobierno, progresaron algunas industrias, pero la agricultura sufrió... y también sufrió el pueblo mexicano. La gran mayoría de las tierras estaba en manos de unos pocos hacendados, mientras que los pobres pasaban hambre.

El 1910, Porfirio Díaz perdió las elecciones y Francisco Madero fue elegido presidente. Pero Díaz no aceptó su derrota electoral y Madero tuvo que actuar contra él. Así comenzó la Revolución mexicana. En el sur del país, Emiliano Zapata inició un ataque contra el gobierno. En el norte, otro revolucionario, Pancho Villa, también se rebeló. La Revolución se convirtió rápidamente en una lucha de los pobres contra los ricos... y contra el gobierno, que se identificaba con éstos. Como era símbolo de la clase rica, La Gavia, como muchas otras haciendas, fue destruida.

¿Por qué don Fernando compró una hacienda en ruinas? Cuando vio La Gavia por primera vez, abandonada y en ruinas, recordó su tierra y en particular el pueblo de Guernica. Pensó en la guerra y en el sufrimiento que causa. Pensó en las vidas destruidas por la guerra, en el hambre, en las atrocidades. Supo en ese momento que La Gavia era un símbolo. Por eso don Fernando no dudó en comprarla. Tenía que reconstruir lo que la guerra había destruido. Así, tal vez, podría olvidarse de un pasado triste.

Ahora, aunque don Fernando no lo sabe, su sueño está a punto de desaparecer.

Actividad B.

Paso 1.

El número uno es falso. Ramón, como los otros miembros de la familia Castillo, tiene muchas dudas sobre la venta de la hacienda familiar.

No se sabe si el número dos es cierto o falso. Es posible que el Presidente Díaz visitara la hacienda alguna vez, pero eso no se menciona en la narración.

El número tres es cierto. Los terrenos de la hacienda fueron escenario de varias batallas revolucionarias, y la hacienda misma sirvió de cuartel para varios grupos de soldados.

El número cuatro es cierto. Cuando don Fernando vio la hacienda por primera vez, se puso deprimido. Hacía mucho tiempo que no había pensado en Guernica, y la vista de la destrucción de la hacienda señorial le recordó su pasado.

No se sabe si el número cinco es cierto o falso. En los episodios se ven partes de la hacienda que no se han reconstruido todavía, pero en la narración no se menciona nada de eso.

Gramática
Section 102

Actividad B.   ¿Qué crees?

Paso 2. Ahora escucha la opinión de la persona en la cinta. ¿Están Uds. de acuerdo?

1. En mi opinión, Juan y Pati problablemente habían hablado de sus respectivas carreras antes de casarse. Lo que pasó es que Juan nunca había anticipado que la carrera de Pati sería más importante que la suya.

2. Obviamente Carlos y Gloria no habían buscado ayuda profesional. Con ese tipo de ayuda, Gloria ya no tendría ese problema.
3. Yo creo que sí lo había hecho antes. Aunque María le dijo a Raquel una vez que no debía meterse en la vida de los demás, es obvio que María no hace lo que dice.
4. Sí, ¡claro! Luis había aceptado un trabajo en Nueva York sin consultar con Raquel. Él tiene la costumbre de actuar sin consultar.

Section 103

Actividad A.   ¿Cómo?

1. Arturo comprendió perfectamente la curiosidad que todos tenían por saber algo de su madre, Rosario.
2. Al revisar sus cuentas, Ángela no comprendía cómo era posible que en su cuenta corriente tuviera solamente $10.00.
3. Para Mercedes, los problemas financieros de la compañía Castillo Saavedra eran difíciles de entender porque todo andaba muy bien económicamente en los Estados Unidos.
4. A Roberto le gustaba el apartamento porque tenía recuerdos de sus padres. Ángela lo quería vender precisamente por eso.
5. Luis pensaba que Raquel lo iba a recibir cariñosamente.
6. Carlos pensaba que posiblemente podría devolver el dinero sin que nadie supiera que lo había tomado.
7. En la opinión de Ángela, todos critican a Jorge injustamente.

LECCIÓN 44: SELF-TEST

II. El vocabulario

B.   You will hear a series of definitions related to sports. Write the number of the definition next to the word defined.

1. Es un grupo de jugadores que compite en un juego con otro grupo de jugadores.
2. El lugar donde se juegan deportes como el fútbol o el béisbol.
3. Un deporte que se practica con una caña.
4. Un jugador o equipo que siempre gana en los deportes.
5. Un deporte que se practica en una piscina.

LECCIÓN 45: TEXTBOOK

Preparación
Actividad.

En el episodio previo, Luis sorprendió a Raquel con su plan de pasar el fin de semana en Zihuatanejo. Pero la reacción de Raquel sorprendió a Luis. Mientras tanto, Carlos y su familia esperaban el regreso de Gloria. En Nueva York, Juan se levantó y no encontró a Pati. Entonces decidió ir al teatro.

¿Tienes buena memoria?
Actividad A.   ¿Qué pasó en el episodio?
Paso 2.

¡Qué complicaciones! Aquí está Arturo, y también Luis, y ahora sé que mi mamá es la causa de mi difícil situación. Es evidente que ella había hablado con Luis en Los Ángeles. ¿Recuerdan lo que Luis le dijo cuando la vio aquí en mi habitación?

¿Ven? Es evidente que mi mamá le había sugerido a Luis la idea de venir a México. ¿Y cuál fue mi reacción? Me enojé con mi mamá. Mi mamá también se enojó conmigo. No me gusta pelear con mi mamá. Pero en este caso ella no tenía ningún derecho de invitar a Luis, sin avisarme, ¿no creen Uds.? Mi mamá siempre hace estas cosas. Bueno, pero antes de este incidente con mi mamá habían pasado otras cosas muy interesantes.

Esta mañana Arturo me dijo que había ido a la agencia de viajes. Me preguntó si quería ir a Cozumel con él. Eso me sorprendió mucho. Y Arturo, ¿había pensado en mis padres o no? Sí, Arturo también había pensado en mis padres. Eso me impresionó mucho. Si recuerdan, Luis me había invitado a ir a Zihuatanejo. ¿Había pensado Luis en mis padres? No, a diferencia de Arturo, Luis no había pensado en mis padres.

Me gusta que Arturo sea tan considerado, cómo piensa en las otras personas. Bueno, pero ahora no sé qué es lo que va a pasar. Seguramente mi mamá no querrá ir a Cozumel con Arturo... y mientras Arturo y yo hablábamos de Cozumel... Pedro vino al hotel. Nos dijo que habían llamado de Guadalajara. ¿Eran buenas las noticias sobre don Fernando? Las noticias sobre don Fernando no eran muy buenas. Don Fernando va a regresar a La Gavia. Nosotros vamos a verlo allí mañana.

Mientras Raquel enfrentaba sus preocupaciones en México, Juan visitó a Pati en el teatro. Él había llegado a una conclusión. Juan había llegado a la conclusión de que Pati debía quedarse en Nueva York.

Mientras tanto, en casa de Ramón, Gloria había regresado. Carlos la esperaba.

The following activity is not available in the Alternate Edition.

Actividad B. ¡Un desafío!

RAQUEL: El verdadero problema que tengo eres tú.

MADRE: Ah, yo soy el problema. Mira, ¡yo no vine de tan lejos para que mi propia hija me insultara!

RAQUEL: ¿Que yo te insulto? ¿Y qué fue lo que tú hiciste con Arturo?

MADRE: No comprendo.

RAQUEL: ¿No comprendes? ¡Te portaste muy grosera con él! Lo insultaste. Actuaste como si fuera un extraño, como si fuera nadie.

MADRE: Para mí no es nadie.

RAQUEL: ¡No importa quién es Arturo para ti! Lo que importa es quién es para mí. Arturo es mi amigo, e insultarlo a él es como insultarme a mí.

Vocabulario del tema

Las relaciones interpersonales Por un lado... aceptar, por otro lado... rechazar, Por un lado... acusar, por otro lado... perdonar, Por un lado... alabar, por otro... insultar u ofender, amar o querer; odiar

confiar en, desconfiar de, culpar, disculpar, decir la verdad, engañar o mentir, llevarse bien con, llevarse mal, discutir o pelearse con, prestar atención a, no hacer caso de, respetar, estimar o venerar, despreciar o desdeñar, ser amigo íntimo de, ser distante de, ser unido, ser desunido, tratar, no hacerle caso a alguien

actuar o portarse amigablemente u hostilmente

Actividad A. Opiniones Escucha las siguientes descripciones o predicciones. Luego indica si estás de acuerdo con ellos o no.

La familia Castillo Soto

1. Ángela y Roberto no son muy unidos.
2. Ángela no hace caso de las opiniones y consejos de los demás.
3. En la familia de Ángela y Roberto, todos veneran a la abuela y respetan sus opiniones.

La familia Rodríguez

4. Raquel y su madre se llevan bien en general.
5. Como ocurre entre todas las madres e hijas, a veces Raquel y su madre discuten porque son de distintas generaciones y tienen diferentes ideas sobre algunas cosas.

6. Al fin y al cabo, Raquel va a disculpar a su madre.
7. María (la madre de Raquel) no le hace mucho caso a su esposo.
8. María se portó hostilmente con Arturo porque no le caen muy bien los argentinos.

La familia Castillo Saavedra

9. Los miembros de la familia Castillo se mantienen distantes los unos de los otros.
10. Carlos trató de engañar a la familia por razones económicas.
11. Es obvio que Juan no quiere a Pati, pues le tiene envidia.
12. Gloria hace lo que hace porque los hermanos de Carlos no la aceptan.

Lección 45: Workbook/Study Guide

Más allá del episodio
Actividad B.

Paso 2. Ahora escucha la narración en la cinta. Después de escuchar, cambia tus respuestas en el **Paso 1** si es necesario.

Para María, su hija es lo primero. Quiere que tenga una brillante carrera... dinero... y que se case con alguien que le ofrezca la clase de vida que ellos, sus padres, no le pudieron dar. Esto es importantísimo para a María. Por eso, se mete demasiado en la vida de su hija y trata de imponerle sus puntos de vista.

Raquel sufre por estas cosas, pero trata de no disgustarse mucho. Sabe que su madre la quiere y, además, la considera una buena amiga. Raquel no ha perdido todavía la esperanza de que algún día su mamá deje de verla como a una niña.

Gramática
Section 104

Actividad B.   Reacciones

1. a. Mercedes se molestó de que Carlos hubiera engañado a su familia.
2. c. No estaba contenta de que Luis hubiera venido a México a verla.
3. b. No le gustó que Ángela hubiera pensado darle parte de su dinero a su novio.
4. e. Les sorprendió la idea de que Gloria hubiera salido de casa por la noche.
5. f. Le parecía curioso que los hermanos no hubieran aceptado ya la oferta de su cliente.
6. d. Le enfadó que su madre hubiera tratado tan mal a su amigo argentino.

Lección 45: Self-Test

III. La gramática

You will hear the speaker tell some of the characters some things that might be true. Following the model, write what the character might have said using any appropriate exclamation from the list. First, take a few seconds to scan the list.

> MODELO: (*you hear*) Raquel, don Fernando ha muerto.
> (*you see*)   (Raquel/decir)
> (*you write*) ¡Qué terrible!

1. Sra. López, la familia vende La Gavia en 900,000,000 de pesos.
2. María, Luis ha pasado mucho tiempo solo con Raquel en México.
3. Mercedes, no hay esperanza de que se reponga don Fernando.
4. María, Raquel ama muchísimo a ese gaucho de la Argentina.
5. Raquel, Ángela, Roberto y tus padres no van a cenar contigo.

Preparación
Actividad A.

En el episodio previo, Arturo le sugirió a Raquel la idea de ir a Cozumel con sus padres. Raquel quedó bien impresionada por el interés que Arturo había tomado en sus padres. Pero Raquel y Arturo decidieron hablar con ellos antes de tomar una decisión.

Mientras tanto, a don Fernando lo dieron de alta y pudo regresar a casa. Pero las noticias sobre su estado de salud no eran buenas.

En Nueva York, Juan le dijo a Pati que había decidido volver a México para estar con su familia. También le dijo que finalmente entendía por qué Pati se tenía que quedar en Nueva York.

En México, Gloria volvió a casa de Ramón y Carlos le dijo que era hora de hablar francamente de su problema.

¿Tienes buena memoria?
Actividad A. Raquel: Discusión, confesión

Bueno, parece que nuestra historia está por terminar. ¡Y qué historia ha sido! ¿no? Sobre todo lo que ha pasado hoy.

Esta mañana, mi mamá vino a verme. Me había comprado algo especial para comer... algo que me gustaba de niña. ¿Recuerdan? Mi mamá me había comprado unas empanadas. Posiblemente no les parezca que tenga importancia, pero mi mamá usaba las empanadas como excusa para entrar en una conversación seria conmigo. En esa conversación, ella me explicó por qué había invitado a Luis a México. ¿Recuerdan su razón? Mi mamá me dijo que tenía miedo de mis relaciones con Arturo.

Ese momento fue muy difícil para mi mamá. Ella no es una persona que pueda expresar sus sentimientos fácilmente. La verdad es que yo no me podría ir a vivir a la Argentina. No sé cuándo Arturo y yo vamos a hablar de esas cosas. Bueno.

Después, mi mamá y yo bajamos para buscar a mi papá y a Arturo. En la recepción, me dijeron que alguien me había dejado un mensaje. ¿Recuerdan de quién era? El mensaje era de Luis.

Luis había decidido regresar a Los Ángeles. En su nota, me decía que había sido una sorpresa para él encontrarme a mí con Arturo en el hotel. Pobre Luis. Sé que la decisión no fue fácil para él, pero la verdad es que así es mejor. Yo no sabía cómo decirle que tenía razón... que estoy enamorada de Arturo. Bueno, ya lo he dicho: estoy enamorada de Arturo.

Actividad C. Dos conversaciones muy importantes

Paso 1. En este episodio, el padre de Raquel le ofrece un consejo al amigo de su hija. Al mismo tiempo, la madre de Raquel está hablado con su hija. Escucha las dos conversaciones otra vez.

Aquí está la conversación entre Arturo y el padre de Raquel.

ARTURO: Si me permite, me gustaría hacerle una pregunta.
PADRE: ¿Sí?
ARTURO: ¿Tiene su esposa algo en contra de mí?
PADRE: ¿Quién? ¿María?
ARTURO: Sí. Anoche...
PADRE: Mire, Arturo. Le voy a decir una cosa. María tiene su forma de ser. Es muy cabezona, ¿sabe? Si uno dice «blanco», ella dice «negro» sólo para fastidiar.
ARTURO: Entiendo. Pero...
PADRE: Pero Ud. quiere caerle bien, ¿no? Causarle una buena impresión porque Ud. quiere a nuestra hija, ¿no es así Arturo?
ARTURO: Precisamente.
PADRE: No se preocupe, Arturo. Tan pronto como María comprenda la situación, cambiará... pero a su manera, ¿sabe?

ARTURO: Ojalá que así sea. De veras, Pancho. La opinión de Uds. es muy importante para mí.
PADRE: Ya lo creo, Arturo, ya lo creo. Mire, no me sorprendería nada si en este mismo momento María y Raquel estuvieran platicando.
ARTURO: ¿Sí?
PADRE: Le digo, Arturo, que conozco muy bien a mi mujer.

Aquí está la conversación entre Raquel y su madre.

MADRE: Raquel, he estado pensando. No me gusta que haya disgustos entre nosotras. Mira, creo que... que tienes razón. No debía haber invitado a Luis a venir a México. No es que no me guste tu amigo Arturo. Es que... es que tengo miedo. Raquel, tu papá y yo somos viejos. No tenemos a nadie. ¡Y yo no quiero que te vayas a la Argentina!
RAQUEL: Pero, mamá, ¿por qué crees que me voy a la Argentina? ¿Porque me gusta Arturo?
MADRE: Sí. Lo noté en tu voz el día que me hablaste por teléfono.
RAQUEL: Sí, quiero mucho a Arturo, pero él y yo todavía tenemos muchas cosas de que hablar. Y, pues, yo no puedo abandonarte tan fácilmente a ti y a papá. En Los Ángeles tengo mi casa, mi carrera. Allí está toda mi vida.
MADRE: ¿Y Luis?
RAQUEL: Ah, sí, Luis. Mamá, trata de comprender esto. Luis es parte de mi pasado... es un recuerdo... pero uno no puede volver al pasado. Yo he cambiado mucho desde esos días en la universidad. Y Luis parece seguir siendo el mismo.
MADRE: Sí. Tienes razón. Tú ya eres una mujer, y piensas como una adulta. ¿Me perdonas?
RAQUEL: Sí. Sí, porque eres mi madre... y te quiero mucho. Pero me tienes que prometer algo.
MADRE: ¿Qué?
RAQUEL: Todavía no sé lo que va a pasar con Arturo, pero lo quiero mucho, es mi amigo, y tienes que cambiar con él.
MADRE: Te lo prometo.

Vocabulario del tema

Diversiones y pasatiempos al aire libre, el tiempo libre, los ratos libres
cocinar, coleccionar estampillas o monedas, coser, dar o hacer fiestas, dar paseos o pasear, hacer un *picnic,* ir al cine o a una función de teatro, ir a un parque o al campo, jugar a las cartas, al ajedrez, al póquer o juegos de salón; leer revistas o novelas, mirar la televisión, pasarlo bien con los amigos, salir con los amigos, salir de la ciudad, sacar fotos o vídeos, trabajar en el jardín, ver una película, visitar un museo o a los parientes
disfrutar o gozar, divertirse, entretenerse, llevar una vida activa, llevar una vida sedentaria

The following activity is not available in the Alternate Edition.

Actividad B.   Cómo se divierten

Paso 2. Ahora escucha la cinta para verificar tus respuestas. También debes tratar de captar un detalle importante de cada comentario que vas a escuchar.

1. Para pasarlo bien, a Raquel le gusta trabajar en el jardín. Le gusta mucho estar al aire libre. Además, como lleva una vida profesional muy activa, el trabajo en el jardín le sirve para relajarse.
2. A Raquel también le gusta ir al teatro, al cine, al ballet... ir a ver una película... Sin duda, goza de todo espectáculo artístico.
3. A Arturo le gusta muchísimo sacar fotos. Es una de sus diversiones favoritas. Y en sus ratos libres aprende a sacar vídeos.
4. Arturo no disfruta mucho de las diversiones que hay en los parques públicos: navegar en barco, andar en mateo... Aunque no le gusta esta manera de pasar el tiempo, una tarde lo hizo con Raquel. Eso sí. Lo pasó muy bien.
5. A Arturo sí le gusta mucho visitar los museos. A veces va solo, pero prefiere ir con los amigos. Así disfruta más.
6. Pancho no es una persona a quien le gusten los museos. Tampoco le gusta ir al teatro. Raquel lo ha invitado varias veces a ver alguna obra de teatro, pero él siempre dice que no.

7. En cambio, a Pancho le gusta mucho jugar a las cartas con sus amigos, especialmente al póquer. Es su pasatiempo favorito.
8. La madre de Raquel realmente tiene pocas amigas, así que los juegos de salón no le interesan. Raquel es el centro de la vida de su madre; por eso tiene tanto interés en todo lo que Raquel hace... y en los amigos que ella tiene.
9. A don Fernando le encanta leer, y lee mucho, especialmente libros sobre la historia de España y la Guerra Civil española.
10. Don Fernando no juega mucho al póquer, pero sí le gusta a veces jugar al ajedrez, sobre todo con Carlitos. Don Fernando lleva una vida muy sedentaria.

Lección 46: Workbook/Study Guide

Más allá del episodio
Actividad B.

Paso 2. Ahora escucha la narración en la cinta para saber lo que realmente pasó.

Tan pronto como Raquel y su madre regresaron a casa después de comprar el vestido azul, Raquel se fue corriendo a su cuarto. Detrás de la puerta cerrada, su padre la escuchaba llorar con gran pena.

Al día siguiente, Pancho hizo algo de lo que María nunca se enteró. Fue al almacén donde habían estado madre e hija y le compró a Raquel el vestido rosa que tanto le había gustado. Más tarde, aprovechando que María se había ido de compras, Pancho le dio el vestido a Raquel. Ésta se alegró mucho y llamó en seguida a la empleada del almacén para saber si todavía podían arreglarle el vestido a tiempo.

Aunque la empleada le dijo que sí, Raquel no llevó el vestido al almacén. Se quedó pensando en todos los aspectos del incidente. Por fin se dio cuenta de que si su mamá se enterara de lo que su papá había hecho, nunca habría paz en esa casa.

Por eso Raquel devolvió el vestido rosa y fue al baile con el azul. Su papá comprendió muy bien por qué Raquel había cambiado de opinión y vio cómo su hija pasaba de niña a mujer. Ninguno de los dos nunca le contó nunca a María lo que había pasado.

Gramática
Section 106

Actividad A.   ¿Qué habría pasado?

Paso 2. Ahora escucha la opinión de la persona en la cinta. ¿Están Uds. de acuerdo?

1. Yo creo que Raquel habría terminado su carrera de una manera u otra. Es una mujer determinada y siempre ha tenido metas concretas. Lo que habría pasado es que un día ella y Luis se habrían encontrado con el mismo problema que Juan y Pati tienen ahora.
2. Yo creo que Ángel se habría ido de todas formas. Una reconciliación con su padrastro le hubiera costado mucho sicológicamente. Para satisfacer a su padrastro, hubiera tenido que dejar de pintar. Tarde o temprano, sus fuertes inclinaciones artísticas habrían predominado en él y hubiera tenido la misma lucha con su Martín.
3. No estoy de acuerdo. Si hubieran hablado de lo importante que era sus carreras, Juan habría aceptado *en ese momento* la importancia que para Pati tiene su propia carrera. El problema es que es imposible saber de antemano que un miembro de una pareja tendrá más éxito en su profesión que el otro, y eso es el problema. Juan sencillamente le tiene envidia a su esposa.
4. No importa el que Gloria y Carlos se mudaran a Miami. Tal vez era más fácil que Gloria empezara a jugar en Miami, pero este vicio—u otro parecido—hubiera surgido de todas formas.
5. Yo creo que es poco probable que don Fernando y Rosario se hubieran reunido de nuevo en España. Las condiciones en España durante la época de la Guerra Civil y la posguerra eran muy duras, y muchas personas perdieron contacto con su familia y sus amigos.

Lección 46: Self-Test

I.   El episodio y los personajes

Explain what problem is solved when the following words are spoken in **Episodio 46**.

1.   ÁNGELA: Roberto, si te preocupas por mí no tienes por qué. No le voy a dar a Jorge todo
      mi dinero. Mira, tenemos que tomar una decisión. Ya hay una oferta para el
      apartamento.
      ROBERTO: Es que si queremos venderlo, habrá otras ofertas.
      ÁNGELA: Ay, está bien. Esperemos.

2.   PANCHO: No se preocupe, Arturo. Tan pronto como María comprenda la situación,
      cambiará... pero a su manera, ¿sabe?
      ARTURO: Ojalá que así sea. De veras, Pancho. La opinión de Uds. es muy importante para mí.
      PANCHO: Ya lo creo, Arturo, ya lo creo. Mira, no me sorprendería nada si en este mismo
      momento María y Raquel estuvieran platicando.

3.   RAQUEL: Pero, mamá, ¿por qué crees que me voy a la Argentina? ¿Porque me gusta Arturo?
      MADRE: Sí. Lo noté en tu voz el día que me hablaste por teléfono.
      RAQUEL: Sí, quiero mucho a Arturo, pero él y yo todavía tenemos muchas cosas de que hablar.
      Y, pues, yo no puedo abandonarte tan fácilmente a ti y a papá. En Los Ángeles tengo
      mi casa, mi carrera. Allí está toda mi vida.

Lección 47: Textbook

Preparación
Actividad.

En el episodio previo, don Fernando regresó a La Gavia. En Guadalajara, el médico le había
dicho a Mercedes que ya no había nada que hacer, y que don Fernando podía regresar a casa a
pasar sus últimos días con su familia.

Mientras tanto, Arturo y Pancho, el padre de Raquel, conversaban durante el desayuno.
Era evidente que Arturo le caía bien a Pancho. Y la madre de Raquel, a quien no le gustaba
Arturo, le confesó a Raquel sus temores. Más tarde Raquel, Arturo, Pancho y María dieron un
paseo. Y María empezó a conocer a Arturo.

Ángela y Roberto hablaron del apartamento y decidieron no venderlo por el momento.
Por la tarde, fueron a La Gavia con Arturo y Raquel para conocer por fin a su abuelo paterno.

¿Tienes buena memoria?
Actividad A.   ¿Qué pasó con Raquel?

Bueno. Mis padres no están y les dejé un mensaje. Esta noche voy a quedarme aquí en La
Gavia a cenar con la familia Castillo. ¡Qué emocionante el encuentro entre don Fernando,
Ángela, Roberto y Arturo! ¿Recuerdan lo que le trajo Arturo a don Fernando? Arturo trajo dos
fotos: una de Ángel y otra de Rosario. Pero no pasamos mucho tiempo con don Fernando.
Con la emoción, necesitaba descansar.

Entonces, Arturo y yo salimos a dar un paseo. Arturo quería dar un paseo para hablar
conmigo sobre algo importante. Yo sabía dos cosas: sabía que él quería hablar de nuestro
futuro. Y también sabía que él iba a pedirme que yo me fuera a vivir a la Argentina.

Cuando yo le dije que no podía, que tenía mi profesión y mi familia en Los Ángeles, su
respuesta realmente me sorprendió. ¿Qué me dijo Arturo que haría? Arturo me dijo que se iría
a vivir a Los Ángeles. Pues, claro, ¡yo no esperaba eso! Y le respondí que no era fácil lo que me
proponía. Pero ahora que lo pienso, sus razones son lógicas.

Seguramente vamos a hablar más de eso. Por el momento, no sé, me siento, muy feliz,
pero también un poco preocupada. Salir de la Argentina para irse a vivir a Los Ángeles, pues,
no le será fácil a Arturo. Pero, la idea me gusta mucho. Sí, me gusta mucho.

Lección 47: Workbook/Study Guide

Gramática
Section 108

Actividad B. ¿En qué circunstancias?

Paso 2. Ahora escucha la opinión de la persona en la cinta. ¿Estás de acuerdo?

1. Roberto no quiere vender el apartamento de ninguna manera. Aunque sea cierto que Jorge no le gusta nada, la verdad es que la casa familiar tiene mucha importancia para él. Es dudoso que Ángela y Roberto lleguen a un acuerdo que satisfaga a los dos, pase lo que pase con Jorge.
2. Gloria realmente sufre mucho a causa de su vicio. Pero no ha buscado la ayuda de nadie, en primer lugar porque tiene vergüenza. Pero en segundo lugar porque tiene miedo. Necesitará el apoyo de su esposo para que dé el paso de consultar con un psicólogo o un psiquiatra.
3. Le será muy difícil, pero Juan va a tomar la decisión de pedirle a Pati que deje de trabajar. Ha tratado de reconciliarse con la carrera y el éxito de su esposa, pero en el fondo no puede aceptarlos. No lo podrá hacer, por su orgullo de niño mimado.
4. Cuando sus hijos lo consulten con él, don Fernando va a sorprenderlos a todos al sugerir que se venda La Gavia. Aunque la hacienda fue muy importante para él en una época, lo que más le preocupa al patriarca ahora es el futuro económico de sus hijos. Considera más importante resolver los problemas de Castillo Saavedra, S.A. que preservar la hacienda familiar.

Lección 47: Self-Test

I. El episodio y los personajes

What character might have thought the following about what other character in **Episodio 47**?

1. ¿Cómo puedo saber si esta mujer es mi nieta verdadera?
2. No sé qué hacer con mi mujer, que tiene el vicio del juego.
3. ¿Querrá ella mudarse a Buenos Aires?
4. Lo quiero mucho pero no sé por qué todos se oponen a él.
5. No entiendo por qué no me habló antes de su problema con Gloria. Soy su hermano.
6. No me explico cómo Ángela puede querer a un don Juan como él.

Lección 48: Workbook/Study Guide

Repaso gramatical

Actividad. ¡Se perdió!

En Sevilla, Raquel tenía que buscar a la persona que le escribió una carta a don Fernando. Pronto supo que Teresa Suárez ya no vivía en Sevilla y que ella tendría que ir a Madrid para hablar con ella. Tenía un día libre y decidió pasarlo con la familia Ruiz.

Por la mañana fue al mercadillo de los animales con Elena y Miguel y los dos hijos de ellos. Jaime quería tener un perro y su padre había decidido comprarle uno ese día. En el mercadillo había animales de todos tipos. Miguel encontró un perrito de color negro que a Jaime le gustó inmediatamente. Su padre regateó con el dueño y así Jaime consiguió su perro.

Después de comprar el perro, todos fueron a tomar un café y unos pasteles. Mientras tanto, el perro se escapó y Jaime salió corriendo para buscarlo. Pronto los dos se perdieron en las calles estrechas del Barrio de Santa Cruz. Todos los siguieron, Elena por una calle, Raquel por otra y Miguel padre y Miguel hijo por otra.

Fue Raquel quien encontró al perro y a Jaime, que estaba hablando con un ciego, un vendedor de lotería. Regresaron a la Giralda, donde todos habían dicho que iban a reunirse. Raquel fue a comprarle a Jaime unos caramelos. Mientras pagaba los dulces, el chico y su perro se perdieron otra vez. Raquel los buscó en la Catedral de Sevilla y por fin los encontró afuera, con la familia. Afortunadamente el resto del día pasó sin más incidentes de este tipo.

Al día siguiente Raquel salió para Madrid en tren. En el viaje, conoció a un reportero de televisión y a su asistente. El reportero era muy persistente y sus preguntas le molestaban a Raquel. Pero trató de contestarlas cortésmente. Se despidió del reportero amistosamente en la estación del tren y tomó un taxi para su hotel.

Al llegar al hotel, Raquel se dio cuenta de que había dejado su cartera en el taxi. Salió en seguida a buscarla, pero el taxi ya se había ido. Afortunadamente estaban allí afuera del hotel el reportero y su asistente. Cuando Raquel les dijo lo que había hecho, salieron en busca del taxi y de la cartera. Gracias a la persistencia del reportero, Raquel por fin consiguió su cartera.

Raquel va a perder esta cartera otra vez. ¿Te acuerdas dónde y cómo? ¿Dónde le dijo alguien lo siguiente? «Así que la famosa abogada anda dejando olvidada la cartera por todo el mundo.»

Lección 49: Workbook/Study Guide

Repaso gramatical

Actividad.   ¡Se enamoró!

La vida nos sorprende con frecuencia. A veces seguimos un sendero, con una meta en particular, y luego nos encontramos con algo realmente diferente de lo que buscábamos. Eso es lo que le pasó a Raquel en la Argentina. Llegó en busca de Rosario y aunque es cierto que encontró lo que buscaba también encontró algo que nunca se imaginó que encontraría.

Las relaciones entre Raquel y Arturo empezaron por una equivocación. El ama de casa del Dr. Iglesias invitó a Raquel a que entrara en la casa de la calle Gorostiaga pensando que era una paciente. Y el doctor pensó lo mismo cuando se sentó a hablar con la mujer que había preguntado por él. Muy pronto los dos se quedaron sorprendidos. Raquel, porque por fin había encontrado a una persona que podía saber algo de Rosario. Arturo, porque las preguntas de la mujer le hicieron recordar una época triste de su pasado. Pero ese día, no le dijo nada a Raquel sobre eso. Sólo le dijo que quería ayudarla a encontrar a su hermano, Ángel y Raquel se lo agradeció mucho.

Al principio Arturo y Raquel pusieron toda su atención en la búsqueda de Ángel. Con paciencia, le preguntaron a todo el mundo en La Boca si reconocían al joven de la foto. La pista los llevó a Héctor, pero a lo largo del camino tenían que almorzar, cenar... Había tiempo para platicar, para enterarse de algunos detalles importantes de la vida del otro. Arturo estaba divorciado; ahora se dedicaba mucho a su trabajo... tal vez demasiado. Raquel había tenido un novio, claro, pero ¿ahora? Parecía que no había ningún hombre en su vida.

Al paso que iban acercándose al paradero de Ángel, también iban acercándose más y más el uno a la otra. Arturo por fin le confesó a Raquel un secreto muy íntimo: no había hecho nada por encontrar a Ángel después de que éste salió de la Argentina... y por eso tenía un gran sentimiento de culpabilidad. La reacción de Raquel fue sincera e inmediata. Le aseguró que él no tenía la culpa de nada. Luego Arturo y Raquel se besaron por primera vez.

Desde ese momento, la búsqueda de Ángel tenía que coexistir con la idea del «otro» en la mente de cada uno. Raquel tenía que concluir su investigación y, siendo una verdadera profesional, siguió haciendo su trabajo. Arturo la ayudó en todo, claro. Pero también hubo unos ratos de diversión. Pasaron una tarde agradable en el Rosedal, donde anduvieron en mateo y en barco y tuvieron un *picnic*. Fueron de compras y Arturo le compró a Raquel un recuerdo de la Argentina: una linda campera que a ella le gustó mucho, a pesar de que no le iba a servir mucho en el clima tropical de Puerto Rico. Arturo le enseñó a Raquel a bailar el tango. Hubo fotos y bromas y un cielo lleno de estrellas.

Muy pronto, Arturo pareció estar seguro de sus sentimientos por Raquel. En una de sus últimas cenas juntos, estaba para declararse, pero Raquel lo paró. Para ella, todo estaba pasando demasiado rápidamente, y necesitaba tiempo para pensar. Arturo le dijo que la comprendía, pero en cuanto a sí mismo estaba casi desesperado. Esta mujer maravillosa se iba en unos días y no la quería perder.

Por fin llegó el momento de llevar a Raquel al aeropuerto. Los dos sabían que se iban a extrañar mucho, aunque Arturo había prometido ir a Puerto Rico en unos días para seguir con la búsqueda de Ángel. Pero no por eso fue menos triste la despedida. En ese momento, a pesar de sus planes, realmente no sabían dónde ni cuándo se volverían a ver...

Lección 52: Textbook

Preparación

Actividad.

Bueno. Mis padres no están y les dejé un mensaje. Esta noche voy a quedarme aquí en La Gavia a cenar con la familia Castillo. ¡Qué emocionante el encuentro entre don Fernando, Ángela, Roberto y Arturo!, ¿Recuerdan lo que le trajo Arturo a don Fernando? Arturo trajo dos fotos: una de Ángel y otra de Rosario. Pero no pasamos mucho tiempo con don Fernando. Con la emoción, necesitaba descansar.

Entonces, Arturo y yo salimos a dar un paseo. Arturo quería dar un paseo para hablar conmigo sobre algo importante. Yo sabía dos cosas: sabía que él quería hablar de nuestro futuro. Y también sabía que él iba a pedirme que yo me fuera a vivir a la Argentina.

Cuando yo le dije que no podía, que tenía mi profesión y mi familia en Los Ángeles, su respuesta realmente me sorprendió. ¿Qué me dijo Arturo que haría? Arturo me dijo que se iría a vivir a Los Ángeles. Pues, claro, ¡yo no esperaba eso! Y le respondí que no era fácil lo que me proponía. Pero ahora que lo pienso, sus razones son lógicas.

Seguramente vamos a hablar más de eso. Por el momento, no sé, me siento muy feliz, pero también un poco preocupada. Salir de la Argentina para irse a vivir a Los Ángeles, pues, no le será fácil a Arturo. Pero, la idea me gusta mucho. Sí, me gusta mucho.